D0410429

De informanten

Juan Gabriel Vásquez

De informanten

Vertaald door Brigitte Coopmans

SIGNATUUR

2008

Oorspronkelijke titel: Los informantes
Vertaald uit het Spaans door Brigitte Coopmans

Omslagontwerp: Wil Immink Design
Omslagfoto: Imagestore/Magnum
Foto auteur: Laura Kovensky
Typografie: Pre Press B.V., Zeist
Druk- en bindwerk: Koninklijke Wöhrmann, Zutphen

ISBN 978 90 5672 238 8
NUR 302

De vertaling van dit boek is mede tot stand gekomen met behulp van subsidie van Dirección General del Libro, Archivos y Bibliotecas del Ministerio de Cultura de España

De vertaalster ontving voor deze vertaling een werkbeurs van de stichting Fonds voor de Letteren

Dit boek is gedrukt op papier dat het keurmerk van de Forest Stewardship Council (FSC) mag dragen. Bij dit papier is het zeker dat de productie niet tot bosvernietiging heeft geleid. Een flink deel van de grondstof is afkomstig uit bossen en plantages die worden beheerd volgens de regels van FSC. Van het andere deel van de grondstof is vastgesteld dat hiervoor geen houtkap in de laatste resten waardevol bos heeft plaatsgevonden. Daarom mag dit papier het FSC Mixed Sources label dragen. Voor dit boek is het FSC-gecertificeerde Munkenprint gebruikt. Dit papier is 100% chloor- en zwavelvrij gebleekt en wordt geleverd door Arctic Paper Munkedals AB, Zweden.

Voor Francis Laurenty (1924-2003)

Nooit zult gij de vergrijpen uitwissen die ge daar begaan hebt!
Daarvoor zult ge geen woorden genoeg hebben!
Demosthenes, *Kransrede*

Wie wenst het woord?
Wie wil het verleden aanklagen?
Wie wil zich borg stellen voor de toekomst?
Demosthenes, *Kransrede*

Inhoud

I

HET GEBREKKIGE LEVEN

De ochtend van 7 april 1991, toen mijn vader me belde om me voor het eerst uit te nodigen in zijn appartement in de wijk Chapinero, had het in Bogotá zo hard geregend dat de bergriviertjes van de Cerros Orientales buiten hun oevers traden. Het water kwam in enorme hoeveelheden naar beneden en sleurde takken en aarde mee; riolen raakten verstopt, de smalste straatjes kwamen blank te staan en kleine auto's werden door de sterke stroming van de grond getild; een taxichauffeuse werd door het water verrast en vond de dood omdat ze onder onduidelijke omstandigheden bekneld was geraakt onder het chassis van haar eigen taxi. Mijn vaders telefoontje was op zijn minst opzienbarend, maar die dag kwam het me ronduit onheilspellend voor, niet alleen omdat mijn vader al sinds lange tijd geen bezoek meer ontving, maar ook omdat de aanblik van de stad die aan alle kanten door het water werd bedreigd, van stilstaande files, kapotte stoplichten, vastgelopen ambulances en noodsituaties waarbij geen hulp kon worden geboden, hem er onder normale omstandigheden wel van overtuigd zou hebben dat het niet verstandig was om op visite te gaan en bijna roekeloos om iemand op visite te vragen. Het beeld van de stad in totale ontreddering doordrong me van de ernst van de situatie; ik vermoedde dat de uitnodiging geen beleefdheidskwestie was en kwam tot een voorlopige conclusie: we gingen over boeken praten. Niet over zomaar een boek, uiteraard, we zouden praten over het enige boek dat ik tot dan toe had uitgebracht, een reportage met de titel van een televisiedocumentaire – *Een leven in ballingschap* – dat vertelde, of althans een poging daartoe deed, over het leven van Sara Guterman, dochter uit een joodse familie en huisvriendin van ons sinds haar aankomst in Colombia in de jaren dertig. Het boek had bij zijn verschijning in 1988 enige bekendheid genoten, niet vanwege het onderwerp of de betwistbare kwaliteit, maar omdat mijn vader, professor in de retorica die zich altijd verre van elke vorm van journalistiek had gehouden, lezer van klassieke werken die nota bene zijn neus ophaalde voor literatuurbesprekingen in de pers, in het *Magazín Dominical* een recensie had gepubliceerd waarin hij het, met iets wat raakte aan venijn, tot de grond toe had afgebroken. Men zal dan ook begrijpen dat ik, toen mijn vader later ons huis onder de prijs had verkocht en de stek voor zijn zogenaamde vrijgezellenbestaan had betrokken, niet verbaasd was van een derde te moeten vernemen dat hij was verhuisd, ofschoon het Sara Guterman was – dat wil zeggen: de meest nabije derde in mijn leven – die me hiervan op de hoogte had gebracht.

Het was die namiddag dat ik hem uiteindelijk zag dus alleszins logisch te denken dat hij me daarover wilde spreken, dat hij drie jaar na dato dat kleine, huiselijke, jawel, maar daardoor nog niet minder pijnlijke verraad zou rechtzetten. Maar er gebeurde heel wat anders. Vanuit zijn autoritaire gele leunstoel, zappend met de eenzame duim van zijn verminkte hand, met een geur van ongewassen lakens om zich heen en een ademhaling als een papieren vlieger, vertelde die angstige, oud geworden man, op de toon die hij zijn leven lang had gebezigd als hij weer eens een anekdote over Demosthenes of Gaitán aanhaalde, dat hij sinds drie weken bij een arts in de San Pedro Claver-kliniek liep en dat bij onderzoek van zijn zevenenzestig jaar oude lichaam aan het licht was gekomen dat hij, in deze volgorde, een onbelangrijke vorm van diabetes had en een verstopte slagader – de linker anterior descendens – en dat hij onmiddellijk geopereerd moest worden. Hij wist nu hoe dicht hij bij het einde van zijn bestaan was geweest en wilde dat ik dat ook wist. 'Ik ben alles wat je hebt,' zei hij. 'Ik ben alles wat je nog rest. Je moeder ligt al vijftien jaar begraven. Ik had je ook níét kunnen bellen, maar ik heb het toch gedaan. Weet je waarom? Omdat je na mij alleen bent. Omdat ik, als jij een trapezewerker was, je enige vangnet zou zijn.' Nu er voldoende tijd is verstreken sinds de dood van mijn vader en ik eindelijk heb besloten mijn hoofd, mijn bureau, mijn documenten en mijn aantekeningen op orde te brengen om dit verslag te schrijven, lijkt het me logisch om als volgt te beginnen: door terug te gaan naar de dag waarop hij me belde, in het hart van de strengste winter van mijn volwassen leven; niet om de verwijdering die we tussen ons hadden laten ontstaan te stoppen, maar om zich minder eenzaam te voelen wanneer ze met een elektrische zaag zijn borstkas zouden openzagen en een ader uit zijn rechterbeen aan zijn zieke hart zouden naaien.

De zaak was aan het rollen gebracht door een routineonderzoek. De arts, een man met een sopraanstem en het lijf van een jockey, had tegen mijn vader gezegd dat een lichte vorm van diabetes op zijn leeftijd niet echt uitzonderlijk noch al te zorgwekkend was: het betrof slechts een voorspelbare schommeling in de waarden en er zouden geen insuline-injecties of andersoortige medicijnen aan te pas hoeven komen, maar hij moest regelmatig bewegen en een streng dieet volgen. En toen was, nadat hij een paar dagen netjes was gaan joggen, de pijn begonnen, een zachte druk op zijn maag, die eerder leek te wijzen op spijsverteringsproblemen. De arts gaf opdracht tot nieuw onderzoek, nog altijd algemeen maar wel grondiger, dat onder meer een krachttest omvatte; gehuld in een lange onderbroek die als een paar slobkousen om zijn benen lubberde, begon mijn vader eerst te wandelen en vervolgens te draven over de synthetische loopband – die koude, zichzelf vernieuwende mat – en keerde daarna terug naar het piepkleine kleedhokje (waarin hij, zo vertelde hij me, een kortstondige aanval van claustrofobie had gekregen toen hij zich had willen uitrekken en voelde dat hij aan weerszijden met zijn ellebogen de wanden raakte). Hij had net zijn wollen broek aangetrokken en was de manchetten van zijn overhemd aan het dichtknopen met de bedoeling naar huis te gaan en af te wachten tot een assistente hem zou bellen voor de uitslag van het elektrocardiogram, toen de arts op de deur klopte. Hij vond het heel vervelend, zei hij, maar wat hij op de eerste uitslagen had gezien, beviel hem niet; er moest meteen gekatheteriseerd worden om vast te stellen wat de risico's waren. De katherisatie werd inderdaad uitgevoerd, en de risico's werden (inderdaad) vastgesteld: er was sprake van een verstopte slagader.

'Negenennegentig procent kans,' zei mijn vader, 'dat ik overmorgen een hartinfarct had gekregen.'

'Waarom ben je niet meteen opgenomen?'

'Omdat die man zag dat ik bloednerveus was, denk ik. Hij had liever dat ik naar huis ging. Hij gaf me wel zeer strenge instructies mee. Ik mocht me het hele weekend niet bewegen. Ik moest elke vorm van opwinding vermijden. Vooral geen seks. Dat zei hij, kun je nagaan.'

'En wat zei jij?'

'Dat hij zich daarover geen zorgen hoefde te maken, meer niet. Ik hoef hem toch niet mijn hele leven te gaan vertellen.'

Toen hij de spreekkamer verliet en in de drukke zesentwintigste straat een taxi nam, begon mijn vader nog maar net te beseffen dat hij ziek was. Hij zou in een ziekenhuis worden opgenomen terwijl hij geen enkel symptoom had dat erop wees hoe acuut zijn toestand was, geen andere lichamelijke klachten dan dat lichte pijntje boven in zijn maag, en dat allemaal door een hartkatheterisatie die alles aan het licht had gebracht. Het arrogante gemompel van de arts klonk nog na in zijn oor: 'Als u drie dagen langer had gewacht met langskomen, konden we u hoogstwaarschijnlijk volgende week begraven.' Het was vrijdag. De operatie stond gepland voor de daaropvolgende donderdag om zes uur 's ochtends. 'Ik heb de hele nacht liggen denken dat ik doodging,' zei hij, 'en toen heb ik je gebeld. Daar stond ik wel van te kijken, ja, maar ik sta er nu pas echt van te kijken dat je bent gekomen.' Misschien overdreef hij: mijn vader wist dat niemand zijn mogelijke overlijden zo serieus zou nemen als zijn eigen zoon; en zo, denkend aan zijn dood, brachten we de zondagmiddag door. Ik maakte twee salades, controleerde of er water en sap in de koelkast stond en nam samen met hem de laatste belastingaangifte door. Hij had meer geld dan hij nodig had, wat niet wil zeggen dat hij veel had, maar dat hij weinig nodig had. Hij had alleen inkomsten van zijn pensioen van het hooggerechtshof, en zijn vermogen, dat wil zeggen, het luttele bedrag dat hij had gekregen voor het huis waar ik was opgegroeid en mijn moeder was gestorven, zat in depositocertificaten die hem genoeg opleverden om zijn huur en het meest ascetische leven dat ik ooit had gekend te bekostigen; een leven waarin, voor zover ik dat kan bevestigen, geen restaurants, concertbezoeken of andere min of meer kostbare vormen van vermaak voorkwamen. Ik zeg niet dat ik het geweten zou hebben als mijn vader eens een nacht heeft doorgebracht met een betaalde minnares, maar wanneer een collega probeerde hem het huis uit te krijgen, hem mee uit eten wilde nemen met een willekeurige dame, weigerde mijn vader één keer en legde vervolgens de rest van de avond de telefoon van de haak. 'De mensen die ik in dit leven moet kennen, ken ik al,' zei hij dan tegen mij. 'Ik heb verder niemand nodig.' Een keer werd hij gevraagd door een in merken en patenten gespecialiseerde advocate die zo jong was dat ze zijn dochter had kunnen zijn, zo'n weinig belezen grietje met grote borsten dat onherroepelijk een keer nieuwsgierig wordt naar seks met oudere mannen. 'En heb je nee gezegd?' had ik hem destijds gevraagd. 'Natuurlijk heb ik nee gezegd. Ik zei dat ik een politieke bijeenkomst had. "Van welke partij?" vroeg ze toen. "Van de onanistische partij," zei ik. Ze is heel rustig naar huis gegaan, zonder me verder nog lastig te vallen. Ik weet niet of ze op tijd een woordenboek heeft gevonden, maar blijkbaar heeft ze besloten me met rust te laten, want ze heeft me nooit meer ergens voor gevraagd. Of wie weet, misschien loopt er inmiddels wel een aanklacht tegen me, hè? Ik zie het journaal al voor me: perverse professor valt jonge vrouw lastig met ingewikkelde Bijbelse woorden.'

Ik hield hem tot een uur of zes, zeven gezelschap en ging naar huis. De hele weg lang dacht ik na over wat er even daarvoor was gebeurd, over het eigenaardige keerpunt waarop je als zoon het huis van je vader leert kennen. Waren het twee kamers – de woonkamer en een slaapkamer – of was er nog ergens een werkruimte? Meer dan een boekenkast van wit triplex die nonchalant tegen de muur aan de zijde van de negenenveertigste straat stond, naast een raam met tralies waar nauwelijks licht doorheen kwam, had ik niet gezien. Waar stonden zijn boeken? Waar waren de erepenningen, de zilveren schalen waarmee anderen in de loop der jaren zijn carrière zo graag hadden willen onderscheiden? Waar werkte hij, waar las hij, waar luisterde hij naar die plaat – *Die Meistersinger von Nürnberg* – waarvan de hoes op het aanrecht slingerde? Het appartement leek zijn wortels te hebben in de jaren zeventig: oranjebruine vloerbedekking, een witte glasvezelstoel waarin ik wegzakte terwijl mijn vader de routekaart van zijn hartkatheterisatie in herinnering riep en voor mij beschreef (de smalle snelwegen, de secundaire wegen), een bedompte badkamer zonder ramen, slechts verlicht door twee rechthoeken van doorzichtig plastic aan het plafond (waarvan er een kapot was; door het gat zag ik de laatste stuipen van twee tl-buizen die op het punt stonden door te branden). Er zaten restjes zeepschuim in de groene wasbak, de douche was donker en rook niet fris en aan het aluminium frame hingen twee pas gewassen onderbroeken. Had hij die zelf gewassen? Kwam er niemand om hem te helpen? Ik trok laden en kastdeurtjes met magneetsluiting open en vond aspirines, een doosje Alka Seltzer en een lang niet gebruikte scheerkwast die onder de roest zat. Op de toiletpot en de vloer zaten urinedruppels: stinkende, gele vlekken die op een versleten prostaat duidden. En op de stortbak lag, onder een doosje tissues, een exemplaar van mijn boek. Ik vroeg me natuurlijk af of dit misschien zijn manier was om te laten weten dat hij na al die jaren niet van mening veranderd was. 'De journalistiek is goed voor de stoelgang,' hoorde ik hem zeggen. 'Heeft niemand je dat soms verteld op de academie?'

Bij thuiskomst belde ik nog wat rond, al was het inmiddels te laat om de operatie nog af te zeggen of second opinions in overweging te nemen, die bovendien via de telefoon en zonder ondersteunende documenten, onderzoeken en röntgenfoto's tot stand zouden zijn gekomen. Een gesprek met Jorge Mor, cardioloog in de Shaio-kliniek en een middelbareschoolvriend van me, stelde me in elk geval niet erg gerust. Toen ik Jorge belde, bevestigde hij wat de arts van de San Pedro Claver-kliniek had gezegd: hij bevestigde de diagnose, de noodzaak om met spoed te opereren en het geluk dat de kwestie bij toeval aan het licht was gekomen, voordat het verstikte hart van mijn vader zou doen wat het van plan was en er ineens zomaar mee op zou houden. 'Ga maar rustig slapen, kerel,' zei Jorge. 'Het is de eenvoudigste variant van een ingewikkelde operatie. Je hebt er niets aan om je tot donderdag druk te gaan lopen maken.' 'Maar wat kan er dan misgaan?' vroeg ik door. 'Alles, Gabriel, alles kan misgaan bij elke operatie ter wereld. Maar deze operatie moet worden uitgevoerd en ze is betrekkelijk eenvoudig. Moet ik langskomen om het uit te leggen?' 'Welnee,' zei ik. 'Ben je mal.' Als ik op zijn voorstel was ingegaan, had ik misschien wel met Jorge zitten praten totdat het tijd was om te gaan slapen. We hadden over de operatie gesproken en ik was laat naar bed gegaan, na een paar slaapmutsjes. Maar uiteindelijk lag ik al om tien uur in bed en ontdekte om drie uur 's nachts dat ik nog steeds wakker lag en banger was dan ik had gedacht.

Ik stapte uit bed, zocht naar de bult van mijn portemonnee in mijn broekzak en strooide de inhoud uit onder de lampenkap. Twee maanden voordat ik achttien zou worden, had mijn vader me een rechthoekig kaartje met een donkerblauwe en een witte kant gegeven, dat hem het recht verschafte om naast mijn moeder te worden begraven in Jardines de Paz – het logo van de begraafplaats stond erop, in letters als lelies –, en me gevraagd het op een veilige plek te bewaren. Zoals elke tiener kon ik op dat moment niets beters bedenken dan het in mijn portemonnee te stoppen. Het kaartje zag eruit als een rouwadvertentie en er zat een inmiddels afgesleten sticker op met daarop mijn vaders naam in getypte letters; het was daar al die tijd blijven zitten, tussen mijn identiteitsbewijs en mijn militaire pas. 'Je weet maar nooit,' had mijn vader gezegd toen hij het aan me gaf. 'Vandaag of morgen gaat er ergens een bom af en ik wil dat je dan weet wat je met me moet doen.' De tijd van bommen en aanslagen, tien hele jaren waarin we ons er continu van bewust waren dat 's avonds thuiskomen een kwestie van geluk was, lag nog ver voor ons; als er echt een bom was ontploft, had het bezit van dat kaartje me heus niet meer duidelijkheid gebracht of aanwijzingen gegeven over hoe je moest omgaan met de doden. Ik bedacht nu dat dat vergeelde, verfomfaaide kaartje leek op de blanco kaartjes in een nieuwe portemonnee; geen enkele buitenstaander zou het hebben aangezien voor wat het werkelijk was: een geplastificeerd graf. En zo viel ik in slaap, bedenkend dat wellicht het moment was aangebroken om het te gebruiken, niet vanwege een bom of een aanslag, maar door de voorspelbare grillen van een oud hart.

Hij werd de volgende dag om vijf uur 's middags opgenomen. In de loop van die eerste uren beantwoordde mijn vader, in zijn groene schort inmiddels, de vragen van de anesthesist en ondertekende de witte ziekenfondspapieren en de drie gekleurde formulieren van zijn levensverzekering (een verbleekte versie van de Colombiaanse vlag). De hele dinsdag en woensdag praatte hij honderduit. Hij eiste garanties, vroeg om informatie en gaf zelf informatie, vorstelijk gezeten op het matras van zijn hoge aluminium ziekenhuisbed en tegelijkertijd in de breekbare rol van iemand die minder weet dan de persoon die hij voor zich heeft. Ik bleef die drie nachten bij hem. Ik verzekerde hem keer op keer dat het allemaal goed zou komen. Ik zag op zijn bovenbeen de bloeduitstorting in de vorm van het schiereiland La Guajira en verzekerde hem dat alles goed zou komen. En op donderdag vroeg in de ochtend reden drie mannen en een vrouw hem, na het scheren van zijn borst en benen, naar de operatiezaal op de tweede verdieping, voor het eerst stil en opzichtig naakt onder zijn wegwerpschort. Ik liep met hem mee totdat een zuster, dezelfde die meerdere malen onverholen naar het comateuze geslachtsdeel van de patiënt had gekeken, me vroeg opzij te gaan en met een naar ammoniak geurend schouderklopje hetzelfde zei als wat ik tegen hem had gezegd: 'Maakt u zich geen zorgen, meneer. Het komt allemaal goed.' Maar ze voegde eraan toe: 'Als God het wil.'

Iedereen herkent de naam van mijn vader, niet alleen omdat het dezelfde is als die onder dit boek staat (jawel, mijn vader was zo'n exemplaar van de voorspelbare soort: mensen met een dusdanig vertrouwen in hun eigen succes in het leven dat ze niet bang zijn om hun kinderen hun eigen naam te geven), maar ook omdat Gabriel Santoro de man was geweest die meer dan twintig jaar lang het beroemde college retorica aan het hooggerechtshof had gegeven en degene die in 1988 de toespraak ter gelegenheid van het 450-jarig bestaan van Bogotá had gehouden, die legendarische tekst die zelfs werd vergeleken met de grootste voorbeelden uit de Colombiaanse redekunst, van Bolívar tot Gaitán. 'Gabriel Santoro, erfgenaam van de Liberale Caudillo', luidde de titel van een officiële publicatie die niemand leest of kent, maar die mijn vader een van de grootste voldoeningen uit zijn recente leven had gebracht. En het was natuurlijk ook niet niks, want van Gaitán had hij alles geleerd; hij had al zijn toespraken bijgewoond, hij had zijn methodes overgenomen. Hij was bijvoorbeeld vóór zijn twintigste begonnen de korsetten van mijn grootmoeder te dragen om het effect te creëren van de band die Gaitán om zijn middel droeg wanneer hij in het openbaar moest spreken. 'De band drukte op zijn middenrif,' legde mijn vader uit in zijn colleges, 'waardoor zijn stem dieper, luider en krachtiger klonk. Je kon tweehonderd meter van het podium staan en Gaitán toch perfect verstaan, terwijl hij zonder microfoon of wat dan ook sprak, puur op eigen kracht.' Zijn uitleg ging vergezeld van gebaren, want mijn vader was een buitengewoon imitator (waar Gaitán echter de wijsvinger van zijn rechterhand naar de hemel ophief, stak mijn vader zijn glanzende stomp in de lucht). 'Het volk: op het morele herstel van de Republiek! Het volk: op onze overwinning! Het volk: op de nederlaag van de oligarchie!' Stilte; bedrieglijk vriendelijke vraag van mijn vader: 'Wie kan mij vertellen waarom deze opeenvolging van zinnen ons raakt, waarin hun kracht gelegen is?' Een argeloze toehoorder: 'Ze raakt ons door het achterliggende idee van...' Mijn vader: 'Niks ideeën. Ideeën doen er niet toe, die heeft elke bruut, en dit hier in het bijzonder zijn geen ideeën, maar leuzen. Nee, de opeenvolging raakt en overtuigt ons vanwege de herhaling aan het begin van elke uitroep, iets wat jullie van nu af aan een anafoor zullen noemen, als jullie zo vriendelijk willen zijn. En wie nog eens over ideeën begint, zet ik voor het vuurpeloton.'

Ik ging regelmatig naar die colleges, gewoon omdat ik het leuk vond om hem Gaitán of wie dan ook te zien vertolken (andere min of meer regelmatig terugkerende figuren in zijn poppentheater waren Rojas Pinilla en Lleras Restrepo), en ik raakte er natuurlijk aan gewend om naar hem te kijken, naar zijn postuur van een bokser in ruste, zijn grof gebouwde lichaam – de uitgesproken kaak en jukbeenderen, de imposante rug – dat genoegzaam in zijn kleding stak, zijn wenkbrauwen, die zo lang waren dat ze in zijn ogen kwamen en soms als gescheurde toneelgordijnen over zijn oogleden leken te vegen, en zijn handen, altijd weer die handen. De linker was zo groot en had zulke lange vingers dat hij een voetbal tussen zijn vingertoppen kon klemmen; de rechter was niet meer dan een verschrompelde stomp waaraan alleen nog een stijve duim zat, als een soort handvat. Mijn vader was een jaar of twaalf en zat alleen in het huis van zijn grootouders in Tunja toen er ineens drie mannen met opgerolde broek en kapmessen en een geur van anijsbrandewijn en natte poncho's om zich heen door het keukenraam naar binnen klommen en 'Dood aan de Liberale Partij' schreeuwden. Ze troffen echter niet mijn grootvader aan, die kandidaat was voor het gouverneurschap van Boyacá en een paar maanden later in Sogamoso in een hinderlaag zou lopen, maar zijn zoon, een jongen die nog in zijn pyjama zat hoewel het al na negenen 's ochtends was. Een van hen rende achter hem aan, zag hem over een hoopje aarde struikelen en verstrikt raken in het hoge gras van het aangrenzende weiland; na een houw met het kapmes liet hij hem voor dood achter. Mijn vader had een hand opgeheven om zich te verweren en het roestige lemmet had er vier vingers afgehakt. María Rosa, de huiskokkin, was ongerust geworden toen hij niet kwam opdagen voor het middageten en had hem uiteindelijk een uur of twee nadat het gebeurd was gevonden, net op tijd om te voorkomen dat hij zou doodbloeden. Maar dit laatste kon mijn vader zich niet herinneren, daarover vertelden ze hem pas later, net als over de koorts en de wartaal – een rare mix van de mensen met de kapmessen en de piraten van Salgari – die hij uitsloeg op het hoogtepunt van zijn ijlkoortsen. Hij moest opnieuw leren schrijven, nu met links, maar verwierf nooit meer de noodzakelijke soepelheid; soms dacht ik, zonder het tegen hem te zeggen, dat zijn mismaakte, losse handschrift, die kinderlijke hoofdletters gevolgd door kleine eskaders van hanenpoten, de enige reden was waarom een man die zijn dagen tussen de boeken van anderen had gesleten, in zijn leven nooit zelf een boek had geschreven. Zijn materiaal bestond uit gesproken en gelezen woorden, nooit uit woorden van zijn eigen hand. Hij voelde zich onbeholpen met een pen en was niet in staat een typemachine te bedienen; schrijven was een memento van zijn invaliditeit, zijn gebrek, zijn schaamte. Als ik hem zijn minder begaafde studenten zag kleineren, als ik zag hoe hij hen ervan langs gaf met zijn harde sarcasme, dacht ik vaak: je neemt wraak. Dit is jouw wraak.

Niets van dit alles leek echter enige consequentie te hebben in de echte wereld, waar mijn vaders succes zich als een roddel verspreidde. Ervaren strafpleiters en advocaten van multinationals, postdoctorale studenten en gepensioneerde rechters begonnen zich aan te melden voor zijn colleges en op een gegeven moment moest deze oude professor in nutteloze kennis en overbodige vaardigheden tussen zijn bureau en zijn boekenkast een soort kitscherige, koloniale plank ophangen waarop zich, achter de opstaande rand met rondbuikige spijltjes, de zilveren schalen, getuigschriften van karton, gewatermerkt papier en imitatieperkament en trofeeën van fineerhout met kleurig aluminium beslag, verzamelden. VOOR GABRIEL SANTORO, UIT DANKBAARHEID VOOR TWINTIG JAAR PEDAGOGISCHE ARBEID ... VERKLAART DAT DE HEER GABRIEL SANTORO, VANWEGE ZIJN MAATSCHAPPELIJKE VERDIENSTEN ... HET STADSBESTUUR VAN BOGOTÁ, ALS EERBETOON AAN DE HEER GABRIEL SANTORO ... Daar, in dat soort tempeltje met heilige koeien, sleet de heilige koe die mijn vader was zijn dagen. Ja, die reputatie had hij, daar kwam mijn vader achter toen het stadsbestuur hem belde met de vraag of hij de toespraak wilde verzorgen, dat wil zeggen, met het verzoek of hij gemeenplaatsen wilde afsteken voor verveelde politici. Deze vredelievende professor – zo zullen ze gedacht hebben – zou stilzwijgend invulling geven aan de standaardprocedure voor dit evenement. Mijn vader deed allerminst wat ze verwachtten.

Hij sprak niet over 1538. Hij sprak niet over onze illustere grondlegger, don Gonzalo Jiménez de Quesada, langs wiens door duiven ondergescheten standbeeld hij altijd liep als hij in café Pasaje een koffie met een scheutje sterkedrank ging drinken. Hij sprak niet over de twaalf huisjes of het plein van 'El Chorro de Quevedo' (de straal van Quevedo), de plek waar de stad was gesticht en waarvan mijn vader naar eigen zeggen de naam niet kon uitspreken zonder het beeld van een urinerende dichter voor zich te zien. Tegen de Colombiaanse herdenkingstraditie in (dit land dat zo graag altijd alles herdenkt), maakte mijn vader van zijn toespraak geen gepolitiseerde versie van een eerste leesboekje. Hij hield zich niet aan de overeenkomsten; hij pleegde verraad aan de verwachtingen van zo'n tweehonderd politici, vreedzame mannen die zich alleen maar even wilden laten meevoeren door de gruwelijke apathie van het optimisme en daarna vrij wilden zijn om met hun gezin de feestdag van 7 augustus door te brengen. Ik was uiteraard aanwezig. Ik hoorde zijn woorden door de inferieure microfoons snerpen; ik zag de gezichten van de toehoorders en merkte op een gegeven moment dat een aantal van hen stopte met kijken naar de spreker om elkaar aan te kijken: het gelaat onverstoorbaar, de nek stijf, de stropdassen gladgestreken door geringde handen. Later hadden ze allemaal de mond vol van de moed die je moest hebben om zulke woorden uit te spreken, van zijn akte van diep berouw, van de onverschrokken oprechtheid die in al die zinnen doorklonk – wat voor mijn vader allemaal onbelangrijk was, dat weet ik zeker; hij wilde alleen maar zijn wapens uit het stof halen en zijn beste schoten lossen in aanwezigheid van een selecte groep toehoorders –, maar niemand van hen wist dat zeldzame staaltje van retoriek op zijn waarde te schatten: een dappere inleiding, want hij probeerde niet het publiek op zijn hand te krijgen ('Ik ben hier niet om iets te vieren'), een vertelkunst gebaseerd op confrontatie ('Deze stad is verraden. Hij is bijna een half millennium lang door u verraden'), een stijlvolle conclusie die begon met de voortreffelijkste gemeenplaats uit de klassieke redekunst ('Er is een tijd geweest waarin spreken over deze stad mogelijk was'). En vervolgens dat laatste stuk, dat een goudmijn zou worden voor motto's en citaten in verscheidene officiële publicaties en, net als gevleugelde woorden als 'Ik zal rustig naar mijn graf gaan' of 'Generaal, red het vaderland', in alle kranten werd aangehaald.

> Ergens in Plato lezen we: 'Velden en bomen leren mij niets, maar de mensen in een stad wel.' Stedelingen, ik stel u voor van onze stad te leren. Stedelingen, ik stel u voor Bogotá politiek en moreel opnieuw op te bouwen. Met onze vindingrijkheid, ons doorzettingsvermogen, onze wilskracht voor zijn wederopstanding te zorgen. Met zijn vierhonderdvijftig jaar is Bogotá een stad die nog in de kinderschoenen staat. Als we dit vergeten, stedelingen, veroordelen we ons eigen voortbestaan. Onthoud dit, stadgenoten, laat het ons niet vergeten.

Mijn vader sprak zonder blikken of blozen over opnieuw opbouwen en moraal en doorzettingsvermogen omdat hij minder bezig was met wat hij zei dan met de stijlfiguur die hij ervoor gebruikte. Later zou hij opmerken: 'Die laatste zin is belachelijk, maar het is een mooie alexandrijn. Hij staat daar goed, vind je niet?'

De hele toespraak had – volgens mijn stopwatch, zonder het opgewonden applaus mee te tellen – zestien minuten en twintig seconden geduurd, een fractie slechts van die zaterdag 6 augustus 1988, de dag waarop Bogotá zijn vierhonderdvijftigste verjaardag vierde, de Colombiaanse onafhankelijkheid op één dag na honderdnegenenzestig jaar oud was, het twaalf jaar, zeven maanden en eenentwintig dagen geleden was dat mijn moeder stierf en ik, zevenentwintig jaar, zeven maanden en vier dagen oud, werd overspoeld door een sterk gevoel van onaantastbaarheid omdat alles erop leek te wijzen dat mijn vader en mij, daar waar we stonden, ieder aan het roer van zijn eigen succesvolle leven, nooit wat kon overkomen, omdat de samenzwering der dingen (dat wat we geluk noemen) aan onze kant stond; vanaf nu wachtte ons niet minder dan een hele serie van successen, eindeloze reeksen van hoogdravende hoofdletters: De Trots van onze Vrienden, De Afgunst van onze Vijanden, De Volbrachte Missie. Ik hoef het niet te zeggen, maar ik doe het toch: die voorspellingen zaten er helemaal naast. Ik publiceerde een boek, een onschuldig boek, en niets werd meer wat het geweest was.

Ik weet niet meer op welk moment me duidelijk werd dat Sara Gutermans ervaringen het materiaal zouden worden voor een door mij te schrijven boek of wanneer deze openbaring me ingaf dat het prestigieuze beroep van chroniqueur van de werkelijkheid me op het lijf was geschreven of andersom. (Dat was niet zo. Ik was een van de velen in het vak, dat nooit prestigieus is; ik was een onvervulde belofte, dat subtiele eufemisme.) In het begin, toen ik onderzoek begon te doen naar haar leven, besefte ik dat ik heel weinig over haar wist, maar tegelijkertijd ook dat mijn kennis het normale of voorspelbare oversteeg omdat Sara sinds ik me kon herinneren bij ons aan tafel had gezeten en de anekdotes uit de immer uitvoerige gesprekken met haar me waren bijgebleven. Ik had, tot het moment waarop ik het idee voor mijn project kreeg, nooit van Emmerich gehoord, het Duitse stadje waar Sara was geboren. Haar geboortejaar (1924) leek me al even irrelevant als het jaar waarop ze in Colombia was aangekomen (1938); met de informatie dat haar echtgenoot Colombiaans was en dat haar kinderen en kleinkinderen Colombiaans waren en dat ze de laatste vijftig jaar van haar leven in Colombia had gewoond, kon ik een bibliografisch systeemkaartje volschrijven en de onvermijdelijke tastbaarheid van de feiten voelen – je kunt een heleboel over iemand zeggen, maar pas op het moment dat je data en plaatsen gaat blootleggen, begint die persoon te bestaan –, maar verder ging hun bruikbaarheid niet. Met data, plaatsen en andere informatie vulden we meerdere vraaggesprekken, die werden gekenmerkt door het gemak waarmee Sara met mij praatte, zonder parabels of omhaal van woorden, alsof ze er haar hele leven op had gewacht om die dingen te vertellen. Ik stelde vragen; zij bekende, meer dan dat ze antwoordde. De gesprekken hadden uiteindelijk nog het meest weg van een gerechtelijk verhoor.

Haar naam was Sara Guterman, ze was geboren in 1924, ze was in 1938 in Colombia aangekomen?

Ja, dat was allemaal juist.

Wat herinnerde ze zich van de laatste periode in Emmerich?

In de eerste plaats een zekere welvaart. Haar familie leefde van een schuurpapierfabriek. En niet zomaar; ze hadden het best breed, zou je kunnen zeggen. Het zou meer dan dertig jaar duren voordat Sara zou beseffen hoe goed ze het hadden door die fabriek. Ze herinnerde zich ook een onbezorgde kindertijd. En later, misschien na de eerste boycot waardoor de fabriek werd getroffen (Sara was nog geen tien jaar oud, maar het had diepe indruk op haar gemaakt dat haar vader nog thuis was toen ze 's ochtends opstond om naar school te gaan), de angst, en een soort fascinatie voor dit nieuwe gevoel.

Hoe was het vertrek uit Duitsland geweest?

Op een avond in oktober 1937 had de telefoniste van het dorp naar haar huis gebeld om te waarschuwen dat hun arrestatie gepland stond voor de volgende dag. Ze bleek dat te hebben opgevangen bij het verbinden van een ander gesprek, precies zoals het was gegaan met het overspel van mevrouw Maier (Sara kon zich de voornaam van de overspelige vrouw niet herinneren). Het gezin vluchtte diezelfde nacht nog via de beroemde weg door de groene grens naar een onderduikadres op het Nederlandse platteland. Daar verbleven ze een aantal weken. Alleen Sara verliet de schuilplaats, om dezelfde weg terug te nemen naar Hagen, waar haar grootouders woonden, en hun te vertellen wat er aan de hand was (de familie meende dat een meisje van dertien makkelijker ongestraft kon reizen). Van de trein die ze nam – het was in die tijd de sneltrein – kon ze zich nog een bijzonder detail herinneren: ze dronk er bouillon, iets nieuws destijds, en was gefascineerd door het smelten van het blokje, dat je in heet water moest onderdompelen. Ze kreeg een plaats in een compartiment waar iedereen rookte en naast haar kwam een zwarte man zitten die zei dat hij niet rookte, maar altijd plaatsnam waar hij rook zag omdat rokers meer te kletsen hadden en mensen die niet roken vaak de hele reis hun mond niet opendeden.

Was het niet gevaarlijk om Duitsland weer in te reizen?

Ja, ontzettend. Vlak voordat ze arriveerde, had ze ontdekt dat er een jongeman van een jaar of twintig in het aangrenzende compartiment was komen zitten, die haar telkens volgde als ze in de restauratiewagen bouillon ging drinken. Ze was natuurlijk bang dat het iemand van de Gestapo was, want daar was je in die tijd bang voor, en bij aankomst op het station van Hagen stapte ze uit de trein, liep langs de oom die op haar stond te wachten af en vroeg, in plaats van hem te begroeten, in het voorbijgaan waar het toilet was; hij begreep gelukkig wat er aan de hand was en speelde het spelletje mee. Hij vergezelde het meisje naar het einde van het station en liep met haar het toilet in, ondanks het protest van twee vrouwen. Daar vertelde Sara haar oom dat hun gezin veilig was, maar dat haar vader al had besloten om uit Duitsland weg te gaan. Het was voor het eerst dat ze sprak over weggaan. Terwijl haar oom luisterde naar wat ze te vertellen had, stond hij een affiche los te peuteren dat iemand daar had achtergelaten, een reiziger met te veel bagage misschien: MÜNCHENER FASCHING. 300 KÜNSTLERFESTE. Sara vroeg haar oom nog of je moest overstappen als je van Hagen naar München ging of dat er rechtstreekse treinen reden. Haar oom zei niets.

Waarom Colombia?

Vanwege een advertentie. Maanden daarvoor had Sara's vader in de krant een advertentie gezien waarin een kaasfabriek in Duitama (een onbekende stad) in Colombia (een primitief land) te koop stond. Nu het nog kon, dat wil zeggen, nu de wetten hen nog niet tegenhielden, had hij besloten de reis te maken om de fabriek met eigen ogen te zien en was teruggekomen naar Duitsland met de mededeling dat het een bijna ondoenlijke onderneming was, dat het een primitieve fabriek was waar slechts drie jonge meisjes in dienst waren, maar dat ze toch moesten overwegen de overtocht te maken. En toen het dringend werd, was de afweging snel gemaakt. In januari 1938 kwamen Sara en haar grootmoeder per schip aan in Barranquilla, waar ze wachtten op de rest van de familie; hier hoorden ze de berichten over de jodenvervolging, de arrestatie van vrienden en bekenden, alle dingen waaraan zij ontkomen waren en – wat nog verbazingwekkender leek – in ballingschap aan zouden blijven ontkomen. Twee weken later vlogen ze van Barranquilla naar het vliegveld van Techo (in een tweemotorige Boeing van de SCADTA, zo was haar later verteld, toen ze op haar zestiende of zeventiende vragen begon te stellen om de dagen rond hun aankomst te reconstrueren) en namen vervolgens vanaf station La Sabana de trein die hen bracht naar wat destijds niet meer was dan 'het kaasdorpje'.

Wat herinnerde ze zich van die reis in de Colombiaanse trein?

Haar tante Rotem, een bijna haarloos oud mens wier autoriteit volgens Sara door haar kaalheid werd aangetast, had de hele reis zitten klagen. De arme vrouw snapte maar niet waarom de eerste klasse in die trein zich in het achterste treinstel bevond; ze snapte maar niet waarom Sara, terwijl ze door een nieuw land reisde, meteen in een boek met hedendaagse kunst dook, een album met transparante vellen dat van haar neef was geweest en per ongeluk tussen de bagage was beland, in plaats van te praten over de bergen en de plantages en de kleur van de rivieren. Het meisje bekeek de reproducties en wist niet dat sommige originelen – dat van Chagall, bijvoorbeeld – niet meer bestonden omdat ze verbrand waren.

Wat waren haar eerste indrukken bij aankomst in Duitama?

Er waren verschillende dingen die ze leuk vond: de modderpoel die zich voor de deur van hun huis vormde, de naam van de kaasfabriek (Corsica, een woord met een Franse smaak dat bovendien de betovering opriep van een zee die zo dicht bij haar geboorteland lag, de Middellandse Zee van de ansichtkaarten), de inkt die in de Goudse kaas werd gedrukt om hem te merken, de kleine plagerijtjes waaraan haar klasgenoten haar de eerste maanden onderwierpen en het feit dat de zusters van Maria Opdracht, die de hardnekkige onwetendheid van het kleine meisje maar niet leken te bevatten, overliepen van vreugde als ze over dood en herrijzenis, over Goede Vrijdag en de komst van Onze-Lieve-Heer spraken, terwijl ze diepe zuchten van verontwaardiging hadden geslaakt toen ze erachter kwamen dat Sara de dochters van advocaat Barreto, een oude vriend van ex-president Olaya Herrera, had uitgelegd wat besnijdenis inhield.

En zo had ik eind 1987 een paar bladzijden geschreven en ontdekte ik tot mijn verrassing tussen oude papieren het kaartje waarop ik, jaren geleden, een soort stoomcursus schrijven had genoteerd die mijn vader me beroepshalve had gegeven toen hij hoorde dat ik aan mijn scriptie was begonnen. 'Ten eerste: alles wat goed in het gehoor ligt, doet het goed op papier. Ten tweede: bij twijfel, zie punt één.' Net zoals ten tijde van mijn scriptie was gebeurd, werkte dat kaartje, dat met een punaise aan de wand voor mijn bureau hing, als een amulet, een talisman tegen de angst.

Op die twee pagina's stond nog maar een fragment van Sara's leven; er stond bijvoorbeeld hoe de soldaten haar vader, Peter Guterman, hadden opgesloten; er stond dat die soldaten een gipsen buste tegen de muur kapot hadden gesmeten en met messen de leren zetels hadden opengereten, zonder resultaat, want de identiteitsbewijzen waarnaar ze zochten lagen niet in huis, maar zaten onder het korset van haar moeder gepropt; en acht dagen later, toen Peter Guterman vrijkwam maar geen paspoort meer had, konden ze daarmee de grens oversteken en met auto en al in IJmuiden (een haven in de monding van een kanaal op een paar minuten van Amsterdam) aan boord gaan. Maar het belangrijkste op deze bladzijden was iets anders, het was de bevestiging dat dit allemaal verteld kon worden, de suggestie dat ik degene was die dat kon doen en de belofte van een merkwaardig soort voldoening: vorm geven aan het leven van anderen, hen beroven van hun ervaringen, die altijd warrig en chaotisch zijn, en daar op papier orde in aanbrengen; op een min of meer nette manier de nieuwsgierigheid rechtvaardigen die ik altijd heb gehad naar al wat andermans lichamen afscheiden (van gedachtes tot de menstruatie), een soort innerlijke drang die me ertoe heeft gebracht geheimen te schenden, dingen door te vertellen die me waren toevertrouwd en als een vriend belangstelling te tonen voor mensen terwijl ik ze eigenlijk als een doodordinaire verslaggever sta te interviewen. Ik heb nooit geweten waar de vriendschap eindigt en de verslaggeving begint.

Met Sara ging het uiteraard niet anders. Ik ondervroeg haar dagenlang en deed dat met zo'n toewijding, of zo'n ziekelijke vasthoudendheid, dat ik mezelf begon op te splitsen: ik leidde het leven van mijn geïnterviewde, een vervanging, een surrogaat, en mijn oorspronkelijke, dagelijkse leven alsof het twee aparte levens waren in plaats van een met een werkelijkheid verweven verhaal. Gefascineerd sloeg ik gade hoe ze haar herinneringen op tastbare plekken opgeborgen had liggen: Sara had mappen vol documenten bewaard, een soort getuigenis van haar aanwezigheid hier op aarde, net zo echt en concreet als een afdak gemaakt van hout uit haar eigen land. Ze had plastic insteekmappen, plastic mappen met flap, kartonnen mappen met en zonder elastiek, pastelkleurige mappen, witte maar smoezelige mappen en zwarte mappen, die daar een vrij pretentieloos, slapend bestaan leidden, maar zeer gewillig klaarstonden om hun rol als tweederangs doos van Pandora te vervullen. 's Avonds, meestal tegen het einde van het gesprek, borg Sara de mappen op, haalde het bandje waarop de laatste uren haar stem was opgenomen uit de recorder, zette een plaat op met Duitse liederen uit de jaren dertig (*Veronika, der Lenz ist da* en ook *Mein kleiner grüner Kaktus*) en nodigde me uit voor een drankje in stilte, terwijl we luisterden naar de oude muziek. Ik koesterde de gedachte dat je van buitenaf, vanuit een appartement waarvan een nieuwsgierige bewoner ons begluurde, het volgende kon zien: een tl-verlichte rechthoek met daarin twee gestaltes; een niet onbemiddelde vrouw die de ouderdom nadert en een jongere man, een leerling of een zoon misschien, in elk geval iemand die luistert en eraan gewend is te luisteren. Dat was ik: ik zweeg en luisterde, maar ik was haar zoon niet, ik maakte aantekeningen, want dat was mijn werk. En ik bedacht dat ik later, op het juiste moment, wanneer ze uitverteld zou zijn, wanneer de aantekeningen gemaakt en de documenten gezien en de meningen gehoord zouden zijn, aan het dossier van de zaak, mijn zaak, zou gaan zitten en er orde in zou aanbrengen, was dat niet het enige voorrecht van de kroniekschrijver?

Ergens in die dagen vroeg Sara waarom ik over haar leven wilde schrijven. Ik bedacht dat ik de vraag gemakkelijk had kunnen ontwijken of zomaar wat had kunnen zeggen, maar dat een aan de waarheid grenzend antwoord voor mij net zo wezenlijk was als het op dat moment voor haar leek te zijn. Ik had kunnen zeggen dat er dingen waren waarvan ik weet moest hebben. Dat bepaalde ervaringen (in mijn land, met mijn mensen, in de tijd waarin ik leefde) me waren ontgaan, vaak omdat ik me met andere, banalere dingen had beziggehouden, en dat ik dat niet meer wilde laten gebeuren. Bewust worden, dat was mijn simpele en tegelijkertijd pretentieuze doel. En denken aan het verleden, iemand dwingen het zich te herinneren, was een manier om dat te bereiken, een krachtmeting met de wet van de entropie, een poging de wanorde in de wereld, die altijd alleen maar naar meer wanorde neigt, een halt toe te roepen, aan banden te leggen, voor één keer te verslaan. Ik had haar dit of een gedeelte hiervan kunnen vertellen; maar ik moet zeggen, en dat pleit voor me, dat ik deze welsprekende leugens vermeed en voor bescheidener leugens koos, of liever gezegd, voor onvolledige waarheden. 'Ik heb jouw erkenning nodig, Sara,' zei ik. 'Ik wil dat je met respect naar me kijkt. Dat is voor mij het belangrijkst in het leven.' Ik wilde Sara de andere helft van de waarheid geven, haar vertellen over de uitspraak waarmee mijn vader haar eens had beschreven – 'ze is mijn zuster in de schaduw,' had hij gezegd, 'zonder haar had ik geen week overleefd in deze krankzinnige wereld' –, maar zover kwam ik niet. Sara onderbrak me. 'Ik begrijp het,' zei ze. 'Ik begrijp het helemaal.' En ik drong niet aan, want het leek me niet meer dan normaal dat de zuster in de schaduw aan een half woord genoeg had om alles te begrijpen; maar op een systeemkaartje schreef ik: 'Deeltitel: "De zuster in de schaduw".' Ik heb hem nooit gebruikt omdat mijn vader in de interviews noch in het boek zelf werd genoemd, ondanks het feit dat hij – tenminste, zo leek het – een belangrijke rol had gespeeld tijdens Sara Gutermans ballingschap.

Ik publiceerde *Een leven in ballingschap* in november 1988, drie maanden na de beroemde toespraak van mijn vader. Hieronder volgt het eerste hoofdstuk uit het boek. De titel was een leeg regeltje van drie woorden in grote cursiefletters, drie woorden die in de loop der jaren gevuld zijn geraakt en die nu, terwijl ik dit schrijf, dreigen over te lopen: *Hotel Nueva Europa*.

Het eerste wat Peter Guterman deed toen hij in Duitama aankwam, was het huis schilderen en er een tweede verdieping bovenop zetten. Daar lagen, met een smalle overloop ertussen, zijn werkkamer en zijn slaapkamer, precies zoals vroeger in hun huis in Emmerich. Hij had het altijd fijn gevonden om zijn werk en zijn gezin in de buurt te hebben; bovendien leek de gedachte om een nieuw leven te beginnen op een oude plek hem van weinig respect getuigen voor het geluk dat hij had gehad. Daarom was hij gaan verbouwen. Ondertussen raadden de andere Duitsers uit Tunja en Sogamoso hem in alle toonaarden af om al te veel te doen aan een huis dat niet van hemzelf was.

'Zodra het is opgeknapt,' zeiden ze, 'komt de eigenaar het opeisen. Je moet voorzichtig zijn hier, want die Colombianen zijn een stel oplichters.'

En zo ging het: de eigenaar eiste het huis op; hij kwam met een fictieve koper op de proppen en verontschuldigde zich nauwelijks voor de overlast. De familie Guterman, die nog geen zes maanden in Colombia was, moest alweer verhuizen. Maar toen kwam de eerste meevaller. Er werd in die dagen iets gevierd in Tunja en het wemelde van de belangrijke mensen in de stad. Een Zwitser, een zakenman uit Bern die onderhandelingen voerde over de vestiging van farmaceutische laboratoria in Colombia, was met het gezin bevriend geraakt en kwam op een dag om een uur of tien onaangekondigd langs.

'Ik heb een tolk nodig,' zei hij tegen Peter Guterman. 'Het gaat om meer dan een belangrijke bespreking. Het is een kwestie van leven of dood.'

Meneer Guterman kon niets beters bedenken dan zijn eigen dochter aan te bieden, de enige in het gezin die Spaans sprak en het bovendien ook verstond. Sara moest de Zwitser gehoorzamen. Ze wist heel goed dat de wil van een volwassene, van een volwassene die bevriend was met haar vader, wet was voor een tiener als zij. Aan de andere kant voelde ze zich altijd onzeker in dit soort situaties: ze had zich sinds hun aankomst nooit op haar gemak gevoeld bij de ongeschreven regels van het gastland. Deze man was een Europeaan, net als zij. In hoeverre veranderden zijn gewoontes na het oversteken van de Atlantische Oceaan? Moest ze hem begroeten zoals ze dat in Emmerich zou hebben gedaan? Maar deze man had haar in Emmerich niet eens aangekeken. Sara was niet vergeten hoe er de afgelopen jaren soms op haar was neergekeken en wat er in het gezicht van niet-joden gebeurde wanneer ze het over haar vader hadden.

Ze arriveerde voor de lunch. De man voor wie ze de woorden van de Zwitser in het Spaans moest vertalen, bleek president Eduardo Santos te zijn, van wie bekend was dat hij een vriend was van de Duitse gemeenschap; en daar stond Santos, voor wie Sara's vader zoveel respect had, de jonge tolk de hand te drukken om haar te feliciteren met haar goede Spaans. 'Vanaf dat moment voelde ik me voorgoed betrokken bij de Liberale Partij,' zou Sara jaren later op een hoog, ironisch toontje zeggen. 'Zo ben ik altijd geweest. Drie standaardzinnetjes en ik ben om.' Ze tolkte tijdens een twee uur durende lunch (en was nog eens twee uur later de inhoud van de woorden die ze had vertaald voorgoed vergeten) en vertelde Santos aan het einde over hun verhuizing.

'We zijn het moe om steeds van huis te veranderen,' zei ze. 'Het is alsof je bij toerbeurt leeft.'

'Dan beginnen jullie toch een hotel,' zei Santos. 'Dan zijn jullie zelf degenen die anderen het huis uit zetten.'

Maar zo simpel kon het niet zijn. Buitenlanders mochten zonder toestemming vooraf al geen ander beroep meer uitoefenen dan het beroep dat ze bij aankomst in het land hadden opgegeven. Sara attendeerde de president daarop.

'O, maakt u zich daarover maar geen zorgen,' was het antwoord. 'Ik zorg wel voor de vergunningen.'

Een jaar later was de kaasfabriek met ruime winst verkocht en openden ze in Duitama Hotel Pension Nueva Europa. Voor een hotel waarvan de opening werd bijgewoond door de president van de republiek (zo dacht iedereen) móést wel een succesvolle toekomst in het verschiet liggen.

Sara's vader had het zijn eigen naam willen geven, Hotel Pension Guterman, maar zijn compagnons attendeerden hem erop dat een joodse achternaam als de zijne op dat moment de slechtste manier was om een zaak te beginnen. Amper een paar maanden daarvoor had een taxibedrijf in Bogotá zeven joodse vluchtelingen als chauffeur in dienst genomen; de taxichauffeurs van Bogotá hadden uitgebreid actie tegen hen gevoerd, en overal, in de winkeletalages in het centrum, op de ramen van de taxi's en hier en daar die van een tram, waren affiches te zien met het opschrift: WIJ STEUNEN DE CHAUFFEURS IN HUN ACTIE TEGEN DE POLEN. Dat was het eerste bericht waaruit bleek dat het nieuwe leven niet makkelijker zou worden dan het vorige. Toen ze hoorden wat er met de taxichauffeurs was gebeurd, was de verslagenheid van vader Guterman zo groot dat zijn gezin het ergste vreesde. (Een van zijn vrienden had zich immers al verhangen in zijn huis in Bonn, kort na de pogrom van 1938.) Peter Guterman sprak met argwaan over de nationaliteit die hij door de publieke opinie kreeg toegedicht: het had hem jaren gekost om te wennen aan het verlies van het Duitse staatsburgerschap, alsof het een voorwerp was dat per ongeluk was zoekgeraakt, een sleutel die uit zijn broekzak was gevallen. Hij klaagde niet, maar ontwikkelde de gewoonte om de statistieken uit te knippen die regelmatig in de binnenpagina's van de Bogotaanse dagbladen verschenen: 'Haven: Buenaventura. Stoomschip: Bodegraven. Joden: 49. Verdeling: Duitse (33), Oostenrijkse (10), Joegoslavische (3), Tjechoslowaakse (1).' In zijn knipselmap kwamen Finse stoomschepen voor, zoals de *Vindlon*, en Spaanse, zoals de *Santa María*. Peter Guterman hield die berichten bij alsof een deel van zijn eigen familie met die stoomschepen arriveerde. Maar Sara wist dat de knipsels eerder spoedtelegrammen waren dan familieberichtjes, een heuse aanklacht tegen het onbehagen dat de nieuwkomers onder de plaatselijke bevolking teweegbrachten. Waar het om gaat, is dat hierdoor de naam van het hotel uiteindelijk gerechtvaardigd was. Peter Gutermans compagnons waren Colombianen; het woord 'Europa' klonk hun als een drielettergrepig wondermiddel in de oren. In een brief die later deel zou gaan uitmaken van de familiegeschiedenis, van de anekdoteverzameling waarmee alle tantes en grootmoeders ter wereld familie-etentjes volpraten alsof ze hun nageslacht er zuiver bloed mee doorgeven, had haar vader geschreven: 'Ik snap niet wat jullie zo boeiend vinden aan de naam van een koe.' En ze lazen de brief en lachten; en telkens als ze hem opnieuw lazen, lagen ze weer dubbel, een hele tijd lang.

Hotel Nueva Europa was gevestigd in een van die koloniale panden die sinds de onafhankelijkheid kloosters waren geweest en later in handen kwamen van seminaries of religieuze ordes die er vrij weinig onderhoud aan pleegden. Het waren altijd dezelfde gebouwen: ze hadden allemaal een binnenplaats met in het midden een standbeeld van de stichter van de orde of een of andere heilige. In het toekomstige hotel stond het standbeeld van Bartolomé de las Casas op deze centrale plek, maar zodra de kans zich voordeed, moest de broeder plaatsmaken voor een stenen fontein. De fontein van Nueva Europa was zo groot dat een mens er gestrekt in kon liggen – in de jaren dat het hotel heeft bestaan, heeft menig dronkaard dat ook gedaan – en het water nam de smaak van het steen en het mos op de wanden aan. In het begin had het vol kleine visjes gezeten, sluierstaarten en goudvissen; later met munten die in de loop van de tijd begonnen te roesten. Maar vóór de visjes had er niets in gezeten, slechts een bassin met water waar 's ochtends zo veel vogels naartoe kwamen dat ze met een bezem verjaagd moesten worden omdat niet alle gasten ervan hielden. En de gasten moesten het goed hebben, het hotel was niet goedkoop. Peter Guterman rekende twee peso vijftig per dag inclusief vijf maaltijden, terwijl het Regis, een ander hotel in die tijd in dezelfde buurt, een peso minder vroeg. Maar

Nueva Europa zat altijd vol, voornamelijk met politici en buitenlanders. Jorge Eliécer Gaitán (wiens hartstochtelijke afkeer van vogels trouwens net zo diep zat als zijn passie voor het spreken) en Miguel López Pumarejo behoorden tot hun trouwste gasten. Lucas Caballero, alias Klim, was politicus noch buitenlander, maar kwam naar het hotel wanneer hij maar kon. Voordat hij zijn reis begon, stuurde hij altijd hetzelfde telegram, woord voor woord.

aankomst komende donderdag stop
graag kamer zonder opblaasgeval stop

Het opblaasgeval waar Klim het over had, was het donzen dekbed, waar hij niet van hield. Hij had liever zwaar wollen beddengoed, van die dekens die stof aantrekken en waar allergische mensen van moeten niezen. Peter Guterman liet zijn kamer gereedmaken met deze instructies, in het Duits en zo dwingend dat de kamermeisjes, meisjes uit Sogamoso en Duitama, zelfs een aantal basiswoorden hadden geleerd. Herrpeter, zo noemden ze hem. Jawel, Herrpeter. Nu meteen, Herrpeter. Meneer Guterman, die zelf een ziekelijke perfectionist was, had begrip voor de grillen van zijn meest gewaardeerde gasten en schikte zich ernaar. (Wanneer hij Gaitán verwachtte, liet hij een vogelverschrikker tussen de dakpannen van het pand plaatsen, hoewel dat wat hem betreft brak met de folkloristische stijl van de daken.) Sara moest continu als tolk en bemiddelaarster optreden, want het Spaans kostte haar vader vanaf het begin verschrikkelijk veel moeite en hij kreeg het nooit fatsoenlijk onder de knie; aangezien hij ook nog eens een man was die gewend was aan onmogelijk hoge efficiëntiemaatstaven, verloor hij heel vaak zijn geduld en brulde dan als een gekooide tijger, waarna de kamermeisjes de hele avond in tranen waren. Peter Guterman was geen nerveuze man, maar het maakte hem nerveus te zien dat de president, de presidentskandidaten, de belangrijkste journalisten van de hoofdstad vochten om zijn hotelkamers. Sara, die in de loop van de tijd beter was gaan aanvoelen hoe haar nieuwe land in elkaar zat, probeerde haar vader uit te leggen dat juist die mensen nerveus waren, dat dit een land was waar een man het voor het zeggen heeft omdat hij van het noordelijk halfrond komt; dat voor de helft van zijn gasten, blaaskaken en arrivisten, het verblijf in het hotel een soort verblijf in het buitenland was. Dat was ook zo: een kamer in het hotel van de familie Guterman was voor de meerderheid van die pedante creolen de enige gelegenheid om wat van de wereld te zien, de enige belangrijke rol die ze in hun futiele theaterstukje konden spelen.

Hotel Nueva Europa was immers vooral een verzamelpunt voor buitenlanders. Noord-Amerikanen, Spanjaarden, Duitsers, Italianen, mensen uit alle windstreken. Colombia, dat nooit een immigrantenland was geweest, leek dat op dat moment en op die plek wel te zijn. Er waren immigranten die aan het begin van de eeuw waren gekomen voor het geld, omdat ze hadden gehoord dat in die Zuid-Amerikaanse landen alles nog openlag; er waren er die gevlucht waren voor de Eerste Wereldoorlog, voornamelijk Duitsers die over de hele wereld verspreid waren geraakt in een poging de kost te verdienen, omdat dat in hun eigen land niet meer mogelijk was; er waren joden. Dit bleek dus niet meer en niet minder dan een land van ontsnapten te zijn. En dat hele achtervolgde land had zijn intrek genomen in Hotel Pension Nueva Europa, alsof het een heuse Kamer van Afgevaardigden van de ontheemde wereld betrof, een Universeel Museum van de *Auswanderer*; en soms voelde dat ook echt zo, want de gasten kwamen elke namiddag beneden in de lounge om op de radio naar het nieuws over de oorlog te luisteren. Er waren natuurlijk confrontaties en woordenwisselingen, maar het liep nooit uit de hand, want Peter Guterman zorgde er al heel snel voor dat de mensen de politiek bij de receptie achterlieten. Zo zei hij het ook; iedereen onthield het, want het was een van de weinige dingen die de hoteleigenaar vloeiend had leren uitspreken. '*Bitte*, jij moet politiek bij de receptie achterlaten,' zei hij tegen arriverende gasten voordat ze ook maar de tijd hadden gehad om hun koffers af te geven en zich in te schrijven, en de mensen aanvaardden de overeenkomst, want een voorlopig bestand was voor iedereen prettiger dan telkens wanneer je beneden ging eten op de vuist te gaan met je tafelbuur. Maar misschien ging het hem daar niet om. Misschien was het wel zo dat daar, in dat hotel aan de andere kant van de wereld, mensen aan tafel gingen die in hun eigen land bij de receptie een steen door de ruit zouden gooien. Wat bond hen? Waardoor werd de genadeloze haat, die verpakt in nieuwsberichten uit een ander leven Nueva Europa bereikte, geneutraliseerd?

In die eerste jaren was de oorlog iets waar je via de radio over hoorde, een drama dat zich ver van je bed afspeelde. 'Pas daarna kwamen de zwarte lijsten, hotels die veranderden in luxe gevangenissen,' zegt Sara, daarmee doelend op de concentratiekampen voor onderdanen van de asmogendheden. 'Ja, dat gebeurde pas later. Pas later kwam de oorlog van overzee hier de huiskamers binnen. We waren zo naïef, we dachten dat we veilig waren. Iedereen kan dat bevestigen. Iedereen kan het zich nog heel goed herinneren: het was in die tijd heel moeilijk om Duitser te zijn.' In het hotel van de familie Guterman gebeurden dingen waardoor families verscheurd raakten, levens overhoop werden gehaald, de toekomst van mensen verwoest werd; maar dit alles werd pas veel later zichtbaar, toen er tijd was verstreken en de verwoeste toekomsten en overhoopgehaalde levens voelbaar werden. Het was overal hetzelfde, in Bogotá, in Cúcuta, in Barranquilla, in onbetekenende dorpjes als Santander de Quilichao; er waren echter plekken die als zwarte gaten de chaos aantrokken, het slechtste wat iemand in zich had absorbeerden. Het hotel van de familie Guterman was er zo een, vooral gedurende een bepaalde periode. 'De gedachte eraan alleen al is verdrietig,' zegt Sara Guterman nu, terwijl ze de gebeurtenissen van vijfenveertig jaar geleden in herinnering roept. 'Zo'n mooie plek, zo geliefd bij de men-

> sen, en dan gebeuren er zulke verschrikkelijke dingen.' Wat waren dat dan voor dingen? 'Net als in de Bijbel. Kinderen tegen hun ouders, vaders tegen hun kinderen, de ene broer tegen de andere.'

Het gebruik van woorden als 'Auswanderer' of 'zwarte lijsten' zou uiteraard om een hypotheekgarantie moeten vragen van degene die ze opschrijft. Woorden op krediet: het boek stond er vol mee. Nu weet ik dat, maar destijds was het amper een vermoeden. Op manuscript hadden die bladzijden er zo vreedzaam en neutraal uitgezien dat ik nooit had gedacht dat ze het iemand lastig konden maken, laat staan dat ze ruzies konden uitlokken; de gedrukte, gebonden versie was daarentegen een soort molotovcocktail die midden in huize Santoro terecht zou komen.

'Ah, Santoro,' zei dokter Raskovsky toen een verpleegster hem aanschoot om te vragen hoe de operatie was afgelopen. 'Gabriel is de naam, nietwaar? Ja, het is heel goed gegaan. Wacht u even hier. We kunnen zo naar binnen om de patiënt te zien.' Dus het was goed gegaan? Dus de patiënt was nog in leven? 'In leven? Meer dan dat, veel meer dan dat,' zei de arts, die al wegliep en gedachteloos voor zich uit praatte. 'U moest zijn hart eens zien, zo groot als een krop sla.' En na het draaierige gevoel dat me bij het horen van die mededeling overviel, gebeurde er iets eigenaardigs: ik wist even niet of mijn naam, uitgesproken door die arts, naar de patiënt of de zoon van de patiënt verwees. Ik zocht een toilet om water in mijn gezicht te gooien voor ik naar de intensive care liep. Ondertussen dacht ik aan mijn vader en aan het feit dat hij me zo niet mocht zien, want ik kon me de laatste keer niet herinneren dat een van ons de ander zo beroerd had gezien. Ik trok voor de spiegel mijn jasje uit, zag twee vlinders van zweet onder mijn oksels en betrapte mezelf erop dat ik aan de oksels van dokter Raskovsky moest denken, alsof we intieme bekenden waren; later, toen ik zat te wachten tot mijn vader ontwaakte, haatte ik die intimiteit waar ik zelf niet om had gevraagd, misschien omdat mijn vader me zelf had aangeleerd om nooit het gevoel te hebben iemand iets verschuldigd te zijn. Zelfs de persoon niet die er verantwoordelijk voor was dat hij nog leefde.

Hoewel de dokter in de wij-vorm had gesproken, liep ik uiteindelijk in mijn eentje de intensivecareafdeling op, die martelkamer. Aan de wanden en op rijdende tafeltjes flikkerden de monitoren als uilenogen, zuchtten de beademingsapparaten, en op een van de bedden, het laatste aan de linkerkant, het enige tegenover het bord waarop de zusters met rode en zwarte viltstift de dagrapportage schreven, lag mijn vader te ademen door een grijzige geribbelde slang die zijn hele mond vulde. Ik tilde het schort op en zag voor de tweede keer op één dag (terwijl ik het in een heel leven daarvoor nooit gezien had) het geslacht van mijn vader in zijn lies liggen, bijna ter hoogte van zijn verminkte hand, besneden, wat ik niet ben. Ze hadden een katheter bij hem ingebracht zodat hij ongehinderd kon plassen. Zo was het: mijn vader communiceerde met de buitenwereld via plastic slangen. En via elektroden die als de vlekjes van een pels op zijn borst en op zijn voorhoofd zaten. En via naalden; de naald die pijnstillers en antibiotica toediende verdween in zijn hals, die met het infuus in de ader van zijn linkerarm. Ik ging op een ronde kruk zitten en groette hem. 'Hallo, papa. Het is allemaal voorbij, het is goed gegaan.' Hij kon me niet horen. 'Ik zei het toch, weet je nog? Ik zei dat alles goed zou komen, en kijk eens aan. Het is allemaal voorbij. We zijn erdoorheen.' Zijn beademing werkte, zijn monitor bleef zijn polsslag volgen, maar hij was weg. De sonde in zijn hals zat met een pleister op zijn gezicht vastgeplakt en trok aan het losse vel van zijn wangen (van zijn zevenenzestig jaar oude wangen). Daarmee werd nog eens benadrukt hoe uitgeput zijn huid, zijn weefsel was; als ik mijn ogen samenkneep, kon ik zijn aftakelingsproces in versneld tempo zien, de vrije radicalen tellen alsof ze over de voetgangersbrug van de dertigste straat wandelden. Ik probeerde me nog een ander beeld voor de geest te halen om te zien of ik er wat van opstak: dat van een plastic hart zo groot als een gebalde vuist, met daarop de aderen en aorta's in reliëf weergegeven, dat een maand lang op het bureau van mijn biologieleraar had gestaan.

Om vier uur 's middags werd me gevraagd te vertrekken, hoewel ik niet langer dan tien minuten bij de zieke had gezeten. De dag erop kwam ik echter in alle vroegte terug en bleef, na een confrontatie met de agressieve bureaucratie van de San

Pedro Chaver-kliniek – bij de receptie langsgaan, een kaartje met mijn naam en het nummer van mijn identiteitsbewijs aanvragen dat ik duidelijk zichtbaar op mijn borst moest dragen, verklaren dat ik het enige familielid van de patiënt was en dus ook het enige bezoek –, tot na twaalven, toen dezelfde zuster als de dag ervoor, een vrouw met een dikke laag make-up en een voortdurend bezweet voorhoofd, me eruit zette. Bij dat tweede bezoek begon mijn vader inmiddels te ontwaken. Dat was een van de nieuwe ontwikkelingen. De andere werd me door de zuster verteld alsof ze examenvragen beantwoordde: 'Ze hebben geprobeerd hem van de beademing te halen. Daar reageerde hij niet goed op. Hij kreeg water in zijn longen, hij viel weg, maar hij is alweer een beetje opgeknapt.' Er stak een extra slang in mijn vaders lichaam, die zich vulde met water en bloed en dat afvoerde naar een zakje met schaalverdeling. Ja, hij werd gedraineerd. Hij had vocht in zijn longen gekregen en werd gedraineerd. Hij beklaagde zich over pijn op verschillende plekken, maar de heftigste pijn zat toch wel daar waar die slang in zijn ribben stak en waardoor hij gedwongen werd om nagenoeg op zijn zij te gaan liggen, terwijl die houding juist het pijnlijkst was voor zijn openliggende borstkas. De pijn belette hem het spreken. Af en toe verscheen er een vreselijke grimas op zijn gezicht; soms rustte hij, zonder aan te geven wat hij voelde, zonder me aan te kijken. Hij sprak niet, en door die slang in zijn mond kreeg zijn gekerm een klank die elders komisch was geweest. De zuster kwam, verwisselde zijn zuurstof, inspecteerde de drainzak en ging weer. Eén keer bleef ze precies drie minuten om zijn temperatuur op te nemen en vroeg wat er met mijn vaders hand was gebeurd.

'Dat gaat u niks aan,' zei ik. 'Doet u nou maar gewoon uw werk en bemoeit u zich er niet mee.'

Ze stelde me geen vragen meer, die eerste dag niet en ook de dagen daarna niet, tijdens welke de routine zich herhaalde: ik maakte optimaal gebruik van de bezoekuren, omdat mijn vader de operatie per se geheim had willen houden en er dus geen familieleden of vrienden hun steun kwamen betuigen. En toch leek iets erop te duiden dat dit niet meer de ideale stand van zaken was. 'Is er niemand op de gang?' was het eerste wat hij vroeg op de ochtend van de derde dag, zodra de slang uit zijn mond werd gehaald. 'Nee, papa, niemand.' En toen het bezoekuur 's middags begon, wees hij weer naar de deur en vroeg, vanuit zijn roes van medicijnen, of er iemand was gekomen. 'Nee,' zei ik. 'Niemand komt je lastigvallen.' 'Ik ben alleen overgebleven,' zei hij. 'Het is me gelukt om alleen over te blijven. Daar heb ik naartoe gewerkt, daar heb ik alles aan gedaan. En kijk eens, het is perfect gelukt, dat krijgt niet zomaar iedereen voor elkaar, zie de wachtkamer eens, *quod erat demonstrandum*.' Hij zweeg een poosje, want het spreken viel hem zwaar. 'Wat zou ik het fijn vinden als zij er was,' zei hij toen. Het duurde heel even voordat ik besefte dat hij het over mijn moeder had, niet over Sara. 'Ze zou me uitstekend hebben bijgestaan, ze was een goede partner. Ze was zo lief, Gabriel. Ik weet niet of jij het je herinnert, dat hoeft niet zo te zijn, ik weet niet of een kind zoiets doorheeft. Maar ze was heel lief. Het leven kan raar lopen. Ik heb haar nooit verdiend. Ze ging dood en gaf me de tijd niet haar te verdienen. Dat denk ik als ik aan haar denk.' Ik dacht echter aan de verkeerde diagnose van longontsteking, ik dacht aan de duistere intriges van de kanker; ik dacht vooral aan de dag waarop mijn ouders de definitieve diagnose kregen. Ik had me zitten aftrekken bij een lingeriecatalogus en het samenvallen van de diagnose met een van mijn eerste ejaculaties maakte zo'n geweldige indruk dat ik die nacht koorts kreeg en de zondag erop, toen ik voor het eerst in mijn leven een kerk binnenliep, het slechte plan opvatte om te gaan biechten. Voor de priester was het duidelijk dat mijn perverse gedrag de oorzaak was van mijn moeders kwaal. Pas veel later, toen ik al lang en breed en zelfs met enige genoegzaamheid meerderjarig was, zoals dat heet, kon ik mijn onschuld aanvaarden en inzien dat de ziekte geen straf uit de hemel of een sanctie voor mijn zonde was. Maar ik heb mijn vader daar nooit over verteld, en de drukke toestanden op de intensivecareafdeling, dat naargeestige derdeklashotel, leken niet het ideale decor voor dit soort openhartigheden. 'Ik heb over haar gedroomd,' zei mijn vader. 'Je hoeft het me niet te vertellen,' zei ik, 'rust maar uit, je moet niet zoveel praten.' Maar het was al te laat, hij was al begonnen. 'Ik droomde dat ik naar de bioscoop ging,' zei hij. In het midden, drie rijen voor hem, zat een vrouw die heel veel op mijn moeder leek. De film die draaide, *Of Human Bondage*, paste niet bij de zaal en evenmin bij het publiek. Tijdens de scène waarin Paul Henreid in zijn eentje door een arme wijk in Londen loopt (het is een stille, nachtelijke scène), hield mijn vader het niet meer. Vanuit het donkere gangpad onderscheidde hij, op zijn knieën om de mensen niet te storen, in de lichtvlagen uit de film het profiel van zijn echtgenote. 'Waar zat je?' vroeg hij. 'We dachten dat je dood was.' 'Ik ben niet dood, Gabriel, doe niet zo mal.' 'Maar dat dachten we. We dachten dat je aan kanker was gestorven.' 'Wat een sufferds allebei,' zei mijn moeder. 'Als ik ga sterven, waarschuw ik jullie wel.' Toen kwam er een heel donkere scène, misschien de zwarte hemel of een bakstenen muur. Het middengedeelte van de zaal werd donker. Toen in de film de dag aanbrak, liep mijn moeder tussen de stoelen door naar de uitgang van de bioscoop, zonder de benen van de zittende mensen aan te stoten. Haar marmeren hoofd keek om naar mijn vader voordat ze wegliep, en ze zwaaide.

'Ik vraag me af of het iets te betekenen heeft,' zei mijn vader. Ik wilde hem antwoorden van niet – je weet best, wilde ik op nogal ongeduldige toon zeggen, dat dromen niets te betekenen hebben; haal je door die operatie nou niet allerlei bijgelovige toestanden in je hoofd, het zijn gewoon elektrische impulsen, een synaps tussen een stel ontregelde, verstoorde zenuwcellen –, toen hij een hap lucht nam, zijn ogen half opende en zei: 'We zouden misschien Sara op de hoogte kunnen stellen.'

'Ja,' zei ik, 'als jij dat wilt.'

'Ik niet,' zei hij. 'Het is meer voor haar; als we niet bellen, hebben we straks de poppen aan het dansen.'

Ik kan niet zeggen dat ik verbaasd was. Het feit dat we in een paar dagen tijd allebei aan haar hadden teruggedacht, was eerder karakteristiek voor de stille manier waarop ze belangrijk was in onze levens dan een betekenisvol toeval voor bijgelovige mensen; opnieuw kreeg ik het gevoel dat ik al vaker bij deze vrouw had gehad, het vermoeden dat Sara Guterman niet de onschuldige vriendin was die ze leek te zijn, die onschadelijke, bijna onzichtbare buitenlandse, maar dat er meer schuilging achter dat imago; het vertrouwen dat mijn vader echter altijd in die buitenkant had gehad, was aandoenlijk. 'Ik zal haar vanavond bellen,' zei ik. 'Dat zal ze vast heel fijn vinden.' Bijna wilde ik zeggen: ze zal het heel fijn vinden dat je het overleefd hebt, maar ik hield me op tijd in, want mijn vader confronteren met het begrip overleven kon nog erger zijn dan dat hij het helemaal niet overleefd had. Dat was hij: een overlever. Hij had de mannen met de kapmessen overleefd, hij had zijn hart, die nukkige spier, overleefd en, als hij erover kon vertellen, zou hij zeggen dat hij ook deze stad, waarvan elke aanblik een memento mori is, had overleefd. Als een bevrijde gijzelaar, als een vrouw die aan een bomaanslag ontsnapt omdat ze op het laatste moment een andere weg neemt (omdat ze geen boodschappen doet in Los Tres Elefantes, omdat ze liever met een vriend luncht dan dat ze naar Centro 93 gaat), had mijn vader overleefd. Maar ineens vroeg ik me af: waarvoor? Waarvoor wil een man van wie je zou kunnen zeggen dat hij op zijn zevenenzestigste al een overbodig element was, iemand die zijn cyclus had voltooid, iemand die niets meer had af te handelen, blijven leven? Zijn bestaan leek niet veel zin meer te hebben, althans niet de zin die hij eraan had willen geven. Zo nietig als hij daar lag, had niemand, zelfs zijn eigen zoon niet, kunnen voorzien welke omwenteling zich in zijn hoofd begon te voltrekken.

II

HET TWEEDE LEVEN

Zo begon de onvermijdelijke rolverwisseling, het tegennatuurlijke moment waarop je de vader van je eigen vader wordt en geboeid gadeslaat hoe de machtswisseling (de autoriteit in de verkeerde handen) zich voltrekt en het gezag verschuift (hij die sterk was, is nu broos en laat zich dwingen en commanderen). Natuurlijk was Sara inmiddels bij ons toen mijn vader uit het ziekenhuis werd ontslagen, dus ik kon met haar steun die eerste hindernissen nemen: het overbrengen van de herstellende patiënt naar zijn eigen bed, naar die kamer in dat appartement dat onvriendelijk en zelfs agressief was vergeleken met de luxe, de gemakken, de 'intelligentie' van een ziekenhuiskamer. Tegen de tijd dat we terugkeerden naar zijn appartement, leek zijn pas geopereerde lichaam nog nietiger te zijn geworden; we deden er vijftien minuten over van het portier van de auto naar zijn bed, omdat mijn vader geen twee stappen kon zetten zonder buiten adem te raken, zonder het gevoel te hebben dat zijn hart het zou begeven, en dat zei hij ook, maar van praten raakte hij ook buiten adem en zo begon de paranoia weer van voren af aan. Zijn been deed pijn (aan de kant waar ze de ader voor de bypass eruit hadden gehaald), zijn borst deed pijn (alsof de ijzerdraadjes elk moment konden openspringen), hij vroeg of we er zeker van waren dat zijn aderen goed dichtgenaaid waren (en dat werkwoord, dat klonk naar handenarbeid, ambachtswerk, hobbyistisch gepruts, vervulde hem met afschuw). Zodra we hem hadden ingestopt, vroeg hij ons de gordijnen dicht te doen, maar hem niet alleen achter te laten, en ging hij als een foetus of een angstig kind op zijn zij liggen, misschien omdat hij daar na al die dagen met die slang tussen zijn ribben aan gewend was, misschien vanwege die neiging van het lichaam om zich klein te maken als er gevaar dreigt.

Sara deed in het begin de injecties, en in plaats van haar rustig haar gang te laten gaan, observeerde ik haar aandachtig: zoals ze zich in haar enkellange zwarte rokken, haar kniehoge laarzen en lange truien – enfin, gekleed als een vrouw van veertig –, met haar heupen als van een zwemster door mijn vaders appartement bewoog, was aan Sara niet af te zien dat ze drie kinderen had gekregen, en als je haar van achter bekeek, had je haar ook nooit méér gegeven als ze niet van dat zilvergrijze haar had gehad, in een knotje zo gaaf als een bolletje nylondraad; haar figuur, en de details van dat figuur, brachten de crisis die mijn vader doormaakte alleen maar scherper aan het licht. Op een gegeven moment vroeg ik me af of het schrille, maar onontkoombare contrast tussen de opgewektheid van deze vrouw en zijn eigen ordinaire aftakeling hem niet te veel zou worden; al snel bleek er echter een soort van verstandhouding, een samenzweerderig gevoel tussen hen te bestaan dat daar, in dat theater van genegenheid, saamhorigheid en affectie dat bij elke herstelperiode hoort, versterkt leek te worden. Daar waren meerdere redenen voor, zo kwam ik later te weten: Sara had ook haar portie lompe artsen gehad. Een jaar of tien geleden was er een aneurysma bij haar ontdekt en eigenwijs en sceptisch als ze was, had ze een besluit genomen dat tegen de wens van haar kinderen leek in te gaan: ze had geweigerd zich te laten opereren. 'Ik ben te oud om mijn schedel nog te laten openzagen,' had ze gezegd, en de arts, al even bot als zijn collega's, had bekend dat hij op geen enkele manier kon garanderen dat de operatie zou slagen en toegegeven dat gedeeltelijke verlamming en een permanente toestand van achterlijkheid voor de rest van haar leven tot de mogelijkheden behoorden. Het grootste probleem was echter dat Sara ook het alternatief dat de arts had voorgesteld had geweigerd: naar laaggelegen land verhuizen, zo dicht mogelijk bij zeeniveau, omdat de zesentwintighonderd meter hoogte van Bogotá de druk van haar bloed op de verdunde wand van een van haar aderen verveelvoudigde. 'Stel dat ik nog tien jaar te leven heb,' schijnt ze te hebben gezegd. 'Ga ik die dan aan de kust doorbrengen, op een uur vliegen van mijn kinderen, mijn kleinkinderen? Of in een van die dorpen, La Mesa of Girardot, waar alleen maar halfnaakte mensen en vliegen ter grootte van een Volkswagen zitten?' Dus was ze in Bogotá gebleven, zich er ten volle van bewust dat ze met een tijdbom in haar hoofd liep, en ging naar dezelfde plekken, dezelfde boekhandels, dezelfde vrienden als altijd.

De opzichtige vertrouwelijkheid waarmee ze met elkaar omgingen was in elk geval boeiend om te zien. Op de derde dag van zijn herstel haalde mijn vader, zodra de conciërge via de intercom meedeelde dat Sara er was, zijn (ongebruikte) servet onder zijn bord vandaan, gaf dat aan mij en dicteerde een welkomstboodschap, die ik inderhaast met een blauwe ballpoint noteerde: 'Van dichtgeslibde slagaders tot antagonistische aneurysma's: leve de averij aan de aderen.' Later volgden er nog meer assonanties en alliteraties, maar dit eerste servet, een soort gedragsverklaring tussen de twee ouderen, staat me nog het meest bij. Toen ik na haar naar mijn vader liep, trof ik geen vriendin op ziekenbezoek aan, met alle bezorgde vragen en dankbare antwoorden van dien, maar een soort eeuwenoud stilleven: de vrouw op een stoel met haar ogen strak op haar kruiswoordpuzzel gericht en de zieke op bed, stil en alleen als het stenen beeld op een pauselijke graftombe. Sara omhelsde me niet; ze stond niet eens op van haar stoel om me te begroeten, maar nam mijn hoofd tussen haar droge handen, trok me naar zich toe en gaf me een zoen op mijn wang – ze glimlachte met gesloten mond: bedachtzaam, ongelovig, terughoudend, ze gaf zich niet over – waardoor ze me het gevoel gaf alsof ik op bezoek kwam (en niet zijn zoon was), alsof zij alle afgelopen dagen voor mijn vader had gezorgd (en nu dankbaar was voor mijn bezoek: wat goed om je te zien, bedankt dat je bent gekomen, bedankt dat je bij ons bent). Mijn vader was wazig van de medicijnen en de uitputting, maar toch was zijn gezicht nu, bevrijd van de geribbelde slang waar zijn mondhoeken van uitscheurden, weer enigszins in normale doen, waardoor ik af en toe de herinnering aan zijn doorgezaagde ribben en zijn gedraineerde longen uit mijn hoofd kon zetten.

Tot op dat moment was het voor mij nog nooit zo duidelijk geweest dat mijn vader aan zijn laatste jaren was begonnen. Hij kon zich niet zonder hulp verplaatsen, zelf opstaan kwam niet eens in hem op en van praten raakte hij buiten adem, en Sara en ik waren er om hem te helpen naar het toilet te gaan, om zijn schaarse woorden te interpreteren. Soms moest hij hoesten; om ervoor te zorgen dat hij dat kon doen zonder het uit te gillen van de pijn en de meest alerte buren de stuipen op het lijf te jagen, legde Sara een opgerolde handdoek op zijn borst die ze met twee stukjes gekleurde tape vastzette, een oude slaapzak in het klein. 's Ochtends ging hij in zijn onderbroek op het toilet zitten en hielp ik hem zijn oksels te wassen. Zo kreeg ik uiteindelijk de wond te zien die ik eerder uit de weg was gegaan uit angst voor de reactie van mijn maag. De eerste keer plaatste mijn geheugen, dat wel houdt van dit soort geintjes, het beeld van de nietige, naakte, kwetsbare man over een jeugdfoto waarop mijn vader als een wachter stond, met zijn handen op zijn rug en zijn borst omhoog. Op dat plaatje zat het zwarte haar niet alleen op zijn hoofd, maar overal: op zijn borst en zijn platte buik en ook – dat zag je niet op de foto, maar dat wist ik – op een groot deel van zijn rug. Voor de operatie hadden de verpleegsters zijn borst geschoren en ingesmeerd met een gele vloeistof; na deze paar dagen begon het haar weer aan te groeien en was het op sommige plekken ingegroeid. Wat ik dus zag, was de ontstoken verticale lijn van de wond (een wond die niet alleen was gemaakt met een operatiemes, maar ook met een zaag, al waren de gebroken botten dan niet zichtbaar), in dezelfde kleur rood als twee of drie cystes en op sommige plekken gebobbeld door de druk van dat ijzerdraad waarmee de chirurgen het gebroken borstbeen hadden vastgemaakt. Op dat moment voelde ik, zonder valse empathie, precies die pijn, het prikken van het ijzerdraad – een lichaamsvreemd object – onder de kapotte huid. En toch waste ik hem; in de loop van die dagen werd ik er steeds handiger in. Met één hand tilde ik zijn armen bij de ellebogen op, want op eigen kracht was dat onmogelijk; met de andere waste ik het slappe, stinkende okselhaar. Het lastigst was het afspoelen van de okselstreek. In het begin probeerde ik dat door met mijn handen een kommetje te maken, maar het water was al weggelopen voordat het met mijn vaders huid in contact kwam, en ik voelde me als een onervaren schilder die probeert een plafond te witten. Later deed ik het met een spons, wat langzamer ging, maar ook zachter was. Mijn vader, die uit schaamte of gewoon uit chagrijn gedurende het hele proces zweeg, vroeg me op een dag uiteindelijk of ik hem alsjeblieft wat deodorant op wilde doen zodat we deze vernederende toestand konden beëindigen, of we alsjeblieft terug konden gaan naar zijn bed en zouden bidden dat ik niet nog intiemere delen zou hoeven wassen.

Elke dag vroeg Sara of hij al 'darmbeweging' had. (Ik weet niet wat ik stuitender vond, de eerste keer dat ik dat hoorde: het puberale eufemisme of de intimiteit die de vraag desondanks onthulde.) Elke dag diende ik hem zijn simvastatine en aspirine toe, belachelijke namen, zoals die van alle geneesmiddelen, en op een gegeven moment begon ik hem zelf de injecties te geven. Eén keer per dag hield ik zijn pyjamajasje omhoog, pakte met één hand de slappe huid rond zijn middel en stak met de andere de spuit erin. De naald die in het vlees verdween, de kreten van mijn vader, mijn eigen trillende hand – de duim die druk uitoefent om de dikke vloeistof naar buiten te laten komen (of in de huid te laten verdwijnen) –, dit alles werd een akelige routine, want niemand kan het prettig vinden om iemand stelselmatig pijn te doen. Dat injecteren duurde een week; al die tijd was ik zijn logé. Ik deed het 's ochtends nadat mijn vader wakker was geworden, maar ik was altijd zo voorzichtig om eerst een halfuur lang met hem over koetjes en kalfjes te babbelen, om zijn dag niet met een spuit voor zijn neus te laten beginnen. Halverwege de ochtend kwam er een fysiotherapeute, die hem tegenover haar op bed liet zitten en haar bewegingen liet imiteren, in het begin alsof ze een soort spiegelspel speelden en later alsof zij hem werkelijk die kennis, die voor de rest van de mensen aangeboren en instinctief is, niet iets wat je leert in een ochtendcursus, moest bijbrengen: hoe je een arm optilt, hoe je een romp opricht, hoe twee benen je naar het toilet moeten brengen. Gaandeweg kwam ik erachter dat ze Angelina heette, dat ze uit Medellín kwam maar na haar afstuderen naar Bogotá was gegaan en dat ze niet jonger was dan veertig en niet ouder dan negenenveertig ('wij veertigplussers', had ze eens een keer gezegd). Ik had haar willen vragen waarom ze, op haar leeftijd, niet getrouwd was, maar ik was bang dat ze dat verkeerd zou opvatten, want op de dag van de eerste sessie was ze als een stier de arena het appartement binnengestormd, wat betekende dat ze hier was om haar werk te doen en geen tijd had om te kijken noch zin om bekeken te worden, ook al droeg ze dan felgekleurde bloesjes met knoopjes die van paarlemoer leken en vond ze het vervolgens blijkbaar niet zo erg dat haar borsten – dat de hard wordende knopjes op haar borsten – tijdens het masseren langs mijn vaders rug schuurden, of dat er dikke druppels uit haar pikzwarte haar, dat ze elke ochtend waste, op de omgewoelde lakens, op het kussen vielen.

Op een van die dagen, toen Angelina al afscheid had genomen tot de volgende ochtend (ze had nog slechts twee dagen werk aan mijn vader en zijn problematische spieren), spraken we over wat er na die toespraak op 6 augustus was gebeurd. Terwijl mijn vader leerde zich te bewegen leerde hij ook met mij praten. Hij ontdekte dat het anders praten was met mij als gelijkwaardige gesprekspartner, gewaagd, extreem riskant; ironie en ellips, van die strategieën om jezelf mee in te dekken of achter te verbergen, hadden altijd de overhand gehad als hij tegen mij sprak en nu merkte hij dat hij in staat was me in de ogen te kijken en directe, heldere, létterlijk bedoelde zinnen tot mij te richten. Ik dacht: als het pre-infarct en de operatie een noodzakelijke voorwaarde waren voor een gesprek tussen ons, dan moest zijn dichtgeslibde slagader geprezen worden, dan moest er een altaar worden opgericht voor de hartkatheterisatie die alles aan het licht had gebracht. En zo hadden we het ineens over het voorval van drie jaar geleden. 'Ik wil dat je vergeet wat ik gezegd heb,' zei mijn vader, 'ik wil dat je vergeet wat ik geschreven heb. Ik ben er niet goed in om dit soort dingen te vragen, maar het is echt zo, ik wil dat je mijn uitlatingen uit je geheugen wist, want wat mij is overkomen, is bijzonder; een tweede kans, Gabriel. Ik heb een tweede kans gekregen, niet iedereen heeft zo veel geluk, en deze keer wil ik verdergaan alsof ik die recensie niet gepubliceerd heb, alsof ik ons die laffe daad niet heb aangedaan.' Hij draaide zich om, zwaar, log en statig, als een slagschip dat koers wijzigde. 'Natuurlijk, misschien zijn zulke zaken niet recht te zetten, misschien is dat van die tweede kans wel je reinste leugen, zo'n verzinsel om argeloze lui mee om de tuin te leiden. Daar heb ik al aan gedacht, zo stom ben ik nou ook weer niet. Maar ik wilde het niet toegeven, Gabriel, en niemand kan me daartoe dwingen, het blijft een van onze onvervreemdbare rechten om het bij het verkeerde eind te hebben. En zo moet het ook zijn, in elk geval om het allemaal een beetje op een rijtje te kunnen houden. Kun jij je daar iets bij voorstellen? Kun jij je voorstellen dat iemand dingen die hij ooit heeft gezegd niet kan corrigeren? Nee, dat is ondenkbaar, ik denk niet dat ik dat zou kunnen verdragen. Dan neem ik nog liever de gevlekte scheerling of pleeg ik zelfmoord in Kalavria, of kies ik voor een andere elegante, panhellenistische marteldood.'

Ik zag hem glimlachen als een boer met kiespijn. 'Doet het pijn?'

'Ja, natuurlijk. Maar dat is goed. Daardoor word ik me bewust, daardoor voel ik de dingen.'

'Wat moet je dan voelen?'

'Dat ik weer leef, Gabriel. Dat me nog het een en ander te doen staat hierzo.'

'Eerst moet je herstellen,' zei ik. 'Later komt er nog wel tijd om te doen wat je wilt, maar eerst moet je dit bed uit zien te komen. Dat alleen al gaat je een paar maanden kosten.'

'Hoe lang?'

'Zo lang als nodig is. Je gaat me toch niet vertellen dat je nu haast hebt?'

'Haast niet, welnee, helemaal niet,' zei mijn vader. 'Maar het is toch vreemd, hè, of niet? Nu je dit zegt, komt het me vreemd voor. Alsof ik het helemaal nieuw heb gekregen.'

'Wat?'

'Dat tweede leven.'

Zes maanden later, toen mijn vader inmiddels was overleden en gecremeerd was in de ovens van Jardines de Paz, dacht ik terug aan de sfeer in die tijd, alsof in die dagen al besloten lag wat er later zou komen. Toen mijn vader me vertelde over de dingen die hem nog te doen stonden, merkte ik ineens dat hij zat te huilen; ik was overrompeld, alsof de artsen me niet uitvoerig gewaarschuwd hadden voor die voorspelbare tranen, die bij het ziektebeeld hoorden. 'Voor hem zal het zijn alsof hij dood is geweest,' had dokter Raskovsky gezegd, niet zonder een zekere minzaamheid. 'Misschien wordt hij depressief, wil hij dat de gordijnen niet opengaan, als een kind. Dat is allemaal normaal, de normaalste zaak van de wereld.' Nou, dat was het dus niet; dat is een huilende vader vrijwel nooit. Ik wist het toen nog niet, maar dat huilen zou zich tijdens de dagen dat hij herstellende was, nog verscheidene malen herhalen; even later zou het stoppen en in de rest van die zes maanden (zes maanden, als een te vroeg geëindigde zwangerschap, zes maanden die verstreken tussen de dag van de operatie en de dag dat mijn vader naar Medellín reed, zes maanden die het herstel, de aanvang van het tweede leven en de gevolgen daarvan bestreken) is het niet meer gebeurd. Maar het beeld van mijn huilende vader is voor mij onherroepelijk verbonden gebleven met zijn wens om oude woorden recht te zetten, en hoewel ik niet kan bewijzen dat het in zijn hoofd precies zo is gegaan – ik heb hem niet kunnen ondervragen om dit boek te schrijven en gebruik moeten maken van andere informanten –, heb ik zelf het idee dat toen voor het eerst de gedachte in hem opkwam waar hij later ongelukkig genoeg zo uitvoerig op is teruggekomen: dit is mijn kans. Zijn kans om fouten te herstellen, om vergissingen goed te maken, om om vergeving te vragen, omdat hij een tweede leven had gekregen; en zoals iedereen weet, brengt een tweede leven altijd de onvermijdelijke plicht met zich mee om het eerste recht te zetten.

De fouten en de correcties erop waren als volgt.

Zodra ik in 1988 mijn presentexemplaren van *Een leven in ballingschap* had ontvangen, bracht ik er een naar mijn vader. Ik gaf het af bij de conciërge en ging op een telefoontje of een ouderwetse, plechtige, wellicht ontroerende brief zitten wachten. Toen de brief en het telefoontje maar niet kwamen, ging ik denken dat de conciërge het pakketje achterover had gedrukt; maar voordat ik de tijd kreeg om langs te gaan en me van het tegendeel te vergewissen, kwam me ter ore wat mijn vader erover had gezegd.

Kwam het echt zo uit de lucht vallen als ik dacht? Of had, zoals ik in de jaren daarna weleens heb gedacht, iedereen die zijn familieoogkleppen had afgedaan, het makkelijk kunnen zien aankomen? Het profetenkoffertje – het gereedschap om voorspellingen mee te doen – was binnen handbereik. Mijn vader had zich altijd al genoodzaakt gevoeld om sarcastische opmerkingen te maken over mijn besluit om over actuele zaken te schrijven. Wat nog niet wilde zeggen dat me dat niet dwarszat. Niets maakte hem zo wantrouwend als iemand die zich bezighoudt met het hedendaagse, uit zijn mond klonk het als een vies woord. Hij had liever te maken met Cicero en Herodotus; hij vond het maar verdacht, kinderachtig bijna, om je bezig te houden met de actualiteit, en als hij dit soort meningen niet in het openbaar verkondigde, was dat uit een soort heimelijke gêne, of liever gezegd, om te voorkomen dat hij in een situatie terechtkwam waarin hij zich genoodzaakt zou zien om toe te geven dat ook hij ooit *All the President's Men* had gelezen. Maar niets van dit alles liet zijn ontstemdheid voorzien. Zijn eerste commentaar, of althans het eerste waar ik van hoorde, gaf mijn vader op een plek die openbaar genoeg was om mij te kwetsen. Hij deed het niet op een vergadering met collega's, niet eens tijdens een praatje in de wandelgangen, maar wachtte tot hij de hele groep studenten van zijn college voor zich had; en hij koos niet eens voor een puntdicht van eigen makelij (die had hij, en venijnige ook), maar plagieerde liever een Engelsman uit de achttiende eeuw.

'Het boekje is erg goed en erg origineel,' zei hij. 'Maar het deel dat goed is, is niet origineel en het deel dat origineel is, is niet goed.'

Zoals wel gebeuren moest, en zoals hij misschien ook wel hoopte, vertelde een van de studenten de opmerking door en zo kwamen de valse woorden, die in Colombia zo feilloos hun weg vinden als het erom gaat iemand kapot te maken, binnen de kortste keren bij een kennis van me terecht. Met het onoprechte, benepen medelijden dat de verrader meestal kenmerkt, zich uitermate bewust van het weinige respect dat ik verdiende, zei die kennis, een juridisch redacteur van *El Siglo*, de zin heel precies na, als een goede acteur, en peilde onverholen de reacties in mijn gezicht. Het eerste waar ik aan dacht, was aan het geschater van mijn vader, hoe hij als een hinnikend paard zijn hoofd in zijn nek gooit, hoe zijn baritonstem door de collegezaal en de werkkamers galmt en zelfs door houten deuren dringt; die lach, en de stomp van zijn rechterhand die een broekzak zoekt, waren zijn overwinningstekens. Ze herhaalden zich telkens als hij een goede mop vertelde, evenals de toegeknepen ogen en de laatdunkende houding, die minachting waar hij een gave voor had. Als een aasgier kon mijn vader in één oogopslag de zwakke punten van zijn tegenstander, de leemtes in zijn retoriek of zijn persoonlijke onzekerheden ontwaren en zich daarop storten; het onvoorziene was dat hij die gave tegen mij gebruikte, al had hij in sommige opzichten reden tot klagen. 'Die foto's. Het irritantst zijn die foto's. Laat er soapacteurs in die tijdschriften staan, laat er volkszangers in staan,' placht hij te zeggen tegen wie het maar wilde horen. 'Maar een serieuze journalist? Wat doet een serieuze journalist in godsnaam in een populair tijdschrift? Waarom moeten de lezers weten hoe zijn gezicht eruitziet, of hij al dan niet een bril draagt, of hij twintig of negentig is? Het is niet best gesteld met een land als jeugdigheid een vrijbrief is, om niet te zeggen een literaire deugd. Hebben jullie de recensies over het boek gelezen? De jonge journalist hier, de jonge journalist daar. Is er in dit land nou verdomme niemand die in staat is te vertellen of hij goed of slecht schrijft?'

Iets in mij zei echter dat het niet zozeer die foto's waren die hem dwarszaten, maar dat zijn bezwaren dieper lagen. Ik had tegen een heilig huisje geschopt, dacht ik op dat moment, tegen een soort persoonlijke totem: Sara. Ik had me met Sara ingelaten en dat was, om regels die mij niet duidelijk werden (dat wil zeggen, om regels van een spel dat niemand me had uitgelegd; dit werd voor mij de bruikbaarste metafoor om over mijn vaders reacties op het boek na te denken), onaanvaardbaar. 'Is dat het?' vroeg ik Sara in die dagen. 'Ben jij een taboeonderwerp, een triple-x-film? Waarom heb je me niet gewaarschuwd?' 'Doe niet zo mal, Gabriel,' zei ze, alsof ze een vlieg verjoeg. 'Het lijkt wel alsof je hem niet kent. Alsof je niet weet hoe overstuur hij raakt als er ergens een puntje op de i ontbreekt.' Het was uiteraard niet onmogelijk dat ze gelijk had, maar ik was niet tevreden (er ontbraken veel dingen in mijn boek, maar de puntjes stonden keurig op de i's). '*Beste Sara*', schreef ik op een uit een schrift gescheurd ruitjesvel dat ik in een luchtpostenvelop stopte, het enige wat ik bij de hand had, en met de stadspost verstuurde in plaats van het zelf af te geven. '*Als mijn vaders houding jou net zo verrast als mij, zou ik graag met je over de kwestie praten. Als je vindt dat het wel meevalt, des te liever. Beter gezegd: na al onze gesprekken rest mij nog één vraag. Waarom komt in tweehonderd bladzijden getuigenissen mijn vader niet voor? Geef alsjeblieft antwoord in niet meer dan dertig regels. Bedankt.*' Sara antwoordde me ook per post en wel per omgaande (dat wil zeggen dat haar envelop binnen drie dagen bij mij was). Toen ik de envelop opende, trof ik een visitekaartje van haar aan. '*Hij staat er wel in. Bladzijde 101, regel 14-23. Je hebt me er 30 gegeven. Je bent me er dus 21 verschuldigd.*' Ik pakte het boek, zocht de bladzijde op en las: 'Het was niet alleen een kwestie van een nieuwe taal leren. Je moest rijst kopen en koken, maar je moest ook weten wat je moest doen als er iemand ziek werd, hoe je moest reageren als iemand je uitschold om ervoor te zorgen dat het niet nog eens gebeurde, en je moest ook weten hoe ver dat schelden precies ging. Als Peter Guterman voor "vuile schijt-Pool" werd uitgemaakt, moest je wel weten wat die uitspraak inhield, oftewel, zoals een vriend van de familie Guterman zei, "waar de topografische fout eindigde en de scatologische begon".' Los van of het klopte wat Sara me schreef (inderdaad, daar was mijn vader aanwezig, met een glimlach slechts, als de Cheshire-kat), was ze duidelijk niet van plan mij serieus te nemen. Ik besloot daarop de bronnen te gaan raadplegen en de verongelijkte een verrassing te bezorgen: ik zou de volgende dag onaangekondigd naar zijn college gaan, zoals ik zo vaak had gedaan toen ik nog studeerde, en hem na de les uitnodigen om wat te gaan drinken in Hotel Tequendama en onder vier ogen over het boek te praten, als het moest met opgepakte handschoen. En daar zat ik de volgende dag, keurig op tijd in een stoel op de laatste rij bij de matglazen ramen, in het gele licht dat van het financiële hart van de stad kwam.

Maar de les eindigde zonder dat ik hem had durven aanspreken.

De volgende dag ging ik terug, de dag daarop weer en die daarop ook weer. Maar ik sprak hem niet aan. Ik kon het gewoon niet.

Negen dagen gingen voorbij, negen dagen van heimelijke aanwezigheid in het college van mijn vader, totdat de impasse werd doorbroken (niet door mijn wilskracht, dat spreekt voor zich). De andere studenten waren inmiddels aan mijn aanwezigheid gewend; ze tolereerden me zonder me in de groep op te nemen, zoals een dilettant wordt getolereerd op een bijeenkomst van ingewijden. In mijn herinnering waren er die dag minder mensen dan anders. Ook leken er duidelijk minder laatstejaars en meer nieuwe studenten te zitten, gezien de heterogene groep met overwegend baardeloze gezichten en hier en daar een stropdas, een aktetas, een aandachtige of volwassen blik. Er was altijd te weinig licht geweest in de zaal, maar die dag knetterde een van de tl-buizen tot hij het, vlak nadat mijn vader zijn jas over de rugleuning van zijn stoel had gehangen, begaf.

Zo, in het fletse schemerduister van de witte tl-buis, hadden alle gezichten kringen rond de ogen, ook dat van de professor; sommige gezichten (niet dat van de professor) zaten te gapen. Een van de studenten, op wiens nek ik tijdens de les zou gaan uitkijken, trok mijn aandacht en het duurde even voordat ik begreep waarom: op zijn tafeltje lag een boek en ik weet zeker dat ik moest slikken – al had niemand dat in de gaten – toen ik zag dat het mijn boek was. (Ik zag de titel staan, of beter gezegd, mijn eigen naam schreeuwde me brutaal toe vanuit de veel te bont gekleurde rechthoek van het omslag). In de lucht hing een mengeling van krijtstof en zweet, het zweet van al die mensen die al die colleges in de loop van de dag hadden bijgewoond. Mijn vader stond ver weg, met zijn goede hand om de knopen van zijn colbert geklemd, een gebaar van het napoleontische type. Hij groette met twee woorden. Meer had hij niet nodig om een golf van angstige stilte door de zaal te laten trekken, om de mensen met wijd open ogen versteend in hun stoelen te laten zitten.

Hij begon de les met spreken over een van zijn favoriete redevoeringen. De *Kransrede* was niet alleen Demosthenes' beste redevoering, het was ook een revolutionaire tekst, hoewel dit adjectief tegenwoordig voor andere zaken werd aangewend; het was een tekst die net zo veel veranderd had voor het vak spreken in het openbaar als het buskruit voor de oorlogvoering. Mijn vader vertelde hoe hij hem al heel jong uit zijn hoofd had geleerd – een kort biografisch intermezzo, allerminst gebruikelijk bij deze man die zo gebrand was op zijn privacy, maar ook weer niet heel verrassend; dat dacht ik die namiddag althans, in dat eigenaardige schemerduister – en zei dat je andermans woorden het beste vanbuiten kon leren door een baantje ver van huis te vinden, net als hij. Op zijn twintigste had hij zijn voordeel gedaan met de gelijktijdige stakingen van transportbedrijven en werknemers in de olie-industrie en drie maanden lang voor vijfentachtig peso per maand een vrachtwagen met brandstof gereden tussen de raffinaderijen van Troco in Barranca en de afnemers in Bogotá. Het was een anekdote die ik al meerdere malen gehoord had; in mijn tienertijd had het verhaal voor mij de legendarische bijklank gehad van de man op de weg, maar nu hij het opnieuw in het openbaar vertelde, kreeg het iets schunnigs en exhibitionistisch. 'Op die reizen heb ik meer geleerd dan alleen een belangrijke tekst,' zei hij. 'Ik was vele uren onderweg en als ik ooit in mijn leven een stomme van dichtbij heb mogen meemaken, dan was het wel de bijrijder die ze naast me hadden gezet. Hij was geen arme student, zoals ik, en ook geen mijnwerker, maar de zoon van de eigenaar van de vrachtwagen, een volslagen nietsnut die alleen maar luisterde, als hij niet lag te slapen. Enfin, terwijl ik dus een vrachtwagen vol benzine bestuurde, leerde ik een groot deel van de *Kransrede* uit mijn hoofd, een zeer bijzondere redevoering, want het is de redevoering van een man wiens politieke carrière is mislukt en die zich aan het einde van zijn leven gedwongen ziet zich te verdedigen. Zonder dat hij daarop had aangestuurd, dat is het ergste. Alleen omdat een van zijn politieke bondgenoten het in zijn hoofd had gehaald om hem voor te dragen voor een prijs terwijl een ander, een vijand, een zekere Aeschines, ertegen was. Dat was de situatie. Die arme Demosthenes had er niet eens om gevraagd om te worden onderscheiden. En hij stond dus voor die onmogelijke taak, onmogelijk voor iedereen, uiteraard, behalve voor de allergrootsten. Elke andere senator had zich laten intimideren. Aeschines zelf zou doodsbang zijn weggerend. Je publiek overtuigen van de waardigheid van je eigen fouten, mislukkingen rechtvaardigen waar je zelf verantwoordelijk voor bent, de loftrompet steken over een leven waarvan je misschien weet dat het verkeerd is, is dat niet het moeilijkste ter wereld? Verdiende Demosthenes de krans niet louter omdat hij zijn verleden onderzocht en veroordeelde?' Mijn vader haalde een plat, volmaakt vierkant uit zijn borstzakje, een lichtgevende tl-zakdoek, en droogde zijn voorhoofd af; hij veegde niet, maar depte zachtjes.

Ik was blij te zien dat de constante achtergrondgeluiden hem niet leken te storen: schuivende stoelen, schurende kleding, scheurend of kreukelend papier. Zijn stem was wellicht te overheersend om zich door dat soort kleinigheden te laten afleiden, evenals zijn postuur. Hij was stijlvol zonder plechtstatig te zijn, standvastig zonder autoritair te zijn, en dat was goed zichtbaar; veel zichtbaarder dan ik was. Mijn vader had niet gemerkt dat ik er was. Hij had er geen melding van gemaakt, zoals anders; hij keek recht voor zich uit naar een verloren punt ergens boven mijn hoofd, op de muur of het raam. 'Ik zie dat we een gast hebben vandaag'; 'ik neem de gelegenheid te baat om iemand aan u voor te stellen'; dat zei hij allemaal niet. Terwijl ik hem dus hoorde vertellen hoe Demosthenes aan het begin van zijn redevoering de goden aanriep – 'het is zijn bedoeling een bijna religieuze sfeer te creëren die op het gemoed van zijn toehoorders inspeelt, want hij heeft er baat bij om door de goden te worden beoordeeld, niet door de mensen' – had ik onmiskenbaar het gevoel dat ik onzichtbaar was. Ik bestond op dat moment niet meer; ik, Gabriel Santoro junior, was op die historische datum (die ik me niet meer herinner) en op die specifieke plek, de aula van het hooggerechtshof, op de kruising van de zevende straat met de achtentwintigste, in rook opgegaan. Ik viel ten prooi aan verwarring: misschien had hij me niet gezien (het was tenslotte donker en ik zat helemaal achteraan); misschien had hij ervoor gekozen mij te negeren en kon ik onmogelijk laten merken dat ik er was zonder mezelf belachelijk te maken of, wat erger was, de les te onderbreken. Maar ik moest het risico nemen, dacht ik; al mijn aandacht, mijn gedecimeerde denkvermogen, werd op dat moment in beslag genomen door de vraag of mijn vader me opzettelijk negeerde. En net toen ik zomaar wat wilde gaan vragen – waarom Demosthenes Aeschines zo grof beledigt en zijn vader een slaaf noemt, of waarom hij, zonder dat het ter zake doet, de oude veldslagen bij Marathon en Salamis erbij haalt –, net toen ik de betovering van mijn onzichtbaarheid of nietbestaan met deze vragen wilde verbreken, was mijn vader weer over vroeger begonnen, over zijn jeugd, toen praten belangrijk was en wat je zei iemands leven kon veranderen, en alleen ik wist op dat moment dat zijn woorden voor mij bedoeld waren, dat ze me hardnekkig zochten en achtervolgden, als een geleide raket. Professor Santoro sprak me toe via een filter: de studenten luisterden zonder te beseffen dat mijn vader hen gebruikte zoals een buikspreker zijn pop. 'Niemand van u weet hoe het voelt om zo'n verschrikkelijke macht te hebben, de macht om iemand kapot te kunnen maken. Ik heb altijd willen weten wat je dan voelt. In die tijd bezaten we allemaal die macht, maar niet iedereen wist dat hij hem had. Slechts een paar mensen maakten er gebruik van. Al waren dat er natuurlijk duizenden: duizenden mensen die beschuldigden, verrieden, informatie verstrekten. Maar die duizenden informanten waren slechts een deel, een fractie slechts, van de mensen die informatie hadden kunnen geven als ze dat hadden willen doen. Hoe ik dat weet? Dat weet ik omdat het systeem van zwarte lijsten macht gaf aan de zwakken, en de zwakken zijn in de meerderheid. De dictatuur van het ressentiment, of althans het ressentiment volgens Nietzsche: de haat die de van nature zwakkeren tegen de van nature sterken koesteren.' De schriften werden opengeslagen, de studenten noteerden de verwijzing; een van hen, naast mij, zette een dubbele streep onder Federico Nietzsche, jawel, met de voornaam in het Spaans. 'Ik herinner me niet meer wanneer ik voor het eerst hoorde van een situatie waarin iemand terecht werd aangebracht. Ik kan me echter nog goed een Italiaan herinneren die tijdens een begrafenis in rouw gekleed ging en vervolgens op de zwarte lijst werd gezet omdat hij het fascistenuniform zou dragen. Ik ben hier echter niet om over zulke gevallen te praten, maar om te zwijgen. Ik ben hier niet om over mijn ervaringen te praten. Ik ben hier niet om te praten over de enorme vergissing, het misverstand, over hoe mijn gezin en ik onder die vergissing, dat misverstand, hebben geleden. Mijn beurs ingetrokken, de kraan van mijn vaders pensioen dichtgedraaid, de te vele maanden dat mijn moeder niets had om van te leven; ik ben hier niet om daarover te praten. Ik kan u misschien vertellen dat ik door mijn werk als vrachtwagenchauffeur verder kon met mijn studie. Ik kan u vertellen dat ik door Demosthenes, de grote Demosthenes, verder kon met mijn leven. Maar ik ben hier niet om de stilte te verbreken. Ik ben hier niet om het pact te verbreken. Ik ben hier niet om ordinair te gaan zitten klagen, om mezelf uit te roepen tot slachtoffer van de geschiedenis of om een overzicht te geven van allerlei manieren waarop het leven in Colombia mensen kapot kan krijgen. Een grap op een fout moment in het bijzijn van de verkeerde mensen? Daar zal ik het niet over hebben. Mijn naam in dat inquisiteursdocument? Ik zal geen details geven, ik zal niet dieper op de zaak ingaan, want daar wil ik niet naartoe. Al jaren leer ik mensen spreken, maar vandaag wil ik u vertellen over wat niet gezegd wordt, wat buiten het bereik ligt van het verhaal, het verslag, het relaas. Ik kan niet verhinderen dat anderen hun mond opendoen als ze dat zinvol of nodig achten. Daarom zal ik niet ingaan tegen de parasitaire wezens die de ervaringen van mensen die ervoor gekozen hebben niet te praten, voor hun eigen doeleinden gebruiken. Ik zal niet spreken over die tweederangs schrijvertjes die vaak nog niet eens geboren waren toen de oorlog was afgelopen, maar die nu hun mond vol hebben van de oorlog en de mensen die het toen moeilijk hadden. Ze hebben geen idee hoe moedig de mensen zijn die niet hebben willen praten; van mij zult u het niet horen. Ze hebben geen idee dat er kracht voor nodig is om geen profijt te trekken van het eigen leed; van mij zult u het niet horen. Ze weten vooral niet dat het profiteren van andermans leed zo ongeveer het laagste is waar de mensheid zich mee bezig kan houden. En nee, nee, nee, van mij zult u het niet horen. Dingen die u niet weet zult u zelf moeten uitzoeken. Ik ben hier vandaag om te zwijgen en de stilte die anderen in acht hebben genomen te beschermen. Ik zal niet spreken ...' En hij sprak inderdaad niet. Hij sprak niet over een titel of een auteur in het bijzonder; maar de buikspreektechniek die hij in zijn collegezaal had toegepast, was ineens overgegaan in een zoeklicht en de felle lichtbundel viel op mij. De beschuldigingen van de buikspreker, of het zoeklicht, hadden me zo overrompeld dat ik voorbij was gegaan aan de onthullingen over het verleden van mijn vader – een achtervolgd man, een slachtoffer van onterechte beschuldigingen vanwege een onbeduidende grap, een luchtig commentaar, een onschuldige sarcastische opmerking die in mijn hoofd al allerlei vormen begon aan te nemen – en me aan het bezinnen was op de mogelijke verdediging van mijn recht om vragen te stellen en uiteraard dat van Sara Guterman om ze te beantwoorden. Maar de aula was niet de meest aangewezen omgeving voor zo'n debat, dus begon ik te bedenken hoe ik het makkelijkst weg kon komen (zonder de aandacht te trekken, of wel, maar dan zonder mijn identiteit bloot te geven aan de aanwezigen, zonder het kleine beetje waardigheid dat me nog restte overboord te gooien), toen mijn vader met een vrij onhandige beweging zijn jas van zijn stoel haalde en daarbij met de mouw aan de rugleuning bleef haken, waarna de stoel met een harde dreun tegen de houten vloer smakte. Pas toen begreep ik dat mijn vaders beheerste toon en zijn aan de oppervlakte zorgvuldig gewogen woorden een innerlijke chaos toedekten of althans probeerden te verdoezelen en bracht ik voor het eerst in mijn leven een manier van doen van mijn vader in verband met gebrek aan controle. Maar hij was al weg. Het college was voorbij.

Ik moest even de tijd nemen om bij te komen, als iemand die net een ongeluk heeft gehad – een voetganger die opdoemt uit de schaduw, piepende remmen, een harde klap –, want het duizelde me. Ik ging met mijn hoofd tussen mijn handen zitten en het lawaai van de opstaande studenten werd gedempt. Ik liep het lokaal uit, zocht naar mijn vader maar zag niemand; ik liep onder de zwakke straatverlichting voor het gebouw heen en weer en ik zou gezworen hebben dat ik hem, ondanks de kou, met zijn jas onder zijn arm tussen bussen en microbusjes de zevende straat over zag draven in de richting van het Centro Internacional, maar een seconde later was die illusie vervlogen: hij was het niet. (Deze kortstondige verwarring had de symboliek van een slechte roman. Daar heb je het al, dacht ik. Nu begin ik mijn vader al te zien waar hij niet is, hem te verwarren met het beeld dat ik van hem heb, ik begin zijn gestalte al te vergeten omdat ik me ervan bewust ben geworden dat ik zijn leven zoals ik dat ken moet vergeten: één openbaring, één verdomde openbaring en mijn vader is al een ordinair hologram, een schim in de straten.) Toen ik me omdraaide en in zuidelijke richting naar de eerstvolgende straat liep die op de zevende uitkwam om de kans op een taxi op dit tijdstip te verdubbelen, kwam ik een student tegen. De straatverlichting bescheen hem van achteren – een heilige met aureool – en het duurde even voordat ik hem herkende: het was de student die mijn boek had. Aan het begin van het college had zijn ziekelijke aandacht voor mijn vader me al verontrust; nu leek hij die aandacht graag nog eens te willen bevestigen.

'U bent toch junior?' zei hij. 'Briljante kerel, zeg, die ouweheer van u. Wat een mazzel. Waren er maar meer van die rotzakken als hij.'

Een halfuur later was ik bij het huis van mijn vader, senior, de briljante kerel, de onbekende. Maar hij moest een langzamere route hebben genomen, want hij was er nog niet. Ik stak de straat over en ging op de hoek aan de overkant zitten wachten, op een van die hoekige betonpaaltjes van vroeger, grof als runenstenen, die overal in Bogotá nog staan en om de een of andere reden niet zijn weggehaald, al hebben er inmiddels veel een verkeerd opschrift (straat waar laan zou moeten staan, negentiende waar dertigste zou moeten staan). En al die tijd dacht ik, terwijl ik stervend van de kou toekeek hoe een vieze, gelige wolk de avondhemel opslokte: waarom heeft hij mij daar nooit over verteld? En wat was er eigenlijk gebeurd? Wat was dat voor grap op een verkeerd moment geweest, die iemand te serieus had genomen? Wie was de humorloze persoon geweest die de aanklacht had ingediend, wie was de informant? Zou hij het mijn moeder ooit verteld hebben? Zou er nog iemand zijn die deze dingen wist? Dat was het eerste wat ik hem vroeg toen hij met openstaande boord (de chaos die zich een weg naar buiten wil vechten) bij zijn huis arriveerde, me ongeïnteresseerd achter hem aan naar boven liet lopen en me plaats liet nemen toen hij zelf ging zitten. Ik vroeg hem ook of hij me had gezien; ik vroeg of hij me vervolgens ook herkend had. Hij koos ervoor mijn vragen in willekeurige volgorde te beantwoorden. 'Natuurlijk,' zei hij, 'ik zag je vanaf het begin al zitten daar achterin. Al die keren heb ik je gezien. Soms heb ik het laten merken, soms niet. Je zit er al de hele week, Gabriel, natuurlijk heb ik dat in de gaten.'

'Ik had er graag van geweten,' ging ik door. 'Je hebt me er nooit over verteld. Je hebt er nooit met me over gepraat.'

'Dat ben ik ook niet van plan,' zei hij. Hij leek niets te onderdrukken; er leek niets in hem om te gaan, maar daar wrong hem de schoen, en ik wist het. 'Herinneringen zijn niet publiek, Gabriel. Dat hebben Sara en jij niet begrepen. Jullie hebben zaken in de openbaarheid gebracht die veel mensen wilden vergeten. Jullie hebben dingen naar boven gehaald die velen van ons pas na lange tijd achter zich hebben kunnen laten. Mensen hebben het over de lijsten, er wordt weer gesproken over de lafheid van sommige informanten, over de angst van degenen die onterecht zijn aangegeven ... En zij die vrede met dat verleden hadden gevonden, die zich er door te bidden of te doen alsof het niet bestond in zekere mate mee verzoend hadden, kunnen nu weer van voren af aan beginnen. De zwarte lijsten, Hotel Sabaneta, de informanten. Allemaal woorden die veel mensen uit hun vocabulaire hebben geschrapt, en dan kom jij, de held in het verhaal, eens even laten zien hoe dapper je bent door dingen op te rakelen die de overgrote meerderheid het liefst laat rusten. Waarom ik het je niet verteld heb? Nee, dat is de verkeerde vraag; vraag jezelf liever af waarom er gepraat moet worden over iets wat het niet waard is. Waarom reageerde ik vandaag zo? Waarom zweeg ik in het openbaar? Was dat om jou een lesje te leren, om je de verborgen nobele kant van je vader te laten zien, dat soort sentimentele onzin? Was het om de mensen uit te nodigen jouw boek te vergeten, te doen alsof het niet gepubliceerd was? Ik weet het niet, het komt me allemaal maar kinderachtig, absurd en bovendien onrealistisch voor, een verloren strijd. Eén ding moet je echter weten: als ik je niet had gezien, had ik hetzelfde gedaan. Over die beschuldigingen ga ik het niet hebben, maar één ding kan ik je wel vertellen: in een parallelle werkelijkheid zou ik jou en je parasitaire boek, dat op andermans ervaringen teert, jouw indringerige boek, hebben verraden. Zoveel is in elk geval duidelijk: de mannen die hun mond hebben gehouden, hebben deze reportage niet verdiend. Het is geen pretje om je mond te houden, daar heb je karakter voor nodig, maar dat begrijp jij toch niet; arrogant als alle andere journalisten die op deze aardbol hebben rondgelopen, meende jij dat de wereld niet zonder het leven van Sara kon. Jij meent te weten hoe dit land in elkaar zit, jij denkt dat dit land en de mensen hier geen geheimen meer voor jou hebben, want jij denkt dat Sara overal voor staat, dat je als je haar kent, iedereen kent. Daarom zou ik je hebben verraden, omdat je een oplichter en ook nog eens een leugenaar bent. Ja, dat had ik gedaan, ook al had ik je niet gezien. En waarom ben je überhaupt gekomen? Waarom heb je niet van tevoren gewaarschuwd? Nee, geef maar geen antwoord, ik denk dat ik het al weet ... Je kwam om over het boek te praten, hè? Je kwam om mijn mening te horen. En daarom ben je ook hier, eigenlijk wil je nog steeds dat ik je over jezelf vertel. Je denkt nog steeds dat ik je zal feliciteren, dat ik je zal stimuleren en zal zeggen dat je in de wieg bent gelegd om over Sara's leven te schrijven, of liever gezegd, dat Sara in de wieg is gelegd en alles in haar leven – de nazi's, de ballingschap, de oorlogstijd in een vreemd land, veertig jaar in deze stad waar mensen elkaar uit gewoonte afmaken – heeft meegemaakt zodat jij er eens rustig met je opnameapparaatje voor kunt gaan zitten om haar domme vragen te stellen en vervolgens tweehonderd pagina's neer te pennen waarvan wij allemaal van pure vreugde gaan masturberen. Wat ben jij goed, zeg. Dat hoop je dat de mensen zullen zeggen. Daarom heb je het geschreven, om iedereen te laten weten hoe goed en meelevend je bent, hoe verontwaardigd je bent over die verschrikkelijke dingen die de mensheid heeft meegemaakt, of niet? Zie mij, bewonder mij, ik sta aan de goede kant, ik veroordeel, ik klaag aan. Lees mij, hou van mij, beloon me voor mijn medeleven, mijn goedheid. Wil je mijn mening? Mijn mening is dat je het volste recht had om dingen uit te zoeken, om vragen te stellen, zelfs om te schrijven, maar niet om het boek te publiceren. Mijn mening is dat je het manuscript in een afgesloten lade had moeten opbergen en de sleutel had moeten kwijtraken. Mijn mening is dat je de hele kwestie had moeten vergeten en dat gaat nu ook gebeuren, al is dat rijkelijk laat, want dat zal iedereen doen, iedereen is jouw boek over twee maanden vergeten. Zo simpel is het, meer heb ik niet te vertellen. Mijn mening is dat het een flutboek is.'

En het ondenkbare gebeurde: mijn vader beging een fout. De man die in vooraf gecorrigeerde alinea's sprak, die op een doodgewone dag in persklare kwarto's communiceerde, haalde de zaken door elkaar, verloor zijn doel uit het oog, hij raakte van zijn à propos en had geen souffleur bij de hand. De man die had voorspeld dat mijn boek in de vergetelheid zou raken, verloor zijn zelfbeheersing en deed uiteindelijk al het mogelijke om de herinnering aan dat boek levend te houden. Als het aan de verdiensten van *Een leven in ballingschap* had gelegen, was het misschien onopgemerkt gebleven; mijn vader – of liever gezegd, diens overtrokken, impulsieve, ondoordachte reactie –, plaatste het boek echter in het middelpunt van de belangstelling en zette het volop in de schijnwerpers. 'Hij gaat een recensie publiceren,' had Sara me gewaarschuwd. 'Zeg hem alsjeblieft dat hij dat niet moet doen, dat dit niet de manier is.' Ik had geantwoord: 'Ik ga hem niets zeggen, hij moet maar doen wat hem goeddunkt.' 'Maar hij is gek. Hij is gek geworden, ik zweer het je. Het is een vernietigende recensie.' 'Dat doet me niets.' 'Je moet op hem inpraten, hij zal je kwetsen. Zeg hem dat het boek een ongeluk is. Breng hem dat aan zijn verstand. Zeg hem dat het niet in zijn belang is die recensie te publiceren. Hij zal er de aandacht mee trekken. Leg het hem uit, hij heeft het niet door. Dit is te voorkomen.' Ik vroeg haar waarom ze zich zo druk maakte. 'Omdat dit jullie zal schaden, Gabriel. Ik vind het niet fijn als jullie elkaar pijn doen, ik hou van jullie allebei.' Dat leek me een merkwaardige reden, of liever gezegd, een overbodige en daarmee onvolledige reden. 'Jíj wilt niet dat er over het boek wordt gepraat,' zei ik tegen Sara. 'Dat is niet waar. Ik wil niet dat híj over het boek praat. Ik wil niet dat hij zó over het boek praat. Hij pakt je hard aan, maar daar gaat het niet om. Hij gooit gewoon zijn eigen glazen in, snap je?' 'Natuurlijk snap ik dat. En wat dan nog?' 'Ik heb hem nog nooit zo overspannen zien reageren. Wie weet wat er nog komen gaat. Dit is Gabriel niet.'

'Eén ding moet je me vertellen, Sara. Wist jij ervan?' 'Waarvan?' 'Hou je nou niet van den domme. Wist je ervan? En als dat zo is, waarom staat het dan niet in het boek? Waarom heb je het tijdens onze gesprekken niet verteld?' Het is een oude debatstrategie waarvan ik de naam ben vergeten: als je tegenstander iets eist, reageer dan met agressievere eisen. 'Waarom hebben jullie het voor mij verborgen gehouden? Waarom heb je me onvolledige informatie gegeven?'

Een paar dagen later verscheen de recensie.

> Voor zijn eerste boek heeft de journalist Gabriel Santoro een uitermate gecompliceerd en tegelijkertijd veelbesproken onderwerp uitgekozen. De emigratie van joden in de jaren dertig is decennialang het favoriete thema geweest van zo'n beetje iedere journalist die van de school voor journalistiek is gekomen. Santoro wilde ongetwijfeld gedurfd zijn; hij zal wel ooit gehoord hebben dat durf een goede journalistieke eigenschap is. Maar in deze tijd een boek schrijven over de Holocaust is net zo gedurfd als het afschieten van een slapende eend.
>
> De schrijver van *Een leven in ballingschap* is van mening geweest dat hij enkel en alleen met het afficheren van zijn onderwerp – een vrouw die als kind voor Hitler vlucht en uiteindelijk in ons land komt wonen –

afschuw dan wel medelijden kon oproepen. Hij is tevens van mening geweest dat een onbeholpen, monotone stijl voor direct en sober zou kunnen doorgaan. Kortom, hij heeft op de onoplettendheid van de lezer gerekend. Soms vervalt hij in goedkoop sentiment: de hoofdpersoon is 'een van angst doortrokken en in bedachtzaam zwijgen gehulde vrouw'. Soms kletst hij maar wat: in Colombia voelt de vader zich 'ver weg en toch welkom, geaccepteerd en toch vreemd'. Het is duidelijk dat de woordspeling en het chiasme de achterliggende gedachte moesten versterken; het is eveneens duidelijk dat deze er alleen maar door wordt afgezwakt. En dit is niet de enige keer dat iets dergelijks gebeurt.

Uiteraard zou een en ander meer effect hebben gehad als het boek als geheel niet zo uitgesproken opportunistisch van opzet was geweest. Maar de auteur laat ons weten dat emigreren erg is, dat ballingschap wreed is, dat een verbannen man (of in dit geval een vrouw) nooit meer dezelfde zal zijn. De pagina's van dit boek zijn een opeenstapeling van gemeenplaatsen uit de sociologie, terwijl de meest inspirerende waarheden – het vermogen van mensen om zichzelf opnieuw uit te vinden, om een nieuwe toekomst op te bouwen – onderbelicht blijven. Het boeide de auteur niet; misschien dat zijn boek ons daarom ook niet boeit.

Uiteindelijk is *Een leven in ballingschap* niet veel meer dan een oefening. Een verdienstelijke oefening, zullen sommigen zeggen (al zie ik niet in om welke redenen), maar niettemin een oefening. De platte beeldspraak, het twijfelachtige ethos, de herkauwde emoties zal ik buiten beschouwing laten. Laat me gewoon zeggen dat het als geheel mislukt is. Dit oordeel is duidelijker en directer dan het opstellen van een uitputtende lijst met onjuistheden, hetgeen immers een even beuzelachtige als vermoeiende klus zou zijn.

De tekst was ondertekend met de initialen GS. Geen lezer die er de bijbehorende naam niet in herkende.

In december 1991, dat wil zeggen, drie jaar na deze woorden, was mijn vader inmiddels volledig hersteld, en na verscheidene gesprekken, waarin ook deze scènes ter sprake waren gekomen, leken zijn foute woorden definitief te zijn rechtgezet. Elke zondag nodigde Sara ons uit om *ajiaco* met kip te komen eten, die ze niet zelf bereidde, maar thuis liet bezorgen in hetzelfde soort zakjes als men gebruikt voor het vervoer van levende vissen, met de room, de kappertjes en de maïskolf apart erbij in een styropor doosje. Dat hij een vaste routine in zijn leven had opgebouwd en dat zijn zoon daarin een rol speelde, als deelnemer en niet als getuige of openbaar aanklager, was voor mijn vader een bevestiging en bijna een beloning (de schouderklopjes van een tevreden onderwijzer): 'Als het nodig is geweest dat ze me als een kikker hebben moeten opensnijden zodat wij elkaar op zondag kunnen zien, dan heb ik dat er graag voor overgehad. Sterker nog, ik had er het dubbele voor overgehad, nou en of. Ik had me wel vier keer laten dotteren om deze ajiaco in dit gezelschap te kunnen eten.' Sara woonde in een groter appartement dan ze als enige bewoonster nodig had. Het was een soort groot adelaarsnest op de vijftiende verdieping van een gebouw aan de achtentwintigste straat, tegenover, of liever gezegd boven de stierenvechtarena, met ramen aan beide kanten van waaruit je op heldere dagen, als je je hoofd naar buiten stak, de blauwe temperavlek van Monserrate kon zien liggen en aan de andere kant de oneffen, bruingrijze cirkel van de arena beneden. De eethoek was niet meer in gebruik, zoals wel vaker gebeurt in het huis van een alleenstaande, en diende voor Sara nu als ondergrond voor puzzels van een alpenlandschap van drieduizend stukjes; we schepten onze ajiaco op in diepe borden, namen die op een dienblad mee naar de woonkamer om hem daar op te eten en zetten als achtergrondmuziek bij ons middageten het concert op dat op dat moment door de zender HJCK werd uitgezonden. Naarmate de weken verstreken, kon het steeds vaker voorkomen en werd het steeds minder raar dat we gedurende de hele maaltijd niet met elkaar spraken en van elkaars gezelschap genoten op een manier die geen woorden behoefde, zelfs niet de gebruikelijke vormelijkheden, de vriendelijke glimlachjes of beleefde blikken. Op zulke momenten dacht ik vaak: die twee zijn alles wat ik heb. Dit is mijn familie.

De zondag dat mijn vader Sara en mij vertelde over Angelina, de therapeute, en over wat er gaande was met haar, was niet zomaar een zondag, want de novene kwam eraan. En terwijl in de rest van Bogotá de katholieken zich gereedmaakten om samen bij een kerststal te gaan zitten en de gebeden op te lezen uit een roze boekje dat je vroeger cadeau kreeg in Los Tres Elefantes, stond Sara erop dat we de kerstboom van haar kleinkinderen uit de kast haalden en haar hielpen hem op te zetten in een hoekje van de kamer. 'Dat krijg je ervan als je liberaal bent,' had ze me eens gezegd. 'Ik wilde mijn kinderen alleen maar opvoeden zonder enige godsdienst, en ziehier, uiteindelijk doen ze mee met dezelfde christelijke onzin als de rest van de wereld. Als het zo moet, kan ik net zo goed met mijn joodse onzin doorgaan, of niet? Mama wilde niet dat ik zou trouwen zoals ik dat heb gedaan. Ze zei: je zult je uiteindelijk bekeren, je zult je identiteit verliezen. Ik heb haar nooit geloofd en moet je me nou zien: ik moet die godvergeten kerstboom optuigen. Als ik het nu niet doe, dan hebben we straks de poppen aan het dansen. Die dingen zijn belangrijk, mama. Tradities zus, symbolen zo. Je reinste smoesjes. Ze hebben gewoon geen zin om zelf als een houthakker dat ding in elkaar te zetten.' En mijn vader en ik, die na de dood van mijn moeder praktijken als bomen en ezeltjes en ossen en spiegeltjes die meren moeten nabootsen en mos dat gras moet lijken en plastic kindjes op nepstro langzaam achter ons hadden gelaten, die samen een liefdevolle desinteresse voor alle Bogotaanse kerstparafernalia hadden ontwikkeld, zaten ineens geknield op het tapijt de takken van een boom op grootte te sorteren en de gebruiksaanwijzing tussen onze knieën uit te vouwen. Het was geen eenvoudig werk en het ging gepaard met een flinke dosis ironie, misschien dat we het daarom met minder tegenzin deden dan verwacht, in de sfeer van 'wie had dit ooit gedacht' of 'als die en die ons toch eens zou zien'. Sara was over haar kleinkinderen begonnen. Het was een terrein waarop mijn boek zich niet had begeven, omdat het niet haalbaar was; hoezeer ze ook haar best zou hebben gedaan, Sara had nooit het verschil kunnen bevatten tussen haar eigen jeugd in Duitsland en die van haar kleinkinderen hier. Als haar kinderen al vreemden voor haar waren, dan waren haar kleinkinderen dubbel zo vreemd, mensen die zo ver van Emmerich en de synagoge van Emmerich af stonden als maar mogelijk was. 'Hoe oud is de jongste?' vroeg ik.

'Veertien. Dertien. Zoiets.'

'Veertien,' herhaalde ik. 'Net zo oud als jij toen je hier kwam.'

Sara dacht na, ze leek er niet eerder bij stil te hebben gestaan. 'Precies,' zei ze, maar daarna zweeg ze, terwijl ze met haar oude handen de groene, gele, rode, matte en doorschijnende, al dan niet besneeuwde kerstballen van breekbaar glas klaarlegde die ze in de boom ging hangen als mijn vader en ik hem hadden opgezet. 'Andere mensen zien zichzelf terug in hun kinderen,' zei ze. 'Jouw vader ziet zichzelf in jou terug, hij zal zichzelf in jouw kinderen terugzien. Mij zal dat niet gebeuren, wij zijn verschillend. Ik weet niet of dat erg is.'

'Nou, de genetica is er ook nog,' zei mijn vader.

'Hoezo?'

'Ze lijken op jou, dat is helaas voor hen een feit.'

Die avond leken de sporen uit zijn verleden mijn vader niet te deren. Hij herinnerde zich de woorden die men die week overal zou oplezen, die verzen waar hij altijd oprecht om had moeten schaterlachen: *O, Emmanuël/koning der naties/verwachting der volkeren/en hun Heiland.* Hij zei ze op (want hij kende ze uit zijn hoofd, alle verzen van alle dagen van de novene, en ook een aantal gebeden) en bevestigde een tak aan de stam van de boom. Vervolgens zei hij ze nog eens op en pakte een nieuwe tak, die hij van alle kanten bekeek om te zien waar hij paste. En al die tijd zag hij er vrolijk uit, alsof deze feestdagen, waar hij altijd immuun voor was geweest, hem ineens iets deden. Hiermee werd het vermoeden bevestigd dat ik al eerder had gehad: een van de gevolgen van het tweede leven was een enorme nostalgie, het democratische, voor iedereen toegankelijke en toch zo verrassende besef van de verloren tijd, al hebben we in die verloren tijd meer geleden dan in het heden. Dat heb ik kunnen vaststellen dankzij mijn opnames, die op dat moment meer dan ooit elke seconde leken te rechtvaardigen die ik in die eigenaardige liefhebberij had gestoken: het bewaren van andermans stem.

Op nog zo'n zondag was ik zo tactloos geweest om een van de cassettebandjes, die ik als een staatsgeheim bewaakte, mee te nemen naar Sara. Nadat we koffie hadden ingeschonken, had ik hun gevraagd bij de muziekinstallatie te gaan zitten en stil te zijn. In de open ruimte die dienstdeed als woonkamer hadden we met zijn drieën zitten luisteren hoe Sara over het hotel vertelde. 'De oorlog zat in het hotel, we droegen hem in onze broekzak,' hoorden we haar zeggen. 'Ik kan je niet vertellen wat ik allemaal heb gezien, want sommige mensen leven nog en ik ben geen verklikker en wil ook geen reputaties kapotmaken of aarde omwoelen waar niemand wil dat dat gebeurt. Maar als het wel kon, als jij en ik alleen op de wereld, alleen in dit huis zouden zijn, als er een bom was gevallen en Colombia niet meer zou bestaan, alleen wij nog, en jij me zou vragen wat er gebeurd is, dan zou ik het je allemaal vertellen ... Daarna zou je niet blij zijn dat je het wist. Dat soort kennis tast mensen aan, Gabriel, ik weet niet hoe ik het beter moet zeggen, maar zo is het. Als ze me ernaar hadden gevraagd, had ik gezegd: ik sluit liever mijn ogen, ik zie die dingen liever niet. Niemand vroeg me er echter naar, maar ja, van wie kon je zoiets ook verwachten? Terwijl mijn familie toch eigenaar was van het hotel, hè? Want als de wereld logisch in elkaar zou steken, had er een engel van de Aankondiging in Nueva Europa moeten verschijnen om mijn papa te waarschuwen dat zus of zo zou gebeuren. Nee, logisch niet, rechtvaardig. Een waarschuwing zou in elk geval nog rechtvaardig zijn geweest, maar op dat soort dingen kun je uiteraard niet rekenen, die clausule zit niet in het contract. De contracten worden daarboven opgesteld, je tekent zonder tegensputteren, vervolgens gebeuren er dingen en bij wie moet je dan aankloppen als je het er niet mee eens bent ...? Enfin, ik kan je niet overal over vertellen, maar ik kan je vertellen over het hotel, over het hotel en de oorlog en over wat dat in mijn leven teweeg heeft gebracht, want je bent ook de plekken waar je bent opgegroeid.

Je vraagt me of ik ergens spijt van heb. Iedereen heeft wel ergens spijt van, of niet? Maar jij vraagt me ernaar en dan komt me meteen het gezicht van de oude mevrouw Lehder voor de geest. Ze was een van de Duitsers uit Mompós. De Duitsers uit Mompós waren allemaal nazi's. Sommigen van hen waren vóór 1940 vaste gast in het hotel geweest, sommigen van hen hadden Eduardo Santos gekend. Veel beter dan ik, bovendien. Daarom was het zo raar, Gabriel, daarom was het zo verrassend dat die vrouw me kwam opzoeken. Het was begin 1945. Ze kwam me opzoeken om te vragen of ik een goed woordje wilde doen voor haar man. Zo zei ze het, ik kan er niets aan doen, ze zei "een goed woordje". Meneer Lehder was net opgesloten in Hotel Sabaneta. Nee, ik weiger te spreken van een concentratiekamp, zo vals mag de taal niet spelen. Het een is niet hetzelfde als het ander. De kwestie is dat mevrouw Lehder alleen in haar huis in Mompós woonde, haar personeel was vertrokken, de elektriciteit was afgesloten. En haar man in Sabaneta. Daarom kwam ze me opzoeken, om om hulp te vragen. Ik zei dat ze moest ophoepelen uit het hotel, iets beleefder misschien, maar dat was de strekking. En zij vertelde me over de zoon die ze had bij de Wehrmacht, een jongeman van uw leeftijd, zei ze, hij is nog bijna een kind, hij heeft in Leningrad gevochten totdat hij gewond raakte, ik wil alleen dat u me laat blijven om over de radio te horen of hij in Leningrad van de kou is gestorven, mejuffrouw Guterman, het schijnt dat de soldaten in hun broek moeten plassen om het een beetje warm te krijgen. Ik zei nee. Ik liet haar niet eens plaatsnemen om naar de radio te luisteren. Later hoorde ik dat de familie Lehder een advocaat had gevonden die bevriend was met het ministerie van Buitenlandse Zaken en dat ze naar Berlijn konden terugkeren. In elk geval kan ik me dat herinneren, dat ik dat oude mens van Lehder niet heb laten plaatsnemen om te luisteren of er iemand wat over haar soldaatje vertelde. Dat soldaatje en ook mevrouw Lehder konden me gestolen worden. Maar dat is niet het ergste. Het ergste is dat ik haar ook nu niet zou helpen. Je vraagt me of ik ergens spijt van heb en dan moet ik daaraan denken, maar de manier om het nu goed te maken, zou zijn dat het niet gebeurd was. Een andere manier zou er niet zijn. Want als het weer zou gebeuren, zou ik hetzelfde doen. Ja, ik zou er geen twee keer over nadenken. Het is verschrikkelijk, maar zo is het nou eenmaal.'

De macht van die opnames. Terwijl hij ernaar luisterde die middag, werd mijn vader twintig jaar ouder. Wellicht dacht hij, net als ik, dat elke zin van Sara Guterman het verraad opriep waarvan hij het slachtoffer was geworden, dat elke zin het in zich droeg, maar hij kon het ook van betekenis ontdoen, want Sara en ik konden niet bevatten wat hij had meegemaakt, voelen wat hij had gevoeld toen hij jong was. Hij vroeg ons op geen enkel moment de geluidsinstallatie uit te zetten of het bandje te verwisselen en stond evenmin op met een smoes om naar het toilet of de keuken te gaan. Hij hoorde het aan zonder iets te zeggen, terwijl het op z'n minst ongemakkelijk en soms zelfs pijnlijk voor hem moest zijn, want het rakelde voor hem allemaal gebeurtenissen op die hij zo lang geheim had gehouden en waar hij naar aanleiding van mijn boek openlijk op had gezinspeeld, tot verontrusting (en soms bewondering) van zijn studenten; hij hoorde het aan zoals hij zijn hartkatheterisatie had ondergaan, met wijd opengesperde ogen starend naar de hanglamp, het dunne kabeltje, de metalen kap. Toen de stem op kant A stopte en ik vroeg of ze kant B wilden horen, zei hij nee, bedankt, we moesten maar muziek opzetten en wat praten, konden we deze momenten niet beter benutten om een gesprek te voeren, Gabriel? Zijn stem als een papieren vlieger was nauwelijks hoorbaar; in één zin slaagde mijn vader erin zich te beklagen, als een lastige tiener de aandacht te trekken en, vooral, met die aanstellerij zijn autoriteit te laten gelden; als er dingen waren die hij zelf liever vergat, was het onbegrijpelijk en zelfs aanstootgevend dat anderen er wél aan terug wilden denken. De rest van de avond zat die bleke, bittere oude man, aan wie ik me geërgerd zou hebben als hij niet mijn vader maar een vreemde was geweest, er zielig en aandoenlijk bij. Dat ontdekte ik die middag: dat mijn vader niet in staat was om met de gebeurtenissen uit zijn eigen leven om te gaan; dat de gedachte aan zijn verleden hem hinderde als een aardbeienpitje dat tussen je tanden blijft steken. Die vijf jaar eerder gemaakte opnames (over dingen die al meer dan een halve eeuw geleden waren gebeurd) sloopten hem vanbinnen, zogen zijn bloed op, putten hem uit alsof hij net van de operatiekamer kwam.

Maar de middag waarover ik het eerder had, was mijn vader weer de razende trein van vroeger; zijn hersens functioneerden weer als in zijn beste dagen en dat veronderstelde tweede leven was daar in die woonkamer een zekerheid waar je niet omheen kon. Ik dacht terug aan de woorden op de cassettebandjes, hief mijn hoofd op om mijn tafelgenoten – mijn familie – te zien en dacht wat altijd zo ongelooflijk is: dit hebben jullie meegemaakt. Dit is een halve eeuw geleden gebeurd en jullie hebben het meegemaakt en zitten hier nog, levend en wel, als tastbare getuigen van gebeurtenissen en situaties die misschien samen met jullie heen zullen gaan, alsof jullie de laatste mensen waren die een bepaalde dans uit de Andes nog kennen of de tekst van een lied uit je hoofd weten dat nooit op papier is gezet en voor de wereld verloren zal gaan wanneer jullie het vergeten. En in wat voor conditie bevonden zich deze bewaarplaatsen van herinneringen? In hoeverre waren ze aangetast, hoe lang had de wereld nog om te trachten hun kennis eruit op te diepen? Elke beweging, elk woord van mijn vader was een vaantje met de slogan: 'Rustig maar, allemaal, er is niets gebeurd, hoor.' En Sara leek er net zo over te denken.

'Je bent er werkelijk als herboren uit gekomen,' zei Sara tegen mijn vader, 'hopelijk doen ze met mij ook nog eens zoiets.'

'Wie zegt dat reïncarnatie niet bestaat?' zei mijn vader. 'Wie zegt dat karma niet bestaat? Dat maak je mij niet meer wijs, lieverd, ik roep mezelf met ingang van vandaag uit tot hindoeïst.'

'Ik kan het niet uitstaan,' zei Sara. 'Ik lijk zelfs ouder als ik naast je sta.'

Dat was natuurlijk lichtelijk overdreven, want Sara zag er in haar wijde linnen broek en haar witte bloes tot op haar knieën nog altijd sterk uit, alsof de helft van haar jaren haar wegens goed gedrag was kwijtgescholden. Ze leek zich in een zekere gerieflijke eenzaamheid te hebben genesteld; ze leek er vrede mee te hebben dat de dagen aan haar voorbijtrokken en leek met opgeheven hoofd en iets van wat je deemoed, maar ook gewenning had kunnen noemen, te kijken hoe ze voorbijvlogen. Ook in haar gezicht was duidelijk te zien dat ze jarenlang alleen maar voor zichzelf had hoeven zorgen. Ze had gaatjes in haar oren, maar geen oorbellen; ze droeg een leesbril met een onopvallend goudkleurig montuur en koperkleurige glazen. Het was alsof haar lichaam in een ander tempo had geleefd: het kende geen tijd, geen vermoeide huid; het droeg geen spanningen met zich mee, geen verdriet dat het gezicht van mensen tekent, hun ogen dof maakt en hen veroordeelt tot een bifocale bril, de mondhoeken verkrampt en voren in de hals trekt als een ploeg. Of misschien kon je beter spreken van geheugen: in Sara's lichaam lag tijd opgeslagen, maar het had geen geheugen. Sara bewaarde haar herinneringen op andere plekken: in dozen en mappen en op foto's, op de cassettebandjes die ik in bewaring had en die Sara's geschiedenis aan haar lichaam leken te onttrekken en in zich op leken te nemen. De cassettes van Dorian Guterman. De mappen van Sara Gray.

Mijn vader had in die zes maanden daadwerkelijk een zeer duidelijke verandering ondergaan. Een van de onmiddellijke gevolgen van de operatie, wist ik, was een plotselinge toevoer van zuurstof naar een hart dat daar niet aan gewend was en daarmee een energie waarvan de patiënt het bestaan al was vergeten. Maar als ik hem door de ogen van onze gastvrouw zag, naar hem keek zoals zijn tijdgenote dat deed, dacht ik dat het cliché inderdaad klopte, dat mijn vader er 'als nieuw uit gekomen' was. Ik zou die laatste maanden vergeten zijn hoe hij eraan toe was, als hij niet het oorlogsblazoen van die jaap op zijn borst had, zijn lichamelijke gedenkteken, en de beperkingen van vóór de operatie niet nog altijd van kracht waren – hoewel alleen mijn vader wist hoe het er binnenshuis voor stond met zijn discipline –, die tijdens de lunch en het avondeten ter sprake kwamen, zoals ook die middag, toen we ajiaco zaten te eten in dat appartement in kerstsfeer van waaruit je Monserrate kon zien.

'En wat ga je nu doen?' vroeg Sara. 'Wat ga je met je nieuwe leven doen?'

'Vooralsnog geen victorie kraaien. Of wel, maar dan heel zachtjes. Ik moet goed voor mezelf zorgen om in deze vorm te blijven, het dieet is streng maar ik moet me eraan houden. Het is mooi om weer twintig te zijn.'

'Je bent echt onuitstaanbaar. Je krijgt nog wat met die arrogantie van je.'

De nieuwe Gabriel Santoro. Gabriel Santoro, gecorrigeerde, uitgebreide versie. De herboren redenaar stond ineens op en liep met de stelligheid van een vlieg de kamer door naar de houten boekenkast, pakte er met zijn linkerhand een kartonnen hoes ter grootte van een huwelijksuitnodiging uit, haalde met de duim van zijn stomp de plaat uit de hoes, legde die op de platenspeler, zette de hendel op 78 toeren en liet de naald zakken. En daar klonken de Duitse liederen die Sara me jaren geleden had laten horen.

Veronika, der Lenz ist da,
die Mädchen singen Tralala,
die ganze Welt ist wie verhext,
Veronika, der Spargel wächst.

Ik had mijn ogen gesloten en was op de bank gaan liggen. Langzaam gaf ik me over aan de loomheid na het middageten, aan het zware gevoel in mijn maag na die ajiaco op zondagmiddag, toen ik ineens dacht te horen dat mijn vader zong. Ik verwierp dat idee als onwaarschijnlijk en aan mijn verbeelding ontsproten, maar opnieuw meende ik achter de oude muziek, het gezoem van de luidsprekers en de instrumenten uit de dertiger jaren, zijn stem te horen. Ik opende mijn ogen en zag hem inderdaad met zijn armen om Sara (die was gaan afwassen) heen geslagen in het Duits zingen. Dat ik hem niet meer dan drie keer in zijn hele leven had zien zingen, was minder raar dan hem te zien zingen in een onbekende taal, en meteen schoot me een tafereel uit mijn kindertijd te binnen. Een paar maanden lang had mijn vader een pruik, een andere bril en een strikje in plaats van een stropdas moeten dragen. Door het simpele feit dat hij tot het hooggerechtshof behoorde, al was hij dan geen rechter maar rechtbankmedewerker, was hij 'interessant' geworden en inmiddels een paar keer met ontvoering bedreigd, van die telefoontjes die in Bogotá zo normaal zijn dat we er niet al te veel aandacht aan besteden. Goed, de eerste keer dat hij vermomd thuiskwam, riep hij zoals altijd vanuit het trappenhuis dat hij thuis was, maar toen ik de voordeur opendeed en die onbekende figuur zag, was ik bang; het ging snel over, maar ik was wel bang. Iets vergelijkbaars gebeurde er toen ik zijn mond zag bewegen en er vreemde klanken uit hoorde komen. Hij was echt iemand anders, een tweede Gabriel Santoro.

Veronika, die Welt ist grün,
drum lass uns in die Wälder ziehn.
Sogar der liebe, gute, alte Grosspapa,
sagt zu der lieben, guten, alten Grossmama.

Toen de oudjes weer in de woonkamer gingen zitten, zag een van hen mijn ontzette gezicht en legden ze me samen uit dat mijn vader zich de afgelopen maanden onder andere hiermee had beziggehouden. 'Vind je dat absurd?' vroeg hij. 'Ik namelijk wel, eerlijk gezegd. Ver in de zestig een nieuwe taal leren, waarom zou ik? Waarom, als ik aan de taal die ik al spreek ook niet bijster veel heb. Ik ben met pensioen, ik heb vrijaf van mijn taal. Maar dat is wat gepensioneerden doen, ander werk zoeken. En als we een tweede leven krijgen, dan al helemaal.' En toen vertelde mijn vader, te midden van uitweidingen over die manier om jezelf opnieuw uit te vinden, tijdens die show van zijn nieuwe woorden, tussen het zingen van zinnen door waarvan ik de betekenis pas later zou begrijpen, Sara en mij over Angelina, over hoe hij haar de afgelopen maanden beter had leren kennen – dat was logisch, nadat hij haar zo lang dagelijks had gezien en door haar gemasseerd werd –, over hoe hij haar na het einde van de therapie, toen hij weer gezond was, was blijven zien. Dat vertelde hij ons. Mijn vader de overlever. Mijn vader, die in staat was zichzelf opnieuw uit te vinden.

'Ik slaap met haar. We gaan sinds twee maanden met elkaar om.'

'Hoe oud is ze?' vroeg Sara.

'Vierenveertig. Vijfenveertig. Ik weet het niet meer. Ze heeft het me wel verteld, maar ik weet het niet meer.'

'En ze heeft niemand, hè?'

'Hoe weet jij dat ze niemand heeft?'

'Omdat er anders wel iemand zou zijn die haar daar even op zou wijzen. Dat je niet met oude mannen mag slapen. Het leeftijdsverschil. Wat dan ook. Er zal wel een flink verhaal aan vastzitten.'

'Daar ga je al,' zei mijn vader. 'Er is geen verhaal.'

'Natuurlijk wel, mij maak je niets wijs. Ten eerste heeft ze niemand die haar claimt. Ten tweede ontwijk je me als ik ernaar vraag. Deze vrouw heeft een verhaal van heb ik jou daar. Heeft ze veel meegemaakt?'

'Jawel. Je bent ook een speurneus in hart en nieren, Sara Guterman. Ja, ze heeft een rotleven gehad, arm kind. Haar ouders waren bij de bomaanslag in Los Tres Elefantes.'

'Zo vers nog?'

'Inderdaad.'

'Woonden ze hier?'

'Nee. Ze waren uit Medellín bij haar op bezoek. Ze zijn haar nog gedag komen zeggen, dat wel, en toen gingen ze panty's kopen. Haar moeder had panty's nodig. Los Tres Elefantes was het dichtst bij. We zijn er pas langsgekomen met de taxi. Ik weet niet meer waar we naartoe gingen, maar toen we aankwamen, had Angelina tintelende handen en een kurkdroge mond. En die middag kreeg ze verhoging. Zo moeilijk heeft ze het er nog mee. Haar broer woont aan de kust, ze praten niet met elkaar.'

'En op wat voor moment heeft ze je dat allemaal verteld?' vroeg ik.

'Ik ben op leeftijd, Gabriel. Ik ben van de oude stempel. Ik hou van praten na het vrijen.'

'Zeg, hou het netjes, hè,' zei Sara. 'Ik ben niet weg, ik zit nog steeds hier, of ben ik soms onzichtbaar geworden?'

Ik gaf mijn vader een paar klapjes op zijn knie en zijn toon veranderde: de ironie bleef achterwege, hij werd gedwee. 'Ik wist niet wat jij ervan zou vinden,' zei hij. 'Snap je?'

'Waarvan?'

'Dat het de eerste keer in ons leven is dat ik je over iets dergelijks vertel,' zei hij, 'en dat ik dan hiermee kom.'

'Zonder ons de tijd te geven om onze handen tegen onze oren te houden,' zei Sara. En meteen vroeg ze: 'Is ze bij jou blijven slapen?'

'Nooit. En denk nou maar niet dat ik het haar niet heb voorgesteld. Ze is erg onafhankelijk, ze slaapt niet graag in een ander bed. Ik vind dat wel prima, dat hoef ik niet uit te leggen. Maar nu heeft ze me ineens in Medellín uitgenodigd.'

'Voor wanneer?'

'Nu meteen. Of liever gezegd, voor de feestdagen. We vertrekken volgend weekend en komen 2 of 3 januari terug. Als ze toestemming krijgt, uiteraard. Want ze wordt als een beest uitgebuit, echt waar. Het is de week tussen kerst en oud en nieuw en dan nog moet ze er keihard voor knokken.'

Hij bleef zitten peinzen.

'Ik ga met haar mee naar Medellín,' zei hij toen. 'Om kerst en oud en nieuw met haar te vieren. Ik ga mee. Tjonge, dat klinkt inderdaad heel raar.'

'Raar niet, het klinkt belachelijk,' zei Sara. 'Maar goed, tieners zijn altijd belachelijk.'

'Ik moet er wel één dingetje bij zeggen,' zei mijn vader. 'We hebben jouw auto nodig. Of eigenlijk hebben we hem niet echt nodig, maar ik heb tegen Angelina gezegd dat het onzin is om een bus te nemen als jij ons je auto kunt lenen. Als het kan, natuurlijk. Als je hem niet nodig hebt, als het geen probleem is.'

Ik zei dat ik hem niet nodig had, hoewel dat wel zo was; ik zei dat het geen probleem was, deels omdat alles in hem, zijn stem en zijn gebaren, met een ongekende genegenheid tegen me sprak, alsof hij een bijzondere vriend om een bijzondere gunst vroeg.

'Neem de auto maar mee en maak je geen zorgen,' zei ik. 'Ga maar naar Medellín, heb een leuke tijd, doe Angelina de groeten.'

'Zeker weten?'

'Ik blijf bij Sara. Ze heeft me uitgenodigd voor kerst en oud en nieuw.'

'Jazeker,' zei ze. 'Je kunt met een gerust hart weggaan. Wij blijven hier, wij bouwen ons eigen feestje wel. We drinken wat jij niet mag drinken, we eten verzadigd vet en praten achter je rug om over jou.'

'Ik vind het prima,' zei mijn vader. 'Achter mijn rug om praten vinden jullie meestal niet zo'n probleem.'

'Ga jij rijden?' vroeg Sara.

'Niet de hele tijd. Mijn hand is vaak een risicofactor op dit soort wegen. Zij zal het grootste deel voor haar rekening moeten nemen, denk ik. Ik weet niet zeker of ze goed rijdt, maar haar rijbewijs is in orde en wie zegt bovendien dat je goed moet kunnen rijden in Colombia? Hoe gevaarlijk kan ze zijn? Ik kan geen eisen gaan stellen, een gegeven Vergilius mag je niet in de bek kijken.'

'Hoezo?' vroeg ik. 'Is het jouw idee?'

'Allemaal kletskoek,' zei Sara. 'Jeugdige overmoed, zo heet dit.'

'Aha, daar hebben we het groene monster. Ben je jaloers, Sara?'

'Jaloers, wat een flauwekul. Maar ik ben oud en jij ook, beeld je nou maar niks in. Autoritten van acht uur. De liefde bedrijven met schoolmeisjes. Je krijgt nog een hartaanval, Gabriel.'

'Nou, dat is het dan waard.'

'Serieus,' zei ik. 'Wat vindt zij ervan?'
'Dat elke bijrijder een goede bijrijder is.'
'Nee, van jouw leeftijd. Wat vindt ze van jouw leeftijd?'
'Die vindt ze prima. Nou ja, ik neem áán dat ze die prima vindt, ik heb het haar niet gevraagd. Regel één bij gerechtelijke verhoren: je stelt geen vragen waarop je het antwoord niet wil horen, hoed u voor boemerangvragen, zo zeiden de klassieken. Nee, ik wil geen antwoorden horen die me naar de strot vliegen. Ik heb haar ook niet gevraagd wat ze van mijn hand vindt, of ze het storend vindt, of ze moeite moet doen om er niet aan te denken. Wat moet ik ervan zeggen? Ik ben een goeie kerel, ik zal haar geen pijn doen, en dat alleen al zal ze waarschijnlijk een geluk vinden. Het is idioot, maar ik heb zin om voor haar te zorgen. Ze is vierenveertig en ik wil voor haar zorgen. Zij is ervan overtuigd dat de wereld klote is, dat iedereen alleen maar geboren wordt om hier een rottijd te hebben. Het is niet de eerste keer dat ik dit hoor, maar nog nooit heb ik het van zo dichtbij meegemaakt. En ik ben de hele dag en de halve nacht bezig haar van het tegendeel te overtuigen, Plato, *homo homini Deus*, dat soort dingen, en dat tegen haar, terwijl ze niet eens per ongeluk een boek pakt. Ik heb veel meegemaakt, ik heb gezien wat je moet zien. Maar dit is veruit, echt veruit, het meest onvoorspelbare wat me in mijn leven is overkomen.'
Hij vergat dat het leven zichzelf graag overtreft. Het leven (het tweede leven) zelf bracht hem dat een week later in herinnering, en wel zeer omstandig.

Ik denk nu vaak en graag terug aan deze week, die voor mij nog het meest leek op een periode van onschuld, een staat van genade, want toen hij voorbij was, had ik me een heel beeld gevormd van hoe de wereld eruit moet zien. Op dat moment bestond dit boek nog niet. Het kon nog niet bestaan, natuurlijk, want dit boek is een erfenis die voortkomt uit de dood van mijn vader, de man die bij leven op mijn werk (het schrijven over andermans leven) neerkeek en me na zijn dood het onderwerp van zijn eigen leven naliet. Ik ben mijn vaders opvolger en tevens executeur-testamentair.
Terwijl ik zit te schrijven, constateer ik dat zich op mijn bureau in de loop van verscheidene maanden, in plaats van zaken en

papieren die ik nodig heb om het verhaal te reconstrueren, zaken en papieren hebben opgestapeld die het bestaan van het verhaal bewijzen en mijn geheugen kunnen corrigeren indien nodig. Ik ben niet sceptisch van nature, maar evenmin naïef, en ik weet heel goed van welke goedkope tovenarij het geheugen zich kan bedienen als het zo uitkomt, en tegelijkertijd weet ik ook dat het verleden niet stilstaat of vastligt, ondanks de illusie van die documenten; al die foto's en brieven en filmopnames waardoor je kunt denken dat wat je gezien, gehoord, gelezen hebt, onveranderlijk is. Nee, niets hiervan is definitief. Door een onbeduidende gebeurtenis, iets wat we binnen het grote kader der dingen als onbelangrijk zouden beschouwen, kan een luchtige brief ineens ons leven bepalen, blijkt de onschuldige man op de foto altijd onze ergste vijand te zijn geweest.

Mijn bureau is van mijn moeder geweest. Het hout is zacht geworden door al het insmeren met meubelolie, maar dat is de enige strategie die ik kon bedenken om dit gevaarte (dat uit een verse, vochtige boomstam lijkt te zijn gehakt) te beschermen tegen de oprukkende houtkevers. Er zitten kringen op die alleen nog met schuurpapier te verwijderen zijn. Het heeft aangevreten en afgesplinterde hoeken en meer dan eens heb ik een splinter in mijn hand gehad doordat ik niet uitkeek waar ik hem langs liet glijden. En er liggen vooral veel spullen op, spullen die voornamelijk iets moeten bewijzen. Af en toe pak ik een van de cassettebandjes en stel ik vast dat ze er nog zijn, dat de stem van Sara Guterman er nog steeds op staat. Ik pak een tijdschrift uit 1985 en lees een alinea: 'Na de Japanse aanval op de Amerikaanse marinebasis Pearl Harbour, in december 1941, besloot Colombia eindelijk de banden met de asmogendheden te verbreken ...' Ik pak de toespraak uit december 1941 erbij, waarin Santos de banden met de as verbreekt: 'Wij staan aan de kant van onze vrienden, en daar staan we met overtuiging. We zullen de rol vervullen die ons toekomt in deze politiek van continentale solidariteit, zonder haat jegens wie dan ook ...' Ik pak een brief van mijn vader aan Sara, een brief van Sara aan mijn vader, een redevoering van Demosthenes: dit zijn mijn bewijzen. Ik ben erfopvolger, executeur en ook openbaar aanklager, maar voorheen was ik archivaris, degene die orde op zaken heeft gesteld. Als ik terugkijk – en met 'terug' bedoel ik, voor de duidelijkheid, net zo goed twee jaar als een halve eeuw – krijgen de gebeurtenissen vorm, een zeker patroon; ze betekenen iets, iets wat er niet noodzakelijkerwijs uit voortvloeit. Om over mijn vader te schrijven heb ik me verplicht gevoeld bepaalde dingen te lezen die ik ondanks zijn persoonlijke mentoraat nooit had gelezen. Demosthenes en Cicero liggen het meest voor de hand, een cliché bijna. Julius Caesar was al even voorspelbaar. Deze boeken zijn net zo goed doorslaggevend bewijs en komen stuk voor stuk voor in mijn dossier, met alle aantekeningen die mijn vader erbij heeft gemaakt. Het probleem is dat het niet in mijn macht ligt ze te interpreteren. Wanneer mijn vader in de kantlijn van de toespraak van Brutus noteert: 'Van werkwoord naar zelfstandig naamwoord? Hier ga je de mist in', weet ik niet wat hij daarmee wil zeggen. Ik voel me meer op mijn gemak bij de feiten; en de dood is uiteraard het meest gedegen, meest betekenisvolle feit en is het minst gevoelig voor verdraaiingen of verduistering door verschillende interpretaties, alternatieve versies, 'lezingen'. De regel zegt dat de dood zo definitief is als iets op aarde kan zijn. Daarom is het zo onbehaaglijk als een mens na zijn dood verandert en daarom worden er biografieën en memoires geschreven, die goedkope, democratische vormen van mummificatie.

Het mummificatieproces van mijn vader werd pas mogelijk na 23 december 1991, toen het ongeluk gebeurde. Ik lag op dat moment lekker rustig thuis in bed met een vriendin, T., een vrouw die ik ken sinds ik vijftien was en zij twaalf en die ik elke twee, drie maanden ontmoet om de liefde te bedrijven en een film te kijken, want ofschoon ze getrouwd is en betrekkelijk gelukkig, hebben we altijd gedacht dat we in een ander leven samen hadden kunnen zijn en dat we dat leuk hadden gevonden. Ik zie T. nog altijd als een klein meisje en misschien schuilt daarin een perversiteit die we onszelf een paar uur lang veroorloven. We zitten aan elkaar, vrijen met elkaar, kijken een film en soms, niet altijd, vrijen we na de film nog een keer, en dan stapt T. onder de douche, droogt haar haar met een föhn die ik speciaal voor haar heb gekocht en gaat naar huis. Die avond ging het als volgt: terugrekenend denk ik dat we de film zaten te kijken; misschien stierf Marlon Brando op dat moment net aan een hartaanval, in de tuin, voor de ogen van zijn kleinzoon, maar het kan ook zijn dat de film al was afgelopen en dat ik T.'s brede, altijd koele mond zocht. Het is ook weleens bij me opgekomen dat precies op het moment dat T. boven op mij was gaan zitten en op en neer bewoog over mijn erectie, zoals ze dat meestal doet, mijn auto (met mijn vader aan het stuur) en een bus van Expreso Bolivariano (bestuurd door een zekere Luis Javier Velilla) op een paar kilometer afstand van Medellín, op de weg naar Las Palmas, samen in de afgrond stortten. De auto kwam uit Medellín; de bus reed ernaartoe. Vijf passagiers overleefden het ongeluk. Ik zal nooit begrijpen waarom mijn vader, de grote overlever, er niet bij zat.

Vrijwel direct verdrongen zich in mijn hoofd de boemerangvragen, en met een achteloosheid die de professor in de retorica me zou hebben verweten, liet ik ze over me heen komen. Wat deed mijn vader op de weg naar Las Palmas, dat wil zeggen, terugkerend uit Medellín? Waarom reed hij 's nachts als hij de beroerde reputatie van die weg kende? Waarom had hij Angelina niet laten rijden? Deze (meer fysieke, meer situatiegebonden) vragen en andere, die gingen over de schuld aan het ongeluk (de vragen die, zo dacht ik op dat moment, het makkelijkst weer achter mijn rug op konden duiken en me naar de strot konden vliegen), stormden uit het niets op me af toen ik Sara's telefoontje kreeg en haar het nieuws hoorde vertellen, of liever gezegd, woord voor woord uit de krant hoorde oplezen, terwijl ik enigszins afwezig en met een vluchtig ach en wee naar haar luisterde, zoals je dat in Colombia meestal doet als je hoort dat er iemand dood is. Meteen zei ze dat mijn vaders naam op de lijst in de krant stond. 'Dat kan niet,' zei ik, nog naast mijn nachtkastje staand. 'Hij zit in Medellín. Hij komt pas in januari terug.'

'Het nummerbord staat erbij, Gabriel, en zijn naam staat er,' zei ze; ze huilde niet, maar ze had de nasale en wankele stem van iemand die dat net gedaan had. 'Ik wilde ook dat het een vergissing was. Het spijt me vreselijk, Gabriel.'

'En zij? Was zij er ook bij?'

'Wie weet.'

'Als ze er niet bij was, is hij het misschien niet. Misschien is het iemand anders, Sara.'

'Het is niet iemand anders. Het spijt me zo.'

In mijn linkerhand had ik een wit overhemd met een trucagefoto van de Caribische zee en het opschrift COLOMBIA NUESTRA en in de rechter een reisstrijkijzertje, een apparaat ter grootte van een vuist dat ik in een witgoedzaak in Sanandresito in de uitverkoop had gekocht. Ik had het overhemd gestreken en de stekker uit het stopcontact gehaald, maar nadat ik de telefoon had opgehangen en verdwaasd op mijn omgewoelde lakens ging zitten, zette ik het strijkijzer op mijn benen en verbrandde me gruwelijk. Tegen de tijd dat ik me, vol ongeloof en misselijk van de pijn, had aangekleed en een taxi had gebeld, had zich op mijn knie een langwerpige blaar in de kleur van met water verdunde melk gevormd. De telefoniste had me twee cijfers gegeven, een code en het identificatienummer van mijn mobiel, het soort veiligheidsmaatregelen waarmee wij, onschuldige Bogotanen, overvallers hopen af te weren; maar mijn vader was net gestorven – de pijn van mijn verbrande huid herinnerde me er steeds weer aan, als een getuigenis van zijn lichaam en dat van zijn geliefde, die misschien ook wel verbrand waren, de huid verworden tot een zak met wit water – en toen ik in de taxi stapte, realiseerde ik me dat ik de cijfers die ik moest opnoemen om door de man te worden toegelaten, vergeten was. 'Code?' herhaalde de taxichauffeur een paar keer, en zijn spleetogen, zijn bovenlip die glom van het zweet, zeiden hetzelfde. Ineens was ik bang dat me iets zou overkomen; mijn ademhaling werd zwaar en ondanks de helse pijn, het verlies dat zojuist mijn leven was binnengedrongen en allerlei duistere redeneringen, kon ik nog net bedenken dat ik op het punt stond een zenuwinzinking te krijgen.

Ik stapte weer uit de taxi. Ik vroeg de chauffeur of hij heel even wilde wachten, maar waarschijnlijk had hij het niet gehoord: zodra hij zag dat ik op het trottoir ging liggen, startte hij de auto en reed weg. Op een nabijgelegen muur stonden geraniums; die deden me – voorspelbaar – denken aan de muren van de huizen die je ziet als je via Las Palmas naar Medellín rijdt; en op het moment dat ik dat beeld voor me zag, moest ik kokhalzen. Ik ging op mijn knieën bij de muur zitten en braakte een waterig, vrijwel reukloos, roestkleurig slijm uit (ik had die ochtend niets gegeten). Zodra ik het gevoel had dat mijn benen, die slap worden als ik moet overgeven, me weer konden dragen, stond ik op, want ik dacht dat het kleine beetje waardigheid om deze ervaringen – de gebouwen met hun ramen die op me af kwamen, de kleding die om mijn bovenlichaam knelde – staand te ondergaan, me enigszins zou helpen die week door te komen, terwijl Sara, barmhartig en dapperder dan ik, routineus als een professionele begrafenisondernemer, maar met een vriendelijkheid die de begrafenisondernemer voorgoed kwijt is, alle formaliteiten zou afhandelen. Ik werd in die dagen gebeld door een van haar zoons. 'Waarom houdt u zich niet met die zaken bezig?' zei hij door de telefoon. 'Mijn moeder is er niet om zich te belasten met de zorg voor andermans sterfgevallen, dat zou voor zich moeten spreken.' Ik dacht aan een eigenaardige vorm van jaloezie, want Sara had dubbel zoveel geregeld als bij de dood van haar echtgenoot en dat leek de zoon niet zo leuk te vinden. Maar Sara luisterde niet naar hem. Sara ging gewoon door met wat er gedaan moest worden. Ze schreef de rouwadvertentie voor de twee kranten van Bogotá, die we allemaal openslaan om te kijken welke doden er de betreffende dag te betreuren vallen, en besloot, om redenen die ze niet erg duidelijk leek te hebben, zichzelf weg te laten, ofschoon ik haar had gevraagd de advertentie namens mij en haar op te stellen. Zo stond de naam van Gabriel Santoro onder de uitnodiging voor de uitvaart van Gabriel Santoro; die naamsverdubbeling had iets eenzaams en droevigs, want veel mensen die de mis bijwoonden en mij niet kenden, hadden het idee dat het een drukfout was. Sara zou zich vele malen verontschuldigen voor het feit dat ze er geen tweede achternaam bij had gezet, zoals gebruikelijk is in dit land, dat voor haar altijd vreemd was gebleven; dat had natuurlijk alle misverstanden kunnen voorkomen. Maar ik rekende het haar niet aan, dat had ik niet gekund. Ze had zelfs de meest onbeduidende formaliteiten op zich genomen, die juist daardoor (omdat ze onze aandacht afleiden van de ernst, de plechtigheid, de rite) het pijnlijkst zijn, en nadat ik had laten vallen dat ik het lichaam liever liet cremeren omdat ik bang was bij elk bezoek aan het kerkhof, bij elke sterfdag, bij het kopen van de bloemen langs de snelweg, weer met het verdriet geconfronteerd te worden, had Sara met de beheerders van Jardines de Paz onderhandeld en ervoor gezorgd dat ons graf – de plek waarvan ik het eigendomsbewijs jarenlang in mijn portemonnee had meegedragen, zoals anderen dat doen met het verfrommelde telefoonnummer van hun eerste vriendinnetje – werd ingeruild voor het recht op een crematie.

De plechtigheden vonden de donderdag erop plaats. De mis in de donkere Cristo Rey-kerk was een wonder van religieuze ledigheid, een opsomming van onzinnigheden waarin sommige mensen rust leken te vinden. 'Onze dierbare,' zei de priester, en hij keek nog maar eens in zijn papieren om zijn geheugen op te frissen, 'onze dierbare Gabriel Santoro is gestorven om in ons voort te leven. En door de liefde van Jezus Christus, Zijn eeuwige, grenzeloze mildheid, zijn wij met hem verbonden.' Later zou ik horen dat hij voor aanvang van de mis naar me had gevraagd, maar dat Sara hem in mijn plaats te woord had gestaan. De priester was op haar af gelopen met een zwart lederen notitieboekje als dat van een journalist in de aanslag. 'Wat was de overledene voor iemand?' had hij aan Sara gevraagd. Gewend als ze was aan dit soort formaliteiten, had ze in de algemene bewoordingen van een horoscoop geantwoord: hij had een vriendelijk, warm karakter, was toegewijd aan zijn gezin, goed voor anderen. De priester noteerde en schudde Sara de hand, waarna ze hem zag teruglopen naar de sacristie. 'Zij die Gabriel gekend hebben,' zei hij daarna door de microfoon, 'weten hoe beminnelijk hij was en hoe toegewijd hij was aan zijn gezin, hoe hij de mensen in zijn naaste omgeving met grenzeloze liefde omringde, hoe hij met eindeloze naastenliefde klaarstond voor zowel dierbaren als onbekenden. Moge de Here hem in Zijn koninkrijk opnemen.' En de zee van hoofden knikte: iedereen was het ermee eens, de dode was zo'n goed mens geweest. 'Wij zijn hier bij elkaar om onze dierbare overledene te gedenken, om ons af te vragen hoe we levend kunnen houden wat hij ons heeft nagelaten, om te overdenken hoe groot dit verlies is en hoe krachtig de troost van de verrijzenis.' De pastoor stelde in het openbaar de vraag die ik mezelf privé zo vaak had gesteld, niet alleen sinds het moment dat ik wist dat mijn vader er niet meer was, maar al veel eerder, en zijn woorden kwamen opdringerig op me over. Ik dacht aan het mogelijke legaat van mijn vader; aanvankelijk had ik het gevoel dat ik niets had gekregen, alleen een naam, alleen het timbre van mijn stem; maar later was ik tot de conclusie gekomen dat mijn leven in vele opzichten niet verschilde van het zijne: het was slechts een verlengstuk, een eigenaardig pseudopodium.

Drie collega's van mijn vader hielpen me de kist op te tillen – zonder venster, zoals ik met Sara had afgesproken – en naar de uitgang van de kerk te dragen, waar een groepje mannen in het zwart ons de doorgang belette; er was wat gerommel met papieren, de kist werd op een goudkleurig frame geplaatst en een onbekende begon te lezen. Hij hield het vel papier vast in een hand met ringen (aan drie vingers). De man was woordvoerder van het stadsbestuur van Bogotá; aan het einde van elke zin gingen zijn hakken twee of drie centimeter omhoog, alsof hij probeerde op zijn tenen te gaan staan om alles beter te kunnen zien.

Dames en heren, vrienden en landgenoten,

Gabriel Santoro, vooraanstaand man, denker, hoogleraar en vriend, was op zijn gevorderde leeftijd een toonbeeld van evenwicht en oprechtheid, voorbeeldig en navolgenswaardig. Zijn leven lang heeft hij zich onderscheiden door zijn zuivere, hoogstaande vaderlandszin, zijn morele integriteit en zijn sterke persoonlijkheid en karakter. Met liefde wijdde hij zich aan zijn levensovertuiging, altijd was hij stipt en precies in het nakomen van zijn plichten en hartelijk en toegenegen in zijn omgang met mensen.

Gabriel Santoro werd geboren in Santa Fe de Bogotá, een uiterst prolifieke streek die illustere voorgangers heeft voortgebracht. Sogamoso, de stad van de zon, was de bakermat van zijn voorouders waarvan zijn heldere geest het licht ontving. Na zijn vorming in politiek, wetenschap en cultuur binnen de schoot van een deugdzaam, katholiek gezin, heeft hij deze kennis met de grootste zorgvuldigheid en toewijding bijgeschaafd en in praktijk gebracht, zoals gebruikelijk in een gemeenschap waar gezonde ideeën hand in hand gingen met diepe geloofsovertuigingen. De religie, de beginselen van de ideale filosofie, vormden de kern, de ziel, de drijvende kracht van zijn intellect, dat op grootse wijze zijn licht vooruitwierp naar de nabije toekomst. En vanzelfsprekend bracht zijn geloof zijn geest dichter bij de Heer en verschafte zijn godvrezendheid hem de wijsheid en innerlijke rust waarmee het wonder van zijn uitnemende, waardige, beschaafde persoonlijkheid werd belichaamd.

Zo betrad hij, zich lavende aan een sfeer van grandeur met de smaak van eeuwigheidswaarde, gehuld in de wierook van de goddelijke, vaderlandse bezieling, met het enthousiasme van zijn sportieve, jeugdige verschijning, elegant, het hoofd geheven, de zalen van de Alma Mater, die hem als een lichtbaken in deze tijden van duisternis en twijfelachtige voortekenen in haar armen sloot. Bereidwillig, gedisciplineerd en ijverig, met de waardigheid die de rechtschapen man eigen is, wijdde Gabriel Santoro zich aan de eeuwige wijsheid, met de serene houding die een groot spreker kenmerkt, met de glans van leiderschap in zijn ogen, die uitkeken tot over de horizon van het geliefde vaderland. Hierin herkennen wij Bogotanen Gabriel Santoro, en door hem een plaats te geven in het pantheon van prominenten van het vaderland, bewijzen wij eer aan zijn voortreffelijke staat van dienst.

Sinds het roemwaardige moment waarop hij als verdienstelijk rechtsgeleerde zijn titel behaalde, heeft hij immers altijd de rol van gids in stormachtige tijden op zich willen nemen en in die hoedanigheid generaties rechtschapen mannen met zuivere ideeën voortgebracht en de overdracht verzorgd van het meest kostbare bezit van de mensheid, de taal, die wij elke dag weer eer bewijzen door hem te spreken. Voor al deze verdiensten zal hij in de annalen van het vaderland erkenning krijgen; op dit moment van voorbeeldige rouw is het vaderland reeds doende met de voorbereidingen voor zijn officiële erkenning om Gabriel Santoro per decreet te onderscheiden met de Medaille van Burgerlijke Verdienste. Een en ander zal te zijner tijd worden aangekondigd en zich voltrekken volgens de daartoe vastgestelde bepalingen.

Moge er rust heersen in het graf van de illustere leermeester en verpersoonlijking van de publieke zaak, professor Gabriel Santoro. De nationale driekleuren wapperen vrolijk en feestelijk aan de hemel en geven hem een warm onthaal, als spreker en als mens. Moge het eeuwige licht voor hem schijnen.

Santa Fe de Bogotá, op de zesentwintigste dag van de maand december van het jaar 1991.

Op het moment dat de toespraak stopte, de kist over het fuchsiaroze kleed de lijkwagen werd binnengeschoven en de chauffeur, die zo zorgvuldig mogelijk probeerde mijn blik te ontwijken, de achterklep dichtdeed, kwamen de mensen met handen die uit zwarte mouwen staken, onder het prevelen van condoleances, op me toe gelopen en was de loodzware retoriek van de gelegenheidspreker (die anakoloeten, die ondermijnende apposities, het hinderlijke getingel van die dactylen) nog mijn minste zorg. Wat ik me goed kan herinneren, is in elk geval dit: ik wilde door niemand gecondoleerd worden omdat ik in mijn rechterhand nog steeds het gewicht van mijn vader en zijn kist voelde en me in het hoofd had gehaald dat ik de druk van dat koperen handvat in mijn handpalm nog een paar minuten wilde blijven voelen. Door zo'n rare gedachtekronkel die een geest onder druk kan voortbrengen, dacht ik daarna bij de invoer van de kist in de crematieoven aan de handgrepen en het kleed van de lijkwagen. De ovendeur was van koper en de handgrepen waren van koper. De hitte in de ovenruimte waarin de bloemen met hun rottende geur, de witte linten, de gouden letters op de witte linten zich bevonden, was niet anders geweest dan de hitte die ik had gevoeld op de parkeerplaats van het crematorium, terwijl de zon op mijn dikke wollen jas en in mijn bezwete nek brandde. En terwijl ik me door deze kleine ongemakken op de kop liet zitten, dacht ik aan mijn dode vader. Op een bepaald moment geloofde ik dat ik zolang ik leefde nooit meer aan iets anders zou kunnen denken. Ik was alleen; er was niemand meer tussen mijn eigen dood en mij. Bij het invullen van de papieren voor de crematie had ik voor het eerst in lange tijd de volledige naam van mijn vader uitgeschreven. Het automatisme van mijn hand, die deze bewegingen na jaren van 'Gabriel Santoro' schrijven als vanzelf maakte, maar altijd met betrekking tot mezelf, niet tot een dode, deed me huiveren. De inhoud van mijn eigen naam, datgene waarvan we denken dat het onveranderlijk is (al is het maar door de macht der gewoonte), veranderde. Welke van alle veranderingen die we een leven lang ondergaan – dacht ik, of meen ik te hebben gedacht –, kon schokkender zijn?

In die kist, achter de ovendeur, lag zijn lichaam. Ik kon niet weten in wat voor staat, ik kon niet weten wat voor letsel hij van het ongeluk had en de doodsoorzaak had ik ook niet willen achterhalen. Misschien had hij zijn nek wel gebroken, misschien was hij gestikt, misschien was hij wel, net als een passagiere over wie al nieuws bekend was, geplet door de carrosserie of misschien was hij door de klap (tegen de berg, de bus of een willekeurige boom) wel zo hard naar voren gelanceerd dat zijn borst door de veiligheidsgordel of het stuur of het dashboard was gebroken. De artsen hadden gezegd dat het borstbeen pas een jaar na de operatie weer aangegroeid zou zijn; de zaagwond tartte mijn verbeelding nu veel minder dan de beelden van het ongeluk die ik me voor de geest haalde. Binnen een paar minuten zouden die botten, na de kleding en de huid, na het zachte weefsel – de ogen, de tong, de testikels –, na het vernieuwde hart, smelten in de hitte van de oven. Hoe heet was het daarbinnen? Hoe lang duurde dat hele proces, de transformatie van een hoogleraar retorica tot poeder waarmee je een urn kon vullen? Zou het staaldraad dat de chirurgen in het borstbeen hadden aangebracht ook smelten? En terwijl ik aan deze dingen stond te denken, bleven de paar mensen die naar de verbranding waren gekomen op me toe lopen en raakte ik weer bevangen door de stramheid in mijn handen en mijn stijve, moeizame woorden, alsof die nog maar eens wilden aantonen wat ik altijd heb geweten en nooit bewezen heb hoeven zien: dat ik er niet in getraind ben om over de dood te treuren omdat niemand me ooit woorden van leedwezen of een houding van rouw had geleerd. Er kwam een vrouw op me af – om haar persoonlijke inventaris van troostende zinnen, betekenisvolle omhelzingen, prêt-a-porter-solidariteit op me over te brengen – en pas toen ze op een meter afstand stond, herkende ik Angelina, die de hele dag in stilte bij ons was geweest, half verborgen en bedeesd, afkerig van deelname aan alle plechtigheden, alsof ze zich ervoor schaamde te zijn wat ze altijd zou blijven: de laatste geliefde van de overledene.

Ze droeg een omslagdoek waarachter ze zich goed kon verbergen, zwart en groot als de djellaba van een bedoeïne, en haar onopgemaakte gelaat achter de sluier was dat van een vrouw op wie elke oudere man verliefd had kunnen worden. Ze had besloten te komen zodra ze de bevestiging had gekregen dat mijn vader zich inderdaad onder de doden bevond; het ongeluk had haar kerst verpest, zei ze enigszins onverschillig tegen me (ik had de indruk dat ze zich tegen haar eigen verdriet beschermde), maar ze ging het niet haar oud en nieuw laten verpesten, dat niet, zodra ze kon zou ze ergens op vakantie gaan, zo ver mogelijk weg van dit alles. Zij maakte me er bij het verlaten van het crematorium op attent dat ik geen sleutels had van mijn vaders appartement en zij wel. Er waren vast nog wel wat dingen die ik wilde ophalen, opperde ze, en het was vrij onwaarschijnlijk, of liever gezegd onmogelijk, dat we elkaar nog zouden terugzien. Ze vond het geen probleem met me mee te gaan en mij de sleutels terug te geven, ging ze verder op de toon van een professionele bemiddelaarster, mits ze een tijdje in het appartement mocht blijven om zelf ook jassen, ringen, roddeltijdschriften en zelfs zakjes zoetstof die na zes maanden van afspraakjes met mijn vader overal rondzwierven en nu niet zomaar hoefden te worden weggegooid, in te pakken.

'Nou, eigenlijk staat mijn hoofd er vandaag niet zo naar,' zei ik. 'Maar laten we morgen afspreken, dan hebben we zo lang de tijd als we willen.'

En dat deden we. De volgende dag aan het begin van de middag gingen Angelina en ik samen het appartement van mijn vader binnen, waar we met elkaar aan de praat raakten en ons gedroegen alsof we een tweeling waren die elkaar uit het oog was verloren. De voordeur zat dubbel op slot gedraaid toen we arriveerden; het was de deur van iemand die op reis was gegaan. Binnen was de indruk hetzelfde: de gordijnen dicht, schone borden op een houten droogrekje en een vies glas in de gootsteen (het glaasje sinaasappelsap dat je drinkt voor je in alle vroegte vertrekt, wanneer je van plan bent onderweg te ontbijten). Ik was in de gele luie stoel gaan zitten en zij op een van de eetkamerstoelen, nadat ze met haar handen haar rok had gladgestreken (een beweging waarbij ze haar billen, haar dijen betastte). Het melkachtige licht van de straat tekende met de raamspijlen schaduwvlekjes op haar gezicht, dat inmiddels bevrijd was van de schaduw van de djellaba. Wanneer er een auto door de negenenveertigste straat reed, gleed de projectie van de voorruit over het plafond van het appartement, als een schijnwerper die zoekt naar voortvluchtige gevangenen. 'Ik heb hem gevraagd om niet te gaan,' zei Angelina. 'Maar hij trok zich er niets van aan. En dan op zo'n tijdstip, hè, hoe kon hij nou zo laat vertrekken, op die weg zijn al minstens drie bussen de afgrond in gereden. Natuurlijk heb ik dat gezegd. Ik heb het gezegd maar hij luisterde niet naar me.' Ze sprak met een hard gezicht en een stem die verwijtend klonk of leek te suggereren dat dit allemaal zijn schuld was. 'Geen drie bussen, nee, veel meer, een heleboel. De laatste pas nog. Iedereen was dood.'

'Maar in deze bus niet,' zei ik. 'Wist je dat niet? Er zijn mensen die het overleefd hebben.'

'Ik heb de kranten niet willen zien, ik vond het veel te pijnlijk. Maar ze vertellen me dingen, de mensen daar vertellen me dingen ook al wil ik dat niet, ze zullen je ook nooit eens ontzien.'

'Wat voor dingen?'

'Gewoon, onzin.'

'Wat voor onzin?'

'Bijvoorbeeld dat die bus zonder licht reed, dat hij alleen de oranje lampjes aan de bovenkant aan had, weet je wel? Dat soort rotdingen staan er in de krant, ik weet niet wie de chauffeur was, maar ik heb nu al een hekel aan die klootzak, misschien was het zelfs wel zijn schuld.'

'Dat moet je niet zeggen. De schuld ... nou, ik weet niet of dat zo belangrijk is.'

'Jij vindt dat misschien niet belangrijk. Maar ja, je wil zoiets toch graag weten, hè? Wat als het nou Gabriels schuld was?'

'Hij heeft zijn hele leven op de weg gezeten. Hij heeft vrachtwagens zo groot als een huis bestuurd. Ik denk niet dat het zijn schuld was.'

'Wat voor vrachtwagens?'

'Vrachtwagens van Troco.'

'Wat betekent dat nou weer?'

Ik praatte al tegen haar alsof we broer en zus waren. Alsof zij net als ik het hele leven van mijn vader moest kennen.

'Niks,' zei ik. 'Dat is een bedrijfsnaam. Het betekent niets, net als andere namen.'

Angelina dacht even na.

'Je liegt,' zei ze toen. 'Gabriel betekent "sterke man van God".'

'O ja? En wat betekent Angelina dan?'

'Dat weet ik niet. Angelina is gewoon Angelina.'

Ze sloot haar ogen. Ze kneep ze dicht alsof ze prikten.

'Hij was net weggegaan,' zei ze. 'Waarom moest hij ook zo laat weg? Mannen zijn zo eigenwijs, ze luisteren nooit.'

'En jij?'

'Ik?'

'Waarom was jij er niet bij?'

'O,' zei ze. Een pauze. Vervolgens: 'Gewoon, daarom niet.'

'Waarom niet?'

'Ik mocht niet mee. Het was zijn zaak.'

'Welke zaak?'

'Zijn zaak.'

'Welke zaak?'

'Ach, weet ik het,' zei Angelina, boos en ook een beetje nerveus. 'Hou nou maar op met vragen, zeur niet zo aan mijn hoofd. Ik bemoeide me gewoon niet met zijn leven, we kenden elkaar amper.'

'Maar hij was je vriend.'

Dat was natuurlijk niet helemaal het juiste woord. Angelina lachte me niet uit, maar dat had ze kunnen doen.

'Vriend, vriend, het klinkt zo mooi, hè, net als in een soap. Zeggen de mensen dat over ons, dat hij mijn vriend was? Dat is mooi, dat zou ik wel leuk vinden denk ik, maar ja, wat heb ik er nog aan? Hij vond het belangrijker dan ik om er een naam aan te geven, hij vroeg de hele tijd wat wij nou waren.'

'En wat waren jullie dan?'

'Niet te geloven, jij bent precies zo, de appel en de boom, zo zeg je dat toch? Weet ik het, we gingen weleens met elkaar naar bed, we trokken met elkaar op, ik geloof dat we wel een beetje van elkaar hielden, in zes maanden ga je toch een klein beetje van iemand houden. Ik hield van hem, dat zeker, maar zo is het leven, toch? Je bent een grote vent, Gabriel, je weet best dat je je niet meteen met iemands leven gaat bemoeien als je ermee het bed in duikt. Wat kan ik eraan doen als hij weg wil, niks dus, hem laten gaan.'

'Maar op dat uur,' zei ik.

'Ja, en? Ik was echt graag met hem meegegaan om me samen met hem dood te rijden, heel romantisch. Maar hij heeft me niet gevraagd, wat moet ik dan?'

'En in Medellín nog wel. Wat had hij daar verdomme te zoeken, hij hield niet van die stad, hij had er een hekel aan.'

'Hij kende die stad toch niet?'

'En toch had hij er een hekel aan.'

'Ach, die mallerd,' zei Angelina. 'Een hekel hebben aan plekken die hij niet kent.' En vervolgens: 'Die hij niet kende.'

Ze begon stilletjes, ingetogen te huilen. Ik zou het niet gemerkt hebben als ze niet met haar wijsvinger langs de lijn van haar wimpers had gestreken en meteen de mascara aan haar rok afveegde. 'Da's mooi dom,' zei Angelina. Het was normaal om zo te huilen in de dagen na een overlijden, wanneer de hele wereld niet veel meer is dan een holle leegte en het verlies zo intens is dat het lijkt alsof het niet te verwerken is, maar ik kon niet anders dan denken dat haar zachte gehuil, zonder ophef of enige verslagenheid, van een andere orde was; voor het eerst kwam het in me op dat Angelina iets verborgen hield en meteen daarna zag ik het, alsof het in neonletters op een in duister gehuld gebouw geschreven stond: mijn vader had haar gekwetst. Er zat wrok in haar manier van huilen, geen verdriet. Mijn vader had haar gekwetst. Ik kon het niet geloven.

'En hadden jullie plannen?' vroeg ik.

Angelina keek me aan (of liever gezegd: haar ogen als werpspiezen, los van haar lichaam, keken me aan) met iets van onzekerheid maar ook vijandigheid, alsof ze een klein meisje in een winkel was en ik haar probeerde op te lichten.

'Wat voor plannen?' zei ze.

'Om te gaan samenwonen, weet ik veel, dat hij in Medellín zou blijven. Mij heeft hij bijster weinig verteld, weet je. Op een dag kwam hij met die reis op de proppen. Zo, vanuit het niets. Dat hij de feestdagen bij jou ging doorbrengen, dat is alles wat hij me heeft verteld. Meer niet.'

'Meer niet, dus. Kerst en oud en nieuw, dat waren de plannen.'

'En daarna?'

'Nou ja, zeg. Daarna niks. Waarom stel je me zo veel vragen, als ik weten mag?'

'Sorry, Angelina. Hij ...'

'Hoe moet ik nou weten wat er in zijn hoofd omging? Ben ik soms helderziend?'

'Nee, natuurlijk niet. Ik vraag je niet ...'

'Weet jij wat ik denk nu? Nou, laat maar eens zien of je zo geweldig bent. Wat denk ik?'

Ze denkt aan haar pijn, zei ik bij mezelf. Ze denkt dat iedereen haar pijn wil doen. En de man die anders leek te zijn, heeft haar ook pijn gedaan. Maar ik zei het niet, onder meer omdat ik het niet had kunnen bewijzen, omdat ik me onmogelijk de omstandigheden kon voorstellen waaronder ze gekwetst was.

'Wat denk ik?' herhaalde ze.

'Dat weet ik niet.'

'Nee, hè? Nou, en waarom denk jij dan dat ik kan weten wat je vader dacht? Dat was wel makkelijk geweest, hè. Weten wat anderen denken, super. Maar weet je, als jij kon zien wat anderen denken, dan zou je van angst je huis niet meer uit komen.'

Angelina verdedigde zich, al was me niet erg duidelijk waartegen. Ik liet het daar ook maar bij; ik accepteerde dat ruzie of wrok of onenigheid tussen mijn vader en zijn geliefde (waarvan de oplossing door de dood, die grote indringer, werd verhinderd) mijn zaak niet was; ik accepteerde dat het feit dat mijn vader door een verkeersongeluk was omgekomen, het minst belangrijk was aan zijn dood en dat de plek of bij wie de schuld lag het minst belangrijk was aan dat ongeluk. Dus deden we de rest van de middag wat we van plan waren geweest: zij pakte haar spullen, elk teken van haar kortstondige aanwezigheid in het leven van een dode, en nam afscheid met een formele, afstandelijke handdruk, zich wellicht bewust van wat ze bij het crematorium tegen me gezegd had: we zouden elkaar nooit meer terugzien, omdat daar absoluut geen enkele reden voor was. Ik zag haar langzaam de trap af lopen, met onder haar linkerarm een kartonnen doos waar we kranten uit hadden gehaald om hem te vullen met zakjes zoetstof, jassen, tijdschriften, een baseballpet die mijn vader haar had verboden vanaf het moment dat hij haar er voor het eerst mee had gezien en een plastic tas gevuld met haarbalsems, algencrèmes en pakjes maandverband.

Ik sloot de deur pas toen ik haar de conciërge gedag hoorde zeggen; daarna liep ik nog twee, drie uur lang door het appartement en trok lades, deurtjes en kasten open, tilde overhemden op en neusde achter boeken, allemaal handelingen van iemand die een verborgen schat zoekt, maar zonder de bedoeling die te vinden; eerder om te voorkomen dat eventuele spaargelden of waardepapieren die mijn vader misschien op een geheime plek had liggen, tussen het vuilnis zouden verdwijnen of door een of andere goochemerd ontvreemd zouden worden wanneer met het appartement zou gebeuren wat ermee gebeuren moest. En zo vond ik, naast een overhoopgehaald doosje condooms, een oud kaartje voor een concert van Leonardo Favio en kwam ik er ondanks de verschoten kleuren van het papier achter dat het concert in het sterfjaar van mijn moeder had plaatsgevonden, wat ongetwijfeld verklaarde waarom mijn vader zich aan de ondraaglijke kwelling van de volksballade had onderworpen; en zo ontdekte ik ook, terwijl ik zijn kleine, amateuristische platenverzameling doornam – met het vloeipapier van sommige binnenhoezen nog intact – dat er in het huis geen cassettebandjes waren omdat er geen apparaat was om ze mee af te spelen en werd ik overvallen door een gedachte waarmee ik tot op dat moment geen rekening had gehouden: mijn vader had een of twee teksten nagelaten, maar zijn stem was nergens opgenomen. Ik zou zijn stem niet meer horen.

Dagen later, bij Sara Guterman thuis, waar ik oud en nieuw vierde, dacht ik weer terug aan deze kleine tragedie en vertelde haar erover. Sara schonk me alle mogelijke warmte, maar kon uiteraard niet ontkennen of weerleggen dat de nagedachtenis aan mijn vader langzaam maar zeker zou verdwijnen en dat zijn verdwijning toe te schrijven zou zijn aan ongrijpbare omstandigheden als de afwezigheid van een geluidsopname, terwijl haar eigen stem uitgebreid en voorgoed was vastgelegd op een tiental cassettebandjes. De televisie stond aan, want we hadden afgesproken ons weinig te bekommeren om het eten van druiven, het uitbrengen van heildronken of gele onderbroeken en zouden kijken hoe andere steden het vierden; daar waren de beelden, de zwarte hemels die ineens gevuld waren met dichte, felgekleurde suikerspinnen van vuurwerk, lawaai, mensen die elkaar omhelsden, de klokken die een onbetwistbare hoofdrol kregen in Delhi, Moskou, Parijs, Madrid, New York, Bogotá, en de mensen in die steden, die in koor terugtelden, wat op dat moment het belangrijkste ter wereld was. Er had geen enkele Duitse stad bij de televisieregistraties gezeten en ik wilde Sara vragen of er in Duitsland – of België, of Oostenrijk – iemand was die zij geluk had willen wensen, familieleden of vrienden bij wie ze op dit moment zou zijn als ze niet hier zou wonen maar daar, als ze nooit geëmigreerd was. Ik stond op het punt me aan dat gevaarlijke tijdverdrijf te wagen – het speculeren over een ander leven – en haar vervolgens te bedanken voor haar gezelschap op deze avond die ik onmogelijk alleen had kunnen doorbrengen, toen ze me halverwege mijn zin onderbrak door haar hand op mijn arm te leggen, waarmee de langste oudejaarsavond uit mijn leven formeel werd ingewijd: Sara vertelde me over de geruchten die die week in bepaalde kringen in Bogotá de ronde hadden gedaan en volgens welke Angelina een flink bedrag had aangenomen van een belangrijk tijdschrift waarvan de naam nog niet bekend was, in ruil voor een interview waarin ze zou onthullen dat Gabriel Santoro, de man die tijdens zijn crematieplechtigheid werd geëerd en in de nabije toekomst per decreet zou worden onderscheiden, de advocaat die dertig jaar lang had uitgeblonken als spreker, niet alleen vanwege zijn talent maar ook vanwege de sterk moreel getinte inhoud van zijn werk, in werkelijkheid niet was wat iedereen dacht; hij was een oplichter, een leugenaar en een afvallige geliefde. 'Daarmee verandert alles,' zei Sara. 'Want er zijn dingen die ik je liever zelf vertel voordat je ze zomaar ergens leest.'

III

HET LEVEN VOLGENS SARA GUTERMAN

'Kerst 1946. Nou ja, niet op kerstavond zelf, maar een dag of twee ervoor. Het is vrijwel exact vijfenveertig jaar geleden, kun je nagaan, en niet dat ik nou zo van de gedenkdagen ben. Niet zo raar dat ik de datum nog weet, vind je wel? Iedereen herinnert zich wat er met kerst gebeurt, ik ook, al werden bij mij thuis niet dezelfde dingen en dezelfde dagen gevierd. Maar mama besteedde altijd veel aandacht aan kerst, ik denk voor een deel omdat ze in haar nieuwe land wilde integreren, het complex van de nieuwkomer, dat soort dingen. Meehuilen met de wolven en zo. Het zou pas abnormaal zijn als ik die datum ook maar een seconde zou vergeten of dingen die die dag zijn gebeurd, de kleren die ik aanhad, wat er in de kranten stond, niet zo zou kunnen opdreunen. Het punt is dat ik me ook herinner wat er de dag ervoor en de dag erna gebeurde, een maand ervoor en een maand erna, omdat het een heel bijzondere tijd was; terwijl ik gewoon mijn leven leidde, merkte ik dat het veranderde. Het moment meemaken waarop je leven voorgoed verandert, is iets heel aparts, dat zweer ik je. Het zit in mijn hoofd als een film die ik niet kan stopzetten, die ik honderden malen gezien heb. Soms zou ik die film wel willen uitzetten, hem voorgoed kwijt willen raken, maar vroeger dacht ik: dat kan ik Gabriel niet aandoen. Toen duidelijk werd dat hij alles zou vergeten, dat het zijn bedoeling was zijn rol in de film koste wat kost te wissen, bedacht ik dat ik zijn geheugen was; ik vatte het idiote idee op dat ik het geheugen van iemand anders was en het liet me niet meer los. Vandaag de dag kan je de deur uit lopen en op de hoek van de straat geheugen kopen, nietwaar, dat doen mijn kleinkinderen tenminste. Ze nemen een taxi naar de computerwinkel en kopen geheugen, dat heb jij vast ook weleens gedaan. Zelf weet ik nog niet eens wat een computer is, dat heb ik niet willen leren, en als ik mijn kleinkinderen zou vragen hoe het zit, zouden ze veel te weinig geduld met me hebben. Maar goed, ik was Gabriels geheugen, al kon ik daar met niemand over praten. Ik was, en ben misschien nog steeds, zoiets vreselijks als een geheugen dat niet mag zeggen dat het herinneringen heeft. Ook niet van mijn kinderen. Ze verbieden me mijn kleinkinderen te vertellen over wat er in die jaren gebeurd is. Ik bedacht het pas nog, ik had het nooit zo beseft: mijn leven lang heb ik geluisterd naar mensen die me verbieden me dingen te herinneren, is dat niet heel erg raar? En zo bestond die film uiteindelijk dus alleen maar in mijn hoofd. Net als de banden van Chaplin, die zo lang zoek zijn geweest en nu blijkbaar teruggevonden zijn, misschien heb je het wel ergens op het nieuws gezien. Enfin, dat was ik, een film, een band, een rol, ik weet niet hoe je het noemt, een zoekgeraakt filmblik waar geen haan naar kraait omdat niemand van plan is de film te vertonen; en als iemand dat wel zou doen, dan zweer ik je dat niemand zou gaan kijken. In die dagen voor kerst draaide *Of Human Bondage*, en daar gingen we wel naartoe. Ik vond Paul Henreid geweldig; we hadden allemaal een beetje de pest aan hem omdat hij in *Casablanca* Ingrid Bergman had meegenomen in plaats van haar bij die charmante Rick te laten. Naar die film gingen we dus. Gabriel vond hem niet goed, hij had natuurlijk het boek al gelezen. Van wie was het boek ook alweer?'

'Somerset Maugham.'

'Die, ja. En het boek vond hij ook niet goed. Nou, dat was dus begin december. Een week later, toen ik hem zover had gekregen om nog eens te gaan en te zien of hij hem nu wel goed vond, hoorden we het nieuws. Konrad Deresser had zelfmoord gepleegd. Konrad, de vader van Enrique. Ik weet niet eens zeker of je wel weet over wie ik het heb.'

'Enrique Deresser, jawel. Die vriend van papa, toch? Ik geloof dat hij hem in jullie hotel heeft leren kennen. Ja, hij heeft me een paar keer over Enrique Deresser verteld, vooral toen ik een jaar of twaalf, dertien was, en hij heeft me ook weleens verteld over de dood van Konrad Deresser. Maar later niet meer. Hij had het er niet meer over. Zomaar ineens. Alsof Deresser het kindje Jezus of de Kerstman was, weet je. Alsof papa me wilde zeggen: als kind praat je over zulke dingen, maar voor een volwassene zijn het idiote personages. Zo ging het met Deresser.'

'Vertel me eens wat je weet.'

'Ik weet dat Enriques vader failliet is gegaan. Ik weet dat hij zelfmoord heeft gepleegd, hij had ik weet niet hoeveel slaappillen geslikt en ze weggespoeld met een cocktail van anijsbrandewijn en buskruit. Ik weet ook dat dit alles zich heeft afgespeeld in een armoedig hotelletje, of nee, een pension in de twaalfde straat, in de twaalfde straat bij de kruising met de vijfde of de zesde, want papa heeft het eens verteld toen we erlangs kwamen. Kijk, hier heeft de vader van Deresser zelfmoord gepleegd, zei hij. Ik weet het nog heel goed, we liepen door de vijfde straat naar de Luis Ángel Arango-bibliotheek. We gingen twee boeken halen die hij 'volstrekt noodzakelijk' achtte voor mijn scriptie. *Het sublieme* van Longino en *The Art of Persuasion in Greece* van Kennedy. Hij dacht geloof ik dat mijn scriptie voor een andere studie was.'

'Hoe is het mogelijk, weet jij de titels nog? Geweldig, zeg, wat een geheugen.'

'Titels herinner je je altijd, Sara. Toen mijn moeder stierf, was ik *De man met de gouden revolver* aan het lezen. Ian Fleming. Toen ik afstudeerde, las ik *De avonturen van Miguel Littín*. García Márquez. Toen Lara Bonilla werd vermoord, las ik *Hirosjima*. John Hersey. Zoiets herinner je je altijd, zo werkt het bij mij tenminste. Bij jou niet? Weet je niet meer wat je aan het lezen was op belangrijke dagen? Even kijken, wat was je aan het lezen toen je man overleed?'

'Ik weet het niet. Ik herinner me een stierengevecht in de arena. Met Pepe Cáceres. De stier nam hem op de hoorns maar verwondde hem niet, ik kon het van hieruit allemaal zien. En dat terwijl ik niet van stierenvechten hou.'

'Maar geen boeken.'

'Nee. Zo zit ik blijkbaar niet in elkaar.'

'Goed, Longino en Kennedy dus. Dat waren mijn schrijvers toen mijn vader me over Konrad Deresser vertelde.'

'Ik wist niet dat hij je dat verteld had. Vreemd hoor. Enfin, laat me verdergaan.

Gabriel was dat weekend in het hotel. Ik was er na het einde van de oorlog blijven werken en kreeg steeds meer verantwoordelijkheden, want ik was onmisbaar geworden door het feit dat ik Colombiaans sprak. Wat een woord: onmisbaar. Jouw vader en ik waren tweeëntwintig en Enrique was ietsje ouder, vier- of vijfentwintig. Tweeëntwintig, kun je het je voorstellen? Wie is er nou onmisbaar op zijn tweeëntwintigste? Mijn kleinzoon is van die leeftijd, of daaromtrent in elk geval, en als ik hem zie denk ik: hadden we die leeftijd? Waren we niet een stel kinderen? Je was in die tijd op je tweeëntwintigste natuurlijk al wel een volwaardig persoon, we waren volwassen, vandaag de dag is een dertiger nog een kind. Maar dat doet er niet toe, we waren heel jong. Hoe is het mogelijk dat wij dat allemaal meemaakten? Doe je sommige dingen niet pas als je ouder bent, staat er geen minimumleeftijd voor, vooral als die dingen je voor het leven tekenen? Ik stel mezelf deze vragen al zo veel jaren dat het antwoord me inmiddels bar weinig kan schelen. Eigenlijk wil ik het niet eens meer weten, want een onverwacht of raar antwoord zou me dwingen mijn leven te herzien. En er komt een moment waarop je daar geen zin meer in hebt. Ik heb geen zin meer om dingen te herzien. Gabriel heeft het geprobeerd, bijvoorbeeld, en ik weet niet wat zijn vriendin ervan gedacht heeft, maar zo simpel is het niet. Je kunt niet even je leven gaan herzien en vervolgens verdergaan alsof er niets gebeurd is. Verboden te herzien en verder te gaan alsof er niets gebeurd is, zou er in je geboorteakte moeten staan; dan weet je waar je aan toe bent, dan doe je niks stoms.

Jouw vader studeerde rechten, maar toch kon hij om het weekend naar Boyacá komen. Als hij geen bus kon nemen, zocht ik op de reserveringslijst naar een kennis, of een bekende van een kennis, en regelde dat hij kon meerijden, alsof de auto's van de hotelgasten te huur waren. Ik gaf hem gewoon het telefoonnummer en hij deed de rest: hij belde, vertelde met die innemende stem van hem hoe het zat en uiteindelijk boden de gasten hem een plekje aan in hun auto. Gabriel had die gave: hij kon mensen voor zijn karretje spannen. Hij had niet alleen maar een goeie babbel, nee, mensen geloofden hem, ze vertrouwden hem. Zelfs papa liet hem uiteindelijk in het hotel verblijven zonder dat hij het volle tarief hoefde te betalen, wat voor Gabriel een onbetaalbare luxe zou zijn, iets wat je drie keer per jaar doet. En daar kwam hij dan aangezet met zijn schriften Contractueel Recht en Bestuursprocesrecht. Hij studeerde een poosje, meestal 's ochtends, en daarna gingen we een eindje wandelen als mijn werk in het hotel dat toeliet. In de periode waarover ik je nu vertel, waren er geen colleges en normaal gesproken zocht Gabriel in de vakantie een baantje, hij reed met een vrachtwagen het hele land door alsof Colombia niet groter was dan een landgoed. Ze namen hem graag aan, natuurlijk, want hij had het uithoudingsvermogen van een pakezel en kon twintig uur achter elkaar achter het stuur zitten, zonder te slapen en met slechts een korte stop om wat te eten. Dat jaar had hij tijdens de transportstaking benzinetrucks gereden ... Maar dat weet je wel, of niet?'

'Ja, dat heeft hij me ook een paar keer verteld. De vrachtwagens. De *Kransrede*.'

'Nou, die kerst was er dus geen enkele vrachtwagen, er was helemaal geen werk, want de staking was weer voorbij. Gabriel kon er niet tegen om thuis te zitten. Hij heeft je dit vast nooit verteld, maar hij kon je grootmoeder niet verdragen. En ik moet zeggen dat ik hem gelijk gaf. Doña Justina was al puriteins voordat haar man werd vermoord, maar daarna werd het zo erg dat de situatie onhoudbaar werd, zeker voor een enig kind. Het was dus niet zo gek dat Gabriel bij mij aanklopte voor asiel – ik overdrijf niet, hij heeft dat woord zelf gebruikt –, asiel om de feestdagen door te brengen, want zijn moeder vierde ze samen met drie vrijgezelle tantes en bad elke noveen met zo veel overgave de rozenkrans dat de artsen na haar dood een verschoven knieschijf constateerden die ze toeschreven aan het feit dat ze in de tweede helft van haar leven zo veel had geknield. Gabriel dreef openlijk de spot met haar, het was een beetje pijnlijk om te zien.'

'Ik heb haar nooit gekend.'

'Inderdaad, jij was twee of drie toen ze stierf en Gabriel wilde jou nooit meenemen naar haar. Het oude mens liet hem via iedereen weten dat ze haar kleinzoon graag wilde leren kennen, dat ze niet wilde sterven zonder haar kleinzoon te kennen, maar Gabriel trok zich er niets van aan. In de loop der tijd ben ik gaan begrijpen wat hij haar verweet, in stilte natuurlijk, want in die familie werd nooit ergens over gesproken, niet over ziektes, niet over misverstanden, nergens over. Ik ben gaan begrijpen wat hij haar achter haar rug om verweet, laat ik het zo maar zeggen. Weet je wat dat was? Dat ze zichzelf na het overlijden van haar man langzaam naar de dood liet afglijden. Dat ze zichzelf op haar vijfendertigste – want ouder was ze geloof ik niet toen je grootvader werd vermoord – levend had begraven. Eens even zien, Gabriel was een jaar of tien, twaalf, eerder twaalf, dus zij was net over de dertig, ja, ze was een dode, in rouw gedompelde dertiger, en Gabriel zei weleens dat ze rouwde om haar eigen dood. Hij heeft me er verschillende keren over verteld. Hij zat bij de paters op school maar als hij thuiskwam, was het daar nog donkerder dan bij de paters. De meubels waren met lakens bedekt om de bekleding te sparen en in elke kamer hing hetzelfde enorme kruisbeeld, met zo'n hevig bloedende Christus met uitpuilende ogen, weet je wel, op zo'n kruis van geribbeld hout, als je dat zo kunt zeggen; ken je die?'

'Ja, ik geloof dat ik ze weleens ergens gezien heb. Van die kruizen die niet plat zijn. Een beetje onregelmatig, als een chocoladevlechtbroodje.'

'Voordat jouw grootvader werd vermoord, leerde doña Justina Gabriel kruizen maken, want het jongetje had veel vrije tijd in het huis in Tunja en er was hout te over. Later dwong ze hem nog een tijdlang daarmee door te gaan. Tot zijn twaalfde of dertiende houten kruizen aan het maken. Wat haatte hij haar daarom. Zijn hele leven lang heeft hij teruggedacht aan die kruizen. Later kreeg hij een hekel aan alles wat handwerk was, ik denk mede daardoor. Of heb jij hem soms ooit het huis zien schilderen of proberen een instrument te bespelen, een leiding of een kast zien repareren, zien koken?'

'Maar ik dacht altijd dat dat door zijn hand kwam.'

'Ach, die hand.'

'Die zou zijn leven bepalen, of niet? Voorschrijven wat hij wel en niet kon, bepalen wat zijn interesses waren. Hij schreef niet eens, Sara. En tegen mij had hij het constant over de complexen uit zijn jeugd, over de gevolgen van misvormdheid voor een kind ...'

'Nee, wacht. Laten we stapje voor stapje gaan. Gevolgen niet, geen sprake van.'

'Hoezo?'

'Dat met zijn hand is later gebeurd. En het is niet gegaan zoals jij denkt. Hij is opgegroeid met ongeschonden handen. Die kerst bestond zijn hand nog, en hij zou ook nog een paar dagen bestaan. Beter gezegd: wat ermee gebeurd is, kwam kort na wat ik je aan het vertellen was. Maar ik snap het niet, want je zegt net dat je van die vrachtwagens wist. Hoe kon hij die voertuigen besturen met een verminkte hand? Nee, nee. Toen hij die dag beneden kwam ontbijten en hoorde dat Konrad Deresser dood was, had hij al zijn vingers nog, hij was een ongeschonden man. De mensen zaten samen rond de radio, herinner ik me. Niet omdat het net op het nieuws was geweest, maar omdat het een gewoonte was geworden om daar voor bepaalde dingen bij elkaar te komen. Wat zou ik graag weten waar die radio terecht is gekomen. Het was zo'n Philips die eruitzag als een artsenkoffertje, het nieuwste van het nieuwste in die tijd, met rieten speaker en al. Papa vertelde me het nieuws en vroeg me het aan Gabriel door te geven. Hij wist hoe goed Gabriel en Enrique bevriend waren, iedereen wist dat. Het sprak voor zich dat Gabriel er graag bij wilde zijn. Binnen een halfuur had hij wat gegeten om niet met een lege maag op pad te hoeven gaan, zijn spullen gepakt, zijn nieuwe schoenen aangetrokken – mocassins met een leren zool die zo glad was als een babyhuidje – en stond hij klaar om de eerste de beste persoon die naar Bogotá ging, om een lift te vragen. "Maar hij is toch al begraven," zei papa tegen hem. "Het is bijna een week geleden." Gabriel luisterde niet, maar het had hem duidelijk verdriet gedaan. De vader van zijn vriend was gestorven en niemand had hem dat verteld, niemand had hem uitgenodigd om afscheid van hem te nemen. Hij vroeg natuurlijk of ik meeging en deed dat waar papa bij stond, zo groot was het vertrouwen dat ze in hem hadden, het respect dat Gabriel al op zo'n jonge leeftijd inboezemde. Ik vroeg hem wat we gingen doen en hij zei: "Wat denk je? We gaan afscheid nemen van meneer Konrad." "Maar hij is al begraven, Gabriel," zei papa nog eens. En Gabriel: "Dat kan me niet schelen. Dan nemen we afscheid op de begraafplaats."

Maar we gingen niet naar de begraafplaats. We arriveerden diezelfde middag rond vier uur in Bogotá en namen een tram op de tweeënzeventigste straat, maar bij de zesentwintigste bleef Gabriel gewoon zitten en maakte helemaal geen aanstalten om uit te stappen. Ik vroeg hem wat er was, of we niet naar de begraafplaats gingen. "Straks," zei hij. "Ik moet eerst even met iemand praten." En zo kwam ik erachter dat Konrad Deresser op het moment van zijn dood met een vrouw samenleefde en, wat nog schokkender was, dat Gabriel dat wist en ik niet. Niet dat hij haar kende, maar hij wist van haar bestaan. Ze heette Josefina Santamaría en kwam uit Riohacha. En zo stonden we daar onaangekondigd voor de deur, we zochten haar op in een pension bij de kruising van de tweede en de achtste straat, waar Deresser had gewoond. Josefina was een negerin die langer was dan Gabriel. Het enige wat ik van haar leven wist, was dat ze zes maanden daarvoor in Bogotá was aangekomen en dat ze voor een aardige cent met de leden van de Jockey Club naar bed ging. Meer kwam ik niet te weten, want we spraken die middag niet over haar, maar over Deresser. Zij heeft ons van seconde tot seconde verteld hoe hij zelfmoord heeft gepleegd. "Natuurlijk wist ik het, kind, dat zag je gewoon," zei Josefina. "Je zag in zijn hele gezicht dat hij al half dood was." "En waarom hebt u dan niks gedaan?" vroeg Gabriel. "Hoe weet jij nou of ik niks gedaan heb? Toen hij 's ochtends de deur uit liep, ben ik achter hem aan gegaan. De hele ochtend heb ik hem gevolgd, wat wil je nog meer? Maar het overviel met toch nog, hij was ook zo gehaaid, die blonde schat van me."

Die ochtend was Deresser, zoals elke ochtend in die tijd, laat de deur uit gegaan, rond tienen, om een ontbijt van koffie met een scheutje sterkedrank te nemen op het terras van bar Molino. "Daar ging hij altijd zitten," zei Josefina, "ik denk om naar de vriendinnetjes van de studenten te kijken." Maar Josefina was niet jaloers, integendeel: wanneer ze hem 's ochtends weg zag gaan, zei ze dat hij de meisjes de groeten moest doen, dat ze hoopte dat er een briesje zou opsteken en een rokje omhoog zou blazen. Die ochtend bleef hij langer dan ooit, alsof iemand niet was komen opdagen voor een afspraak en hij niet wist wat hij moest doen. Hij wandelde over het plein heen en weer en liep tot het gebouw van de krant *El Espectador*, wachtend tot hij het nieuws op het schoolbord zou zien. "Sinds ze dat bord buiten hingen, kocht hij de krant niet meer," zei Josefina. Later waren ze er weer mee gestopt, maar voor zolang als het duurde was het voor veel mensen de ideale oplossing: op bepaalde tijdstippen kwam er een man uit het raam hangen met het belangrijkste nieuws, het werd gewoon in de loop van de dag met de hand op het bord geschreven, geweldig was dat. Deresser had niet eens geld om de krant te kopen en was een bezoeker van dat bord geworden. Die ochtend stond de straat bij *El Espectador* vol, vol dames die wilden weten hoe en waar de viering van het vijftigjarig jubileum van de aartsbisschop zou plaatsvinden. Deresser liep op hen toe, sprak hier en daar een dame aan en werd uiteraard niet al te best bejegend. Wie vindt het nou prettig als er een man met een baard, een onuitgeslapen gezicht, vrijwel altijd een zweetgeur en soms een urinestank om zich heen, op hem af komt, ook al draagt hij dan misschien een leren koffertje dat zijn beste dagen gehad leek te hebben, ook al had hij nog altijd die groene ogen, waarmee hij faam had verworven onder de dienstmeisjes in Nueva Europa. En Deresser maakte weer dezelfde ronde, tot kruidenier Garcés en weer terug naar het kantoor van de krant; niet een, niet twee, maar meerdere keren.

Als hij een afspraak met iemand had, dan is die persoon niet op komen dagen. Als hij iemand hoopte te zien, is die persoon niet langsgelopen. Deresser ging twee keer bar Molino binnen, liep er rond en keek naar de tafels en bleef beide keren onder Sancho Panza stilstaan om van daaruit weer over de tafels uit te kijken, maar niets. Niets van wat hij zocht. Dus ging hij weer verder, stak het plein over en liep in zuidelijke richting door de zesde straat. "Hij liep heel dicht langs de muur," zei Josefina, "alsof de andere mensen ziek waren, of hijzelf." Josefina zag hem een pandjeshuis binnengaan, zo een waarvan je er vroeger meer zag dan nu, en hem zonder het koffertje weer naar buiten komen. In het begin dacht ze wat voor de hand lag, dat hij alleen dat lelijke koffertje had verpand, waar hij vast niet veel voor had gekregen, maar later kwam ze erachter dat hij ook het enige luxeartikel dat hij nog bezat en waar hij toch niks aan had, had weggebracht: een plaat met klassieke muziek. Hij had er niks meer aan omdat hij een paar dagen daarvoor de draaitafel waarmee hij ernaar luisterde had verpand. Voor Deresser moet dat moment, het moment waarop hij zijn laatste plaat verpandde, iets verschrikkelijks hebben betekend. Mensen die zelfmoord gaan plegen, klampen zich vast aan onbenulligheden, ze geven spullen uit het dagelijks leven de symbolische waarde om een datum te markeren. Het verpanden van die plaat markeerde de datum voor Deresser, niet alleen omdat hij met die handeling zijn leven als afgesloten beschouwde, maar ook omdat hij later waarschijnlijk met dat geld in apotheek Granada de slaappillen heeft gekocht.

Deresser had het niet gered als musicus, maar hij had zijn mislukking geaccepteerd. Hij was de glaswinkel waarvan zijn gezin kon eten begonnen toen hij constateerde dat het in Colombia onmogelijk was om te leven van pianolessen. Dat was rond 1920, toen hij net in Bogotá was aangekomen. Maar toen hij na een paar jaar, in dat vreselijke proces waar de immigrant doorheen moet, mensen had leren kennen, ging hij zich meer en meer met de radio bezighouden en kwam er zelfs te werken. Hij was degene die besloot wat er op welk tijdstip gedraaid werd, hij vertelde de presentatoren over Sjaljapin of Schönberg en zij herhaalden op hun beurt voor de ether wat hij hun twee uur daarvoor had verteld. Voor degenen die de familie Deresser kenden, was dit hun beste tijd, jaren waarin niemand zich had kunnen voorstellen dat hun een persoonlijke tragedie te wachten stond, een tijd die eindigde, of waarvan het eind in zicht kwam, in 1941, toen Santos brak met de asmogendheden. Een van de eerste dingen die men toen deed, was de radiozenders aanpakken. Er mochten geen Duitsers, Italianen of Japanners meer werken. En op een ochtend kwam Deresser op zijn werk en had hij ineens geen baan meer, en hij werd bovendien door een aantal mensen met de nek aangekeken. Het gezin bevond zich weer in dezelfde situatie als daarvoor: afhankelijk van het glas dat ze verkochten. En het ging hun niet slecht, het glas bracht aardig wat geld in het laatje. Bovendien hield Deresser contact met twee programmamakers van de radio die hem niet hadden verstoten; soms troffen ze elkaar en deed hij hun aanbevelingen. Maar in de muziek begon, voor Deresser in elk geval, de klad te komen. Daarna, tussen 1941 en 1946, bleef hij naar muziek luisteren, zij het steeds minder, en uiteindelijk accepteerde hij dat de dingen in zijn leven niet zouden lopen zoals hij dat graag zou willen, dat iemand hem zijn leven uit handen had genomen. In oktober hoorde hij dat halverwege die maand de eerste nazi's in Neurenberg zouden worden opgehangen, en het eerste wat hij deed was een plaat kopen van Wagner, aan wie hij zijn hele leven een hekel had gehad, en zijn vrienden bij de radio bellen. Ze troffen elkaar in het pension, herinnerde Josefina zich. Zijn vrienden kwamen en zeiden niets over de plek en zijn gezelschap, maar je zag de bedroefdheid in hun gezichten. Deresser liet hun de plaat horen en vertelde er zo enthousiast over, of veinsde zijn enthousiasme zo vaardig, dat zijn vrienden het pension verlieten met de belofte dat ze hem een dezer dagen zouden draaien, hem bedankten dat hij hun met een vrij onbekend stuk van een weinig gedraaide componist had laten kennismaken, hem vroegen contact te houden, voorstellen te blijven doen, te blijven meedenken ... En Deresser vroeg nog iets. Hij vroeg hun als speciale gunst de plaat op 15 oktober te draaien, omdat Enrique dan jarig was. Hij zei dat dat stukje van Wagner een van zijn lievelingswerken was en dat het een mooi verjaardagscadeau zou zijn. Ze trapten er met beide voeten in; ontroerd liepen ze, onder het uiten van nieuwe beloften, de deur uit. Ze hielden zich eraan. Ze draaiden de plaat op 15 oktober, de dag waarop in Duitsland de ophangingen plaatsvonden. Het stuk van Wagner heette *Die Meistersinger von Nürnberg*. De ene helft van de Duitsers belde verontwaardigd op. De andere helft belde om te vragen wie de verantwoordelijke was geweest, omdat ze hem wilden feliciteren. Josefina zei dat het de laatste keer was dat ze Deresser min of meer blij had gezien, al was het maar omdat hij met de helft van de wereld de spot dreef zonder dat die helft het doorhad.

Nadat hij *Die Meistersinger* had verpand, moest Deresser al geweten hebben waar hij zijn geld aan ging uitgeven. Hij liep naar de zevende straat en begon terug te wandelen in noordelijke richting, slenterend, als een toerist. "Hij bleef wel een halfuur voor Granada staan," zei Josefina. Niet op hetzelfde trottoir, maar aan de overkant, alsof hij op een olifant ging schieten die hij vanuit de verte in de gaten hield. Maar toen hij de apotheek eenmaal binnenging, toen hij eindelijk de knoop doorhakte, stond hij binnen twee seconden weer buiten. "Volgens mij kreeg hij het in de gaten toen hij naar buiten kwam. Ik stond goed verstopt achter een boom, daar in het Parque Santander. Ik weet niet hoe hij het deed, mijn blonde liefje, maar volgens mij heeft hij me daar gezien." En vervolgens weer hetzelfde liedje, maar dan de andere kant op: terug in zuidelijke richting over de zevende, langs het kantoor van Gaitán, en niemand zal ooit weten of Deresser op dat moment aan Gabriel dacht, al was het maar een korte associatie. Hij liep verder naar het Plaza de

Bolívar alsof hij nu wél een afspraak had. Twee straten daarvoor was het rumoer van de mensen die zich op het Plaza de Bolívar hadden verzameld al te horen, terwijl ze niet eens schreeuwden of zongen of protesteerden. De dames hielden keurig hun mond, ze stonden allemaal heel netjes met hun gezicht naar de kathedraal, sommigen al met een rozenkrans in de hand, vooral de oudere dames. Voor Josefina waren dit vreemde plekken, vreemd en vijandig zelfs, en ze kwam er niet vaak. De laatste keer dat ze over dit plein had gelopen, dat slechts op een paar straten afstand van haar huis lag, was geweest toen ze als een zombie de mensen had gevolgd die naar het *Te Deum* kwamen luisteren en met vlaggen zwaaiden en dingen riepen op de dag dat de oorlog was afgelopen.

Het was kwart over drie 's middags. De huldiging was waarschijnlijk nog maar net begonnen, want toen de vrouwen die vooraan stonden naar het aartsbisschoppelijk paleis begonnen te lopen, bleef achteraan nog een aantal van hen gehurkt stukjes brood voeren aan de duiven. Ze hielden in de ene hand hun hoed terwijl ze de andere, gehandschoend en vol kruimels, uitstrekten. Josefina stond er stikjaloers naar te kijken, want ze hield van duiven maar was er allergisch voor. En gedurende een seconde, één seconde maar, keek ze een van die dames aan, die een zwarte, breedgerande hoed met roze bloemen op haar hoofd droeg en de duiven geen kruimels voerde, maar harde gele maïskorrels, en ze bleef toekijken hoe de maïs steeds van de grond opsprong terwijl een dikke, rossige duif erin pikte. Ze was jaloers op de vrouw met de chique zwarte hoed omdat ze zo makkelijk dicht bij de duiven kon komen. Toen Josefina dat had geprobeerd, vlak nadat ze in Bogotá was aangekomen, waren haar ogen en neus zo erg gaan jeuken dat ze op de trappen van het Capitolio moest gaan zitten omdat ze door al het tranen niet meer kon zien waar ze liep. Later, vroeg in de avond inmiddels, had ze verschrikkelijke uitslag in haar hals gekregen, terwijl ze niet wist waar ze calaminelotion moest kopen tegen de jeuk en er ook niemand was die haar dat wilde vertellen. Drie dagen. Drie dagen had ze erover gedaan om te ontdekken dat apotheek Granada zo dicht bij haar pension zat. Daar kon ze calaminelotion krijgen toen ze hem al niet meer nodig had, toen de jeuk al over was en ze al wist dat ze nooit van haar leven meer bij een duif in de buurt kon komen. En na die fractie van een seconde waarin ze aan de lotion en aan apotheek Granada had gedacht, richtte ze haar gezicht weer op en zag dat Deresser verdwenen was.

Ze keek overal om zich heen, liet haar blik over het hele plein gaan. Ze liep om de kring vrouwen heen, die al in beweging kwam. Ze ging tussen hen in staan en liet de beledigingen over zich heen komen; ze werd voor van alles uitgemaakt, ze werd beschimpt zoals een buitenstaander door insiders beschimpt wordt. Maar ze zag hem niet, ze kon hem niet vinden, ze was hem kwijtgeraakt. Het enige wat ze zag, waren hoeden, zwarte jurken, alsof ze ineens op een begrafenis was, mensen met handschoenen alsof ze het vies vonden elkaar aan te raken, maar ze kon Deresser niet vinden tussen die smetvrezende mensen, alleen maar twee of drie gezichten die haar vol afgrijzen aankeken, twee of drie monden die "een zwarte, een zwarte" riepen. Ze maakte een ronde om het hele huizenblok, liep twee keer langs het raam waaruit Bolívar was gesprongen om te voorkomen dat hij in zijn eigen bed gevierendeeld zou worden, maar dacht niet aan Bolívar of iemand anders dan Konrad Deresser, een man die voor haar vluchtte, die zich voor haar verstopte, maar ze was geen moment op het idee gekomen om haar neus in de wind te steken, haar trots te laten spreken en te stoppen met zoeken naar iemand die op dat moment niet bij haar wilde zijn. Ze was niet op het idee gekomen dat Deresser misschien met een ander sliep, want daar hadden ze nooit een punt van gemaakt, dus had hij ook geen redenen om dat voor haar verborgen te houden. Ze was niet op het idee gekomen dat Deresser misschien bij rare zaakjes betrokken was, want ofschoon hij redenen zou hebben gehad om dol van woede te worden tegen dit land van mafkezen, dat zijn leven en dat van zijn gezin kapot had gemaakt, ondanks dit alles, was Deresser nooit iemand geweest die zelf de touwtjes in handen nam, integendeel, hij was mak, zo mak als een lammetje, te mak voor de wereld zoals die er sinds het jaar 1941 voor hem uitzag. Nee, al deze dingen kwamen niet in haar op. Terwijl ze in de wijk La Candelaria en daarna in de zevende straat naar hem zocht, dacht Josefina aan hem zoals je denkt aan een kind of een zieke: bezorgder om hem dan om zichzelf, banger voor de schrikreactie van het kind dat beseft dat het verdwaald is, dan om hem te verliezen.

Ze kwam pas na vijf uur 's middags terug in het pension. Onderweg was ze de groep mannen tegengekomen die de aartsbisschop hulde gingen brengen, precies zoals hun vrouwen dat een uurtje of twee eerder hadden gedaan, en ze bedacht dat de mensen in Bogotá maar eigenaardig waren dat ze alles zo deden, met de dames aan de ene kant en de heren aan de andere, het was nog een wonder dat ze niet uitgestorven waren. Ze had don Federico Alzate, met wie ze later op de dag een afspraak had, tussen de mannen zien staan en gedaan wat ze altijd deed als ze op straat een klant tegenkwam, namelijk naar haar slippers staren, naar haar witte teennagels, haar tenen tellen, omdat ze dacht dat als ze zich concentreerde op iets anders dan het veinzen zelf, de schaamte van de ander en haar eigen geveins niet in haar gezicht te lezen zouden zijn. En nu ging ze in haar kamer op bed liggen wachten. Ze kon niet door het raam kijken, want haar kamer had geen ramen. "Ik merkte dat mensen zonder ramen anders wachten," zei ze later tegen ons. Om tien voor zeven, toen Federico Alzate kwam, lag ze nog steeds te wachten. Josefina had de gewoonte om haar klanten te vragen haar ergens anders mee naartoe te nemen, vanuit een soort stilzwijgende overeenkomst met Deresser en omdat ze het zelf ook beter vond om niet te slapen in hetzelfde bed als waarin ze het geld had verdiend om het van te betalen. Maar deze keer bleef ze liever thuis. Ze had de tijd om haar werk te doen. Pas uren later, toen haar klant al afscheid had genomen en ze zich aan het wassen was, hoorde Josefina geschreeuw in het trappenhuis. Het was de eigenaar van de ijzerhandel op de begane grond. Hij liep als een papegaai te herhalen wat ze hem zojuist verteld hadden: men had Deresser in de calle Jiménez, drie straten verderop, in zijn eigen braaksel zien liggen.

Hij was nog niet dood, maar toen Josefina hem vond was er al niets meer aan te doen. Hij rook al naar de dood, of dat was althans de herinnering die zij eraan had overgehouden. Josefina ontdekte dat ze het zojuist verdiende geld had meegegrist voordat ze de deur uit was gegaan en wilde de ijzerhandelaar een peso geven om haar te helpen Deresser naar een ziekenhuis te brengen, maar de winkelier liep al weg en deed alsof hij haar niet hoorde. Josefina hield twee taxi's aan, maar geen ervan wilde haar meenemen, al bood ze de drie hele peso's aan die ze in haar hand had. Ze voelde iets op haar been en ontdekte toen ze haar rok optilde dat ze geen ondergoed had aangetrokken en er een mix van water en zaad langs haar dijbeen naar beneden liep. Ze moest op haar knieën gaan zitten om haar braakneigingen te onderdrukken en tegelijkertijd kwam er, alsof het afgesproken werk was, een man naar haar toe met een geopende paraplu terwijl het niet regende, die zei: "Doe maar geen moeite, schoonheid. Je ziet vanaf hier al dat hij het hoekje om is." Later, toen het al donker was en de politieagenten waren gearriveerd en daarna de technisch rechercheur om het lijk vrij te geven, stond een journalist naar de verklaringen van een getuige te luisteren. "Ik zag hem daar rennen," zei hij, en hij wees naar de derde straat, "alsof hij dronken was, helemaal onder het braaksel, en hij schreeuwde, meneer, hij liep te schreeuwen dat hij pijn in zijn maag had." Deresser was, naar men later te weten kwam, op het Chorro de Quevedo-pleintje gaan zitten, vermoedelijk nadat hij Josefina had afgeschud, en had hoogstwaarschijnlijk daar de pillen ingenomen, al weet men niet en zal men ook nooit weten wie er voor hem aan alcohol met buskruit was gekomen. Het ongelofelijke was dat hij van El Chorro naar de plek waar ze hem gevonden hadden, vlak bij het Parque de los Periodistas, had kunnen komen. Dat trof Gabriel nog het meest, het beeld van een slaperig rondrennende Konrad Deresser die voelde hoe de cocktail zijn ingewanden wegvrat in plaats van hem te verdoven en in stilte te doden, zoals hij vast had gehoopt. "Hij moet heel bang zijn geweest, en het duurt lang voordat een slaappil werkt bij angstige mensen," had een arts aan wie Gabriel het geval zonder naam of toenaam had voorgelegd, puur hypothetisch, uit nieuwsgierigheid, jaren later gezegd. "En doet dat erg pijn?" had Gabriel gevraagd. "Poeh, nou en of," had de arts gezegd. "Je vergaat van de pijn."

Die dag verlieten we pas heel laat het pension. We beseften dat we de hele avond niets gegeten hadden en Josefina had natuurlijk niets in huis om ons aan te bieden. Ofschoon het voor zich sprak, zei ik tegen Gabriel dat het te laat was om nog naar de begraafplaats te gaan en vroeg hem of hij dat de volgende dag graag wilde doen. Maar hij zat met zijn hoofd ergens anders. Hij keek me niet aan, hij hoorde me niet en liep drie passen voor me uit, alsof ik zijn gevolg was. Ik dacht dat hij me zou voorstellen naar het Parque de los Periodistas te gaan of de plek op te zoeken waar Deresser was gestorven, maar dat deed hij niet. En toen kwam de gedachte op die ik pas later onder woorden kon brengen: Gabriel had me niet meegenomen naar Josefina om te horen wat zij wist, of dat was althans niet zijn enige reden. We waren naar haar toe gegaan en hadden haar een hele middag lang aan één stuk door horen ratelen, om erachter te komen wat ze niet wist. Want het was ons wel duidelijk dat deze vrouw al die maanden met Konrad Deresser had samengeleefd zonder dat het haar ook maar een donder kon schelen waar hij vandaan kwam of waar hij naartoe ging of waarom hij er zo aan toe was en hoe hij van plan was daar verandering in te brengen. Als ze het hem niet vroeg, dachten wij tweeën, waarom zou hij het haar dan vertellen? "En als hij het haar niet heeft verteld," zei Gabriel toen, "heeft hij het hoogstwaarschijnlijk niemand verteld." Dat zei hij. En daar was ik het mee eens, uiteraard. Dat lag het meest voor de hand. En ondanks het feit dat het zo voor de hand lag, ondanks het feit dat ik het ermee eens was, vroeg ik Gabriel niet waarom hij dit allemaal zo belangrijk vond. Vooral waarom het dringender voor hem was geweest om dit te weten dan meteen zijn vriend op te zoeken. Dat deed hij de volgende dag. Hij ging naar Enrique, maar die was er niet, er was niemand. Lang daarna hoorden we dat Enrique thuis was weggegaan. Later dat hij uit Colombia was weggegaan. Dat heeft jouw vader uitgezocht. Maar hij heeft niet uitgezocht waarnaartoe.

Deze keer wilde ik niet met hem mee. Ik was te geschokt door alles wat er gebeurd was. Ik had natuurlijk wel vaker van die gevallen meegemaakt; ik had mijn portie mensen met wie het verkeerd was afgelopen, die naar de mallemoer waren gegaan, wel gehad, maar dit was anders, ik had het nog nooit van zo dichtbij meegemaakt en ook niet dat iemand zelfmoord pleegde. Ik had wel gehoord over mensen die zelfmoord pleegden, in die jaren was dat voor niemand erg exotisch. Berichten uit Duitsland, maar ook van immigranten. Maar wat moet ik ervan zeggen? Wanneer iemand die je kent, met wie je hebt gesproken en die je hebt gezien en aangeraakt, zoiets overkomt, is het alsof je het voor het eerst hoort. Alsof je tot op dat moment niet wist dat dat mogelijk was, zelfmoord plegen vanwege problemen. Konrad was een speciaal geval, niet omdat het zo uitzonderlijk was, maar omdat het zo dichtbij was. Duizenden Duitsers hebben hetzelfde meegemaakt met die zwarte lijsten, de daaropvolgende beslaglegging op hun spullen, duizenden mensen zaten helemaal aan de grond, zagen in vijf jaar tijd hun geld verteren, in rook opgaan. Duizenden. Vergeleken met de zwarte lijsten was de opsluiting in het concentratiekamp van Fusa kinderspel; voor ouwe Konrad was het bijna een opluchting, want hij werd geïnterneerd toen hij door zijn naam op de lijst al bijna failliet was. De gevangenen in het concentratiekamp hadden automatisch te eten, hoefden zich niet te bekommeren om voorzieningen, niets van dat alles. In theorie haalde de regering dat geld van hun rekening af, maar wat moesten ze als de geïnterneerde geen geld had? Hem laten sterven van de honger? Nee, ze gaven hem gewoon wat ze ook de andere geïnterneerden gaven, en zo moet het met die ouwe ook gegaan zijn. Deze mensen hadden sowieso bijna geboft, dat is in de loop der tijd wel gebleken. Honderdvijftig, tweehonderd Duitsers, bijna allemaal uit de bovenlaag van de bevolking, leefden op kosten van de regering omdat ze zogenaamd banden hadden met nazi's of propaganda maakten, wat dan ook. En ja, soms was dat natuurlijk ook zo, er zaten daar net zoveel lui van het allerlaagste allooi als dat er grijze muizen zaten. Soms hadden ze van tevoren op de zwarte lijst gestaan, maar niet altijd. De ouwe wel, en om hem gaat het hier. Duizenden mensen hebben geleden onder de straf van de lijsten, wat ik al zei, maar slechts eentje hebben we vanaf het begin zien vallen, als een vliegtuig, als een uit de lucht geschoten eend, en dat was de vader van Enrique. Ouwe Konrad. Die niet oud was; we noemden hem zo omdat hij zulk blond haar had dat hij grijs leek, maar hij was vijfenvijftig toen hij zelfmoord pleegde. Ik heb mensen gekend die op die leeftijd net beginnen.

Ik herinner me dat vel papier, alsof ik het hier voor me heb liggen; sterker nog, het is gek dat ik het niet heb, ik denk dat die verzamelwoede pas later is gekomen, hè? Je overziet nooit hoe belangrijk dingen zijn op het moment dat ze gebeuren. Als er nu zo'n geest voor me zou verschijnen waarbij je een wens mag doen, dan zou ik dat vragen, dingen te kunnen herkennen die later belangrijk blijken te zijn. Niet voor de rest van de mensen, dat is makkelijk. We wisten allemaal dat de moord op Gaitán definitief was. Toen dat gebeurde, wisten we allemaal dat dit land er nooit meer bovenop zou komen. Nee, met publieke dingen is het anders, ik zou juist graag persoonlijke dingen willen herkennen, die uitspraak van je beste vriend, iets wat je per ongeluk ziet en waarvan je niet weet dat het belangrijk is; dat zou ik graag willen weten. Later kwamen de lijsten dus in boeken te staan, kopieën, facsimile's of hoe je het ook noemt, en hebben we ze kunnen zien, degenen die dat wilden, hebben kunnen zien hoe die papiertjes eruitzagen die ons zo naar de verdommenis hebben geholpen, sorry voor het woord. De brieven die de gringo's rondstuurden, dat soort dingen, weet je wel. Het briefhoofd, tussen twee lijntjes de naam van het land, de maand in het Engels en in vertaling. De dertig of veertig pagina's met namen. Die namen, Gabriel, duizenden en nog eens duizenden namen uit heel Latijns-Amerika. Honderden namen in Colombia. Dát was belangrijk.

Keurig op alfabetische volgorde, niet op volgorde van verdienste of gevaar. De eigenaar van een boekhandel in Barranquilla waar nazibijeenkomsten waren en *Mein Kampf* werd uitgedeeld aan iedereen die er kwam, die meneer stond naast een Japanner die drie aardappelen en drie wortels aan de Spaanse ambassade had verkocht en alleen daarom, omdat hij zijn groenten had geruild tegen geld van Francogezinden, op de zwarte lijst was gezet. Wat een lijst kan aanrichten, hè? Die linkerkolom met allemaal dezelfde letters, allemaal hoofdletters onder elkaar, dat heeft me altijd gefascineerd. Ik ben altijd dol geweest op lijsten, waarom zou ik het ontkennen, daar is helemaal niets verkeerds aan, lijkt me, niets afkeurenswaardigs. Een adressenbestand was het leukste wat me als klein meisje kon overkomen; ik zette mijn vinger bovenaan en liep naar beneden over een pagina met allemaal l'en, of m'en, of allemaal w's. De rust die dat geeft. Het gevoel dat er een orde bestaat in de wereld. Of dat je in elk geval orde kunt aanbrengen. Neem bijvoorbeeld de chaos van een hotel en maak er een lijst van. Het kan me niet schelen of het nou een lijst is van dingen die moeten gebeuren, van gasten, of een loonlijst. Daar staat alles wat er staan moet, en wat er niet staat, hoort er ook niet. Je haalt rustig adem, je bent er zeker van dat je de dingen hebt gedaan zoals het moet. Controle. Dat is wat je hebt wanneer je een lijst maakt: volledige controle. De lijst is de baas. Een lijst is een universum. Wat niet op de lijst staat, bestaat voor niemand. Een lijst is het bewijs dat God niet bestaat, dat zei ik eens tegen papa en hij gaf me een draai om mijn oren; ik zei het om interessant te doen, een beetje om te zien wat er zou gebeuren. En dat was wat er gebeurde, een draai om mijn oren. Maar in wezen klopt het. Nou, in december 1943 verscheen dus op pagina zes van die lijst de naam van Enriques vader. Boven hem stond DeLaura, Luciano, Postbus 199, Cali. Eronder stond Drogisterij Munich, Tiende Straat, nr. 19-22, Bogotá. En tussen deze twee in, in die keurige, geordende ruimte, stond Enriques vader. Deresser, Konrad. Deresser Glas, Dertiende Straat nr. 7-17, Bogotá. Zo eenvoudig, alles in één regel: naam, bedrijf en adres. Er waren niet eens twee regels voor nodig, de marge hoefde niet te worden aangetast, zoals gebeurt wanneer een item op een lijst twee regels in beslag neemt. Dat heeft me altijd geïrriteerd, twee regels gebruiken wanneer eentje genoeg is, want het ziet er lelijk uit. Ouwe Konrad zou het met me eens zijn geweest. Ouwe Konrad was altijd heel netjes.

Twee dagen later, nog voordat ik van de zaak op de hoogte was, belde Margarita Deresser, zo heette Enriques moeder, naar het hotel. Ze kwam uit Cali, had een lelieblanke huid en een heel lange achternaam, je snapt wel wat ik bedoel. Ik nam op. Ze wilde mijn vader spreken, vertelde ze, ze hadden getuigen nodig. Deresser had om een afspraak met de Adviescommissie gevraagd en ze waren net in de ambassade van de Verenigde Staten op gesprek geweest. Dat was nieuw, voorheen bepaalde alleen de ambassade of iemand al dan niet op de lijst werd gezet. Nu was er een commissie. "We hebben er niks aan gehad," zei Margarita, "en we zullen er ook niks aan hebben, let maar op. Ze waren alleen maar op ons geld uit, Sarita. En dat doe je met of zonder commissie, met de heer Santos of López of wie ook. Dit is al duizend keer zo gegaan, niet met mensen die we kennen, maar je hoort erover." Men had hun kopjes koffie en kopjes thee aangeboden, van die verkleinwoordjes die Bogotanen gebruiken als ze aardig willen doen, en gevraagd waarom meneer vond dat zijn naam van de lijst met onteigende staatsburgers moest worden geschrapt. Vijftien minuten lang lieten ze hen vertellen dat het allemaal een misverstand was, dat meneer Deresser geen enkele relatie van economische of persoonlijke aard had die strijdig zou kunnen zijn met de belangen van Colombia of de Verenigde Staten, dat hij geen aanhanger was van de Führer, in de verste verte niet, dat hij zich trouw voelde aan president Roosevelt, en dat allemaal zodat de assistent of secretaris van de ambassade aan het eind zou zeggen dat de relatie van de heer Deresser met vijandige elementen overtuigend bewezen was, evenals zijn sympathie voor propaganda-activiteiten, zo was het, het speet hun zeer, ze konden de zaak niet opnieuw bekijken, daar gingen zij niet over, maar het ministerie van Buitenlandse Zaken. "Ik weet niet wat we moeten doen," zei Margarita. "Uitgerekend Konrad, dat vind ik nog het ergste. Als jouw vader zoiets overkomt, weet ik dat hij zich wel redt. Maar Konrad is zwak, hij laat het erbij zitten. We moeten het uitleggen, Sarita. Vertellen dat hij niks met de asmogenheden of wie dan ook te maken heeft, dat hij geen verstand heeft van politiek; het enige wat hem interesseert is muziek en gewoon rustig zijn glas kunnen maken. Jouw vader moet hun schrijven. Hij moet hun vertellen hoe Konrad is, hoe wij allemaal zijn. Er zijn belangrijke mensen in het hotel geweest, je gaat me toch niet vertellen dat er niet ergens iemand in stelling kan worden gebracht? Hij moet van die lijst af, Sarita. We gaan er alles aan doen wat nodig is, maar we zullen hem van die lijst krijgen. Zo niet, dan is het gedaan met ons gezin." Ik vroeg: "En wat zegt Enrique ervan?" En ze zei: "Enrique wil er niets mee te maken hebben. Dat krijg je ervan als je met nazi's omgaat, zegt hij."'

'Natuurlijk' (zei Sara Guterman) 'wist ik toen waar het allemaal vandaan kwam. Dat Enrique Konrad de rug had toegekeerd vond ik eigenlijk wel normaal, want ze hadden het nooit goed kunnen vinden. Maar dat hij zich afzijdig hield van zoiets ernstigs, was niet meer zo normaal, want het feit dat zijn vader op de lijst stond, zou ook gevolgen hebben voor hem, dat stond buiten kijf. Ik kon het eerlijk gezegd niet begrijpen. "Niemand kent Enrique," zei jouw vader in die dagen tegen me. "Jij niet, ik niet, zijn eigen moeder niet. Niemand kent hem, dus niemand hoeft iets van hem te verwachten. Verrast je dat? Nou, geloof het maar en leer maar om geen dingen van mensen te verwachten. Niemand is wat hij lijkt. Niemand is ooit wat hij lijkt, zelfs de meest eenvoudige ziel heeft een ander gezicht." Ja, dat klonk heel mooi als filosofie, maar er was niets aan Enriques karakter, niets aan zijn gezicht of zijn manier van praten waardoor je dit had kunnen verwachten. Voor mij was het verraad, dat zeg ik je eerlijk. Het is een heel heftig woord, verraad van een vader is iets wat alleen in de Bijbel voorkomt, maar zo zag ik het. Misschien klopte het wat je vader zei en hadden we Enrique gewoon niet zo goed bekeken als we hadden moeten doen. En dat terwijl we hem al een hele tijd kenden. Sinds 1940 of zo, misschien nog wel eerder, was hij elke Goede Week in het hotel geweest. Ouwe Konrad had die soort van besloten gunning gewonnen die mijn vader voor alles in het hotel uitschreef. Vanwege een nationalistische voorkeur, onderlinge solidariteit tussen immigranten of hoe je het ook noemen wilt, was Konrad bij de opening van het Nueva Europa in elk geval degene die de vierhonderdnegenenvijftig ramen voor de verbouwing leverde. Stel je voor. Elke spiegel en elk raam, elke rechthoek van elke glazen deur, al dan niet geslepen, getint voor de kapspiegels en mat in de badkamers, de lamp in het restaurant die het Jenaglas naar de kroon kon steken. In feite konden het hotel en het glas van zijn vader Enrique gestolen worden. Hij vond andere dingen belangrijk. Het hotel zat bijvoorbeeld vol vrouwen en Enrique was ervan overtuigd dat vrouwen zich op de aardbodem bevonden om door hem als rijpe avocado's te worden uitgekozen. Soms leek hij daar inderdaad geen ongelijk in te hebben. Hij wandelde met de flair van een bolerozanger en het uiterlijk van een aartshertog het hotel binnen in zijn Everfit-pakken, met zijn Parker 51's en met bloemen in zijn hand, en de vrouwen smolten, het was gewoon gênant. Maar hij was nou eenmaal een boeiende man, dat heb zelfs ik nooit kunnen ontkennen. Niet alleen omdat hij iets buitenlands had, wat hier altijd goed in de smaak is gevallen; niet omdat hij zich voortbewoog alsof de wereld aan zijn voeten lag en hij hem uit bescheidenheid had afgewezen; ook niet omdat hij, wanneer hij met zijn haar vol brillantine en de manieren van een zoon van adel het hotelrestaurant binnenliep, in staat was de kamermeisjes schunnige commentaren te ontlokken en de echtgenotes van de gasten geheime gunsten te ontfutselen, maar omdat zijn stem leugenbestendig leek te zijn. Enriques woorden deden er niet toe, het was zijn overwicht dat telde. Ik zweer het je, Enrique gaf zijn gesprekspartners het gevoel alsof ze even buiten hun eigen leven traden, alsof ze bevrijd werden en in een operadecor werden neergezet. (Maar nee, Enrique hield niet van opera. Integendeel, hij verachtte de opera, hij verachtte die muziek waar zijn vader zijn vrije uren en menig arbeidsuur aan wijdde.) Wanneer je met hem praatte, keek hij naar je ogen en je mond, je ogen en je mond, zo intens dat mensen aanvankelijk hun snor schoonveegden omdat ze dachten dat er broodkruimels in hingen of hun bril afzetten om te kijken of er geen vlekjes op het montuur zaten. Vervolgens moest men dan constateren van niet, dat hij gewoon zo aandachtig luisterde. Zo was het om met hem te praten. Er kon in de achtertuin een oorlog uitbreken, maar hij liet je niet los met zijn blik.

Enrique gebruikte het Duits nooit in het openbaar. Hij had het thuis geleerd, het was de taal die hij met zijn ouders sprak, maar buiten de deur, als hij in de glaswinkel werkte of in het hotel was, antwoordde hij in het Spaans van Bogotá, al stelde Konrad hem een vraag in het Duits uit Zwaben. Voor jouw vader was dat allemaal een heilig mysterie. De eerste keer dat hij bij de Deressers ging eten, in dat gerieflijke, grote huis in de wijk La Soledad, was heel raar voor hem. Enrique leek een ander toen je vader daar aankwam en hem een andere taal hoorde spreken. Zijn vriend praatte en hij verstond het niet. Hij praatte waar hij bij zat en hij kon niet weten wat hij zei. Eerst was er verwondering en, wat met verwondering komt, argwaan. Maar toen Gabriel later de deur uit liep, bedacht hij dat dit het boeiendste schouwspel was dat hij ooit had gezien, en de keer daarop vroeg hij me om mee te gaan. Als een soort gids voor Duitse gewoonten, of een soort gelegenheidstolk. Nu denk ik dat hij getuigen wilde hebben. Na het eten vroeg Enrique aan ouwe Konrad: "Zou jij voorgoed teruggaan?" Konrad antwoordde ontwijkend en begon toen over de taal waarin hij was geboren en daarna over het Spaans, dat hij vreselijk moeilijk vond. Hij had eens bij een dichter gelezen dat slang een soort wrat was op het normale taalgebruik. Dat is me bijgebleven, een wrat. "Hoe hard we ons ook uitsloven," zei hij, "wij immigranten produceren wratten." Daarna sloot hij het gesprek af en dat was maar goed ook, want Enrique was in staat tot harde uitspraken, die hij zich nooit zou veroorloven als hij het over andere dingen had, zoals romantische componisten of Boheems glas. Enrique zei dat hij zijn kinderen nooit Duits zou leren en herhaalde dat meerdere malen tegenover jouw vader en mij. Ik begreep dat wel, ja, want mijn vader kreeg brieven van bekenden en collega's en verre verwanten waarin die mensen ons vertelden hoe verschrikkelijk het was om binnen het gezin, in de liefde of bij het omschrijven van mooie dingen een taal te gebruiken die feitelijk de taal van het nationaal-socialisme was.

Natuurlijk, Enrique begon te beseffen dat de taal van zijn ouders in zijn hoofd afstierf, niet alleen omdat hij hem buitenshuis niet sprak, maar ook omdat hij hem niet sprak met mensen van zijn leeftijd en de uitdrukkingen, spreekwoorden, zegswijzen die hij gebruikte, dertig jaar ouder waren dan hijzelf. En zo bevond hij zich in de tegenstrijdige en bijna ondraaglijke situatie dat hij zat opgesloten in een taal die niet dacht zoals hij, maar zoals zijn ouders, vandaar die behoefte om thuis in opstand te komen. Heel vreemd was dat. Alsof hij een personage zonder decor wilde zijn, weet je? Iemand zonder enige relatie tussen zijn lichaam en het tapijt, tussen zijn lichaam en de muren van de woonkamer. Er stond een piano in het huis die per dag werd gehuurd en er hing een portret van een Pruisische militair, een illustere voorvader, geloof ik. Enrique wilde er niets mee te maken hebben. Hij wilde een personage zonder achtergrond zijn. Een vlak, tweedimensionaal wezen zonder rug. En als hij de deur uit ging, leek het alsof hij nieuw wilde zijn. Taal was slechts een van de dingen die dat mogelijk maakten. Colombiaans spreken was met zijn uiterlijk zoiets als een duikerspak aantrekken en het water in springen, het comfortabele gevoel dat je je in een vreemde omgeving bevindt, maar je daarin gemakkelijker kan bewegen dan in je eigen milieu. Dat moest hij toch zeker uitbuiten? Hij was niet gek. Voor het eerst constateerde Enrique wat jouw vader altijd al had geweten: je bent wat je zegt, je bent hoe je het zegt. Met ouwe Konrad gebeurde precies het tegenovergestelde.

Margarita liet me plaatsnemen in de met fluweel beklede stoelen in de woonkamer en bood me thee met koekjes aan of een gebakje van mevrouw Gallenmüller, die bij de kruising van de negentiende met de derde straat woonde, en vertelde me hierover. Ze werd ter plekke nostalgisch; als ze over haar echtgenoot begon, draaide het er altijd op uit dat ze me vertelde hoe anders hij was geweest toen hij aankwam in Colombia, hoe hij sindsdien was veranderd. Ze zei dat hij door de tijd verraden was. Allebei, iedereen was door de tijd verraden. In plaats van Konrad het comfortabele gevoel terug te geven dat iedereen in zijn eigen land heeft en dat een balling stukje bij beetje verovert, had de tijd hem dat afgenomen. De tijd had hem zijn spontaniteit ontzegd, zei Margarita, het vermogen om te reageren zonder erbij na te denken, om een grapje te maken of een ironische opmerking te plaatsen, alles wat mensen kunnen doen die in hun eigen taal leven. Deels daardoor had ouwe Konrad nooit een normale relatie met een Colombiaan gehad. Wat hij zei was te overdacht of te stijf om een vriendschap te kunnen laten ontstaan. Of een gevoel van verstandhouding, op zijn minst. Verstandhouding is heel prettig, maar onmogelijk als je een taal niet goed spreekt. Enrique had het geluk dat hij dat opmerkte en inzag, ondanks zijn zeer jonge leeftijd. Konrad Deresser is zijn leven lang een heel onzekere man geweest en sinds zijn vroege jeugd is het voor Enrique een obsessie geweest om een masker van het tegenovergestelde te creëren, om een man met zelfvertrouwen van zichzelf te maken, de zelfverzekerdheid te ontwikkelen waarmee hij anderen kon aanspreken zoals hij dat later deed. Zonder met zijn ogen te knipperen. Zonder te stamelen. Zonder twee keer over een woord na te denken. Ik heb nooit geweten wie het van wie heeft geleerd, hij van jouw vader of andersom. Begin 1942 kwam er een Duits echtpaar uit Barranquilla dat ze kenden in Bogotá wonen. Je moet je voorstellen wat het voor iemand als ouwe Konrad betekent om met mensen uit zijn eigen land te praten. Ik weet het, ik kan me dat voorstellen, want mijn vader heeft lang hetzelfde meegemaakt. Precies hetzelfde. Als hij een Duitser tegenkwam, was hij in de zevende hemel. Het was het mooiste wat hem kon overkomen. Vloeiend praten, met gemak, zonder je eigen grammaticale fouten, je onbeholpen vervoegingen in het gezicht van de ander terug te zien, zonder te denken dat je buurman elk moment in lachen kan uitbarsten vanwege je uitspraak, zonder banger te zijn voor de rollende r en de keelklank van de "jota" dan voor een inbreker, zonder elke keer als je het accent op de verkeerde lettergreep legt, duizend doden te sterven.

Het stel dat arriveerde droeg de achternaam Bethke. Het waren een man en zijn piepjonge echtgenote; hij zal dertig zijn geweest, ietsje ouder misschien, de leeftijd die jij nu hebt, en zij rond de twintig, net als wij destijds. Hans en Julia Bethke. Het was in de tijd van de eerste beperkende maatregelen. Onderdanen van de asmogendheden weg bij de radio. Onderdanen van de asmogendheden weg bij de kranten. En onderdanen van de asmogendheden weg uit het kustgebied. Ja, zo ging dat. Alle Duitsers die in Buenaventura of Barranquilla of Cartagena woonden, moesten naar het binnenland. Sommigen vertrokken naar Cali, anderen naar Medellín, weer anderen kwamen naar Bogotá; Bogotá stroomde in die tijd vol met nieuwe Duitsers, dat was fantastisch voor het hotel, papa was blij. Nou, onder hen waren dus de Bethkes uit Barranquilla. Op de *Buß- und Bettag* van 1943 organiseerden de Deressers een besloten etentje zonder al te veel opsmuk. Je vader was heel verbaasd dat wij werden uitgenodigd. We waren allebei bijna twintig, maar we kwamen pas net kijken, natuurlijk; je voelt je op die leeftijd de verlosser van de wereld, het is een wonder dat je je eigen fouten overleeft. Ja, je hebt er natuurlijk bij wie dat niet zo is, je hebt mensen die op hun zestiende of zeventiende of achttiende de enige fout van hun leven maken en daar de rest van hun leven mee verder moeten. Op die leeftijd besef je dat wat ze je tot dan toe verteld hebben, allemaal gebakken lucht is, dat de wereld heel anders in elkaar steekt. Maar krijg je er soms een actuele gebruiksaanwijzing bij, een garantie op z'n minst? Niks. Zoek het maar uit. Dat maakt de wereld zo wreed. Het wrede is niet het feit dat je geboren wordt, dat is psychoanalyse voor beginners. Ook niet dat je familie omkomt bij een ongeluk, ongelukken willen niks zeggen. Het wrede is dat ze je tot de overtuiging laten komen dat je weet hoe de dingen werken. Want dat is meerderjarig worden. Een vrouw wordt voor het eerst ongesteld en vier, vijf jaar later weet ze zeker dat het afgelopen is met de verrassingen. En dan komt de wereld om de hoek kijken en zegt: welnee, jongedame, u weet helemaal geen donder.

Toen we werden uitgenodigd, had ik Gabriel niet verteld wat

iedereen wel wist: dat Konrad Deresser hemel en aarde aan mijn vader te danken had. Als mijn vader er niet was geweest en het glas voor het hotel niet bij hem had besteld, had de oude Deresser niet eens genoeg geld gehad om een etentje te organiseren. Toen hij bij de radio werd ontslagen, betaalde mijn vader de zoon van een kokkin een peso om hem de twintig à dertig kleinste raampjes in het hotel te laten zoeken en ze ongezien in te slaan. Vervolgens bestelde hij die bij Deresser en betaalde er de nieuwprijs voor, en hij betaalde ook nog de twee hechtingen in de duim van het jongetje, dat zich had verwond bij zijn poging het badkamerraampje op de tweede verdieping in te slaan. Dus natuurlijk werd ik uitgenodigd, ik was immers de dochter van Herr Guterman. Herr Guterman was overigens ook uitgenodigd, dat sprak voor zich. Maar hij bedankte er vriendelijk voor. Uit beleefdheid stuurde hij mij en Gabriel ging met me mee, maar hij liet zich verontschuldigen omdat hij heel goed wist dat de Bethkes als nazi's bekendstonden. Er zijn foto's van: bijeenkomsten in Barranquilla, een hakenkruis zo groot als een filmscherm en die lui in hun witgeschilderde houten stoelen, allemaal met het haar netjes in een scheiding. Op de verhoging of het podium of hoe dat ook heet, mensen in hun keurig gestreken bruingrijze overhemden met de handen stijf op de rug. Of op vergaderingen, waar ze allemaal bier drinkend rond een tafel met een gehaakt kleedje zitten. De Bethkes erbij, in wit pak met witte stropdas, hij met de mouwband en zij met een speld op haar borst, op de foto zie je het amper maar ik weet het nog heel goed, de adelaar was van goud en het hakenkruis van onyx, een prachtig gemaakt sieraadje. Met hen hadden we dus een etentje. Zo raar was dat nou ook weer niet, hoor, het kwam wel vaker voor dat ik met hakenkruisspeldjes of mouwbanden aan tafel moest. In het hotel natuurlijk niet dagelijks, maar vóór 1941 verstopte niemand zich, niemand van die lui verstopte zich, dus zo heel ongewoon was het nou ook weer niet.

Maar goed, waarom stuurde hij mij? Als papa zelf liever niet ging, om de zeer begrijpelijke reden dat het gezelschap niet deugde, waarom vond hij het dan geen punt dat ik wél ging? Dat vroeg ik me destijds af, en het antwoord werd daarna wel duidelijk. Mijn vader was een idealist. Alleen een idealist gaat met zo veel vertrouwen naar een land als Colombia. Mensen zeggen dat de idealisten dood zijn, omdat ze zijn gebleven in de hoop dat het goed zou komen. Ik ben het daar nooit mee eens geweest. Dat waren de pechvogels, punt uit. Of de mensen die geen geld hadden. Of de mensen die geen document konden bemachtigen om Duitsland te verlaten of een visum voor de Verenigde Staten of waar dan ook. De idealisten daarentegen pakten op een avond hun koffers en zeiden: het leven is beter op een plek die we niet kennen. Mijn vader was een rijk man in Duitsland. En op een avond zei hij: we hebben het vast beter als we kazen gaan verkopen in het oerwoud. Want dat was Colombia voor een man als mijn vader: het oerwoud. Mijn schoolvriendinnetjes schreven me met de vraag of je met een lift de bomen in ging, echt waar. Dat is idealisme, en daarom vond hij het nodig dat ik namens de familie met een vent aan tafel ging zitten van wie werd gezegd dat hij een portret van Hitler in zijn huiskamer had. Het leven is anders hier in Colombia, hier zijn we allemaal Duitsers, zei hij; hier zitten geen joden of ariërs, zei hij in het hotel, en in het hotel werkte dat. Ja, je moet wel heel naïef zijn, heel bijziend, ik weet het. En zijn vrienden dan, die op pleinen in Duitsland waren opgehangen? En de mensen die toen al een gele ster op hun kleding gestikt droegen? Goh, ja, mijn vader vergiste zich niet vaak, maar hier had hij het bij het verkeerde eind. Hij dacht, net als zo veel andere joden, dat het nazisme in ballingschap een spel was, dat ballingen geen echte nazi's konden zijn, al kwamen ze nog zo vaak bij elkaar, al was er nog zo veel propaganda, al waren er bewijzen; wij hadden geholpen om dit land op te bouwen, de mensen hielden toch van ons? Hier werden de gemoederen getemperd, hier werden de mensen weer beschaafd en redelijk, wie kon hem het tegendeel bewijzen? Hij was weliswaar niet de enige, de joodse gemeenschap was heel goed in het ontkennen van haat van buitenaf of hoe je het ook noemen wilt. Er was natuurlijk weleens een gast die die idiote gedachten van hem bevestigde, want de gasten gaan de hoteleigenaar natuurlijk niet vertellen wat ze van zijn neus vinden, denk je wel? De gasten gaan geen swastika's op de muren van hun kamer schilderen, hè? Nee, mijn vader was zo mak als een lammetje in die tijd. Later heeft hij dat wel ingezien, maar op dat moment was hij een mak lam. Die ouwe Seeler, een vreselijke vent, een van de aartsvaders van het antisemitisme in Bogotá, heeft eens in het hotel overnacht. Mijn vader liet hem toe met het excuus dat hij hem had zien aankomen met de roman *María* van Jorge Isaacs in de hand. En zo kan ik je nog wel duizend voorbeelden geven. Tja, wat moet ik ervan zeggen, hij heeft van meet af aan gevonden dat hij me niet in verbittering mocht grootbrengen, dat heeft hij heel vaak tegen me gezegd, dat hij met mij een nieuwe start moest maken; bovendien (dit heeft hij niet gezegd, maar ik kan het me goed voorstellen) kon hij me niet meegeven dat er mensen zijn met wie je niet aan tafel gaat zitten, zeker geen Duitsers, zoals wij. Zoals wij, kun je nagaan. In Colombia was de vijand minder vijandig, dat zal het lam dat mijn vader destijds was, gedacht hebben. Bedenk daarbij wel dat er in Colombia nooit is gesproken over de kampen, de treinen en de ovens in Europa. Dat bestond niet voor de Colombiaanse pers, dat hoorden we pas later. Mensen die ervan wisten terwijl het gaande was, stonden alleen, ze werden door de kranten genegeerd. Maar goed, ik fungeerde dus als ambassadrice voor Herr Guterman, de idealist, en kwam zo aan tafel te zitten tussen jouw vader en Hans Bethke en tegenover Enrique Deresser, die tussen de twee vrouwen, Julia Bethke en doña Margarita, in zat. Aan het hoofd, maar zonder autoriteit, ouwe Konrad, die zittend kleiner leek dan hij was, maar het kon ook zijn dat het gezelschap hem deed krimpen.

Hans Bethkes gladgeschoren gezicht, zijn brilletje voor bijziendheid, alles aan hem zei: ik glimlach wel naar je, maar zodra je je omdraait, steek ik een mes in je rug. Hij had kroezelig blond haar met brillantine en langs zijn slapen vormden zich kleine pijpenkrulletjes; zijn hoofd was één grote weerborstel, alsof je met een boom van Van Gogh aan tafel zat. En hij praatte, die boom. Hij praatte voor tien. Van het weinige dat hij in zijn leven had klaargespeeld, bediende hij zich om iedereen af te troeven. Voordat we in de woonkamer het aperitief hadden genuttigd, wisten we al dat Bethke op zijn twintigste een rondreis door Duitsland had gemaakt, gestuurd door zijn familie om het land van zijn voorouders te leren kennen, en dat hij Duitser dan de *Kaiser* was teruggekomen in Colombia. Je zou bijna zeggen dat hij zijn paspoort op zijn revers droeg, ware het niet dat hij nog altijd een Colombiaans paspoort had. Hij was een man met heel kleine handjes, zo klein dat de saladevork eruitzag als die voor het hoofdgerecht. Die kleine handen maakten me achterdochtig, ik weet niet waarom. Niet alleen mij, jouw vader had hetzelfde. Het was alsof ze ervoor gemaakt waren om het vestzakje van zijn tafelbuur binnen te glippen. Maar ze glipten nergens binnen. Bethke hanteerde zijn bestek alsof hij een harp bespeelde. Heel wat anders was het als hij zijn mond opendeed. Bethke had een column in *La Nueva Colombia*, hoewel ik dat pas later heb vernomen. En als hij praatte, was het alsof je dat hoorde, een column in een fascistische krant. Ja, dat was mijn tafelgenoot, een pratende krant, zeg nou zelf, dat is toch het toppunt van ironie.

Met het aperitief nog in de hand begon Bethke Konrad te vertellen over de spullen die hij van zijn reis had meegenomen. Platen, boeken, zelfs twee houtskooltekeningen met namen die mij niets zeiden. Ik zei dat ik Chagall erg goed vond. Gewoon om ook iets te zeggen, meer niet. Maar Bethke keek me aan alsof het tijd was voor mijn flesje. Alsof ik mijn tanden moest gaan poetsen en daarna meteen naar bed. Hij zei iets over ontaarde kunst, iets wat ik eerlijk gezegd niet zo goed begreep, en vervolgens sprak hij zo omzichtig mogelijk Konrad aan; als hij probeerde zijn verontwaardiging te verbergen, deed hij dat echter heel slecht. Of hij was een slechte acteur, of een hele goede, daar ben ik nooit achter gekomen. "Ik zal u wat vertellen, Herr Deresser," zei hij. "Ik zou hier niet met u aan een drankje zitten als ik zou weten dat die ontaarde kunst Duitsland kan veroveren. Maar ik ben gerust, ik ga u niet tegenspreken, ik ben gerust omdat de Führer voor ons zorgt, hij zorgt voor u en hij zorgt voor mij, hij helpt ons te onthouden wat we zijn. Er staat iets te gebeuren, Herr Deresser, het hangt in de lucht voor wie het ruiken wil, en ik wil daar deel van uitmaken, hier in Colombia of waar dan ook, dat doet er niet toe, je bloed draag je altijd bij je. Nee, niemand zweert zijn eigen bloed af. Waarom zou een Duitser zichzelf moeten vergeten als hij hier arriveert? Bent u vergeten wie u bent, zijn mijn ouders dat vergeten? Integendeel. Wat er met uw kinderen is gebeurd is wat anders. Weet u wat ik vind van al die Duitsers die geen Duits spreken, met hun Spaanse namen en hun tanende moraal, al die mensen die te laat komen omdat men hier te laat komt, die slecht werk afleveren omdat het hier prutsers zijn, die liegen en bedriegen omdat dat hier normaal is? Ze lijken wel ziek. Ze zijn ziek zonder dat ze het zelf doorhebben. Ze hebben lepra. Ze brokkelen langzaam af. Ze hebben zich willen aanpassen en hebben zich verlaagd. Het ironische van de zaak is dat er mensen als ik aan te pas moeten komen, mensen die pas op hun twintigste voet in Duitsland hebben gezet, om hun dit allemaal uit te leggen, om hen bij te sturen."

Ik geloof niet dat Gabriel goed heeft begrepen waar dat over ging. Maar ik hoefde het hem niet uit te leggen, allereerst omdat ik het zelf ook niet helemaal begreep – ik hoorde zulke dingen en het was alsof er onder water tegen me werd gesproken – en ten tweede omdat Gabriel tijdens zijn tirade boven in Enriques kamer was geweest om naar een van de eerste afleveringen van *La vorágine* te luisteren, die op de radio werd voorgelezen, of liever gezegd gespeeld, met geluidseffecten en al. Er zaten donderslagen en regen in, zei Gabriel, en mensen die over het gras liepen en geluiden van apen en werkende mensen, het was betoverend. Toen ze naar de eetkamer kwamen, hadden ze het er nog steeds over, en Konrad moest Enrique erop wijzen dat de anderen het programma wellicht niet gehoord hadden en dat het onbeleefd was erover door te gaan waar wij bij zaten. Onder meer omdat ze met het praten over *La vorágine* Herr Bethke onderbraken. En dat kon echt niet. De wereld mag vergaan, maar Herr Bethke zal zijn boodschap naar de overkant van de tafel brengen. Dat leek ouwe Konrad te zeggen. We zijn ons niet bewust van ons geluk, leek hij te zeggen. De mensen hier aan tafel weten niet hoeveel geluk ze hebben, leek hij te zeggen. En dat allemaal omdat tussen ons een man zat die Emil Prüfert kende, de befaamde Emil Prüfert, de leider van de Colombiaanse nazipartij. Prüfert was een van de eerste Duitsers geweest die het land verlieten. We wisten niet of ze bevriend waren, maar Bethke sprak over Prüfert alsof ze als kind dezelfde voedster hadden gehad, alsof ze uit dezelfde borst hadden gedronken. En ouwe Konrad zag bleek, bleek van bewondering, misschien, of misschien van ontzag, ofschoon hij wist dat Prüfert vóór de breuk tussen Colombia en Duitsland was weggegaan, te lang daarvoor zelfs, wat veel mensen opmerkelijk hadden gevonden en sommigen gewoon laf.

We hadden hem nog nooit zo gezien, Gabriel en ik allebei

niet, en het maakte diepe indruk. Het was alsof hij uit zichzelf was getreden. Zijn hoofd viel naar voren, dat moest het zijn, een knik van instemming kon het niet wezen. Dit was geen beleefdheid of diplomatie. Dit waren niet de goede manieren van een gastheer tegenover zijn gast. Ik weet niet of Enrique veinsde en deed alsof hij zijn vader niet gezien had tijdens deze vertoning van ordinaire kruiperigheid, maar ook hij had een gezicht van afgrijzen. "Dit is Duits," zei Bethke. "Samen aan tafel kunnen eten en ongecompliceerd over ons land praten. Waarom wil dit land ons verbieden onze taal te gebruiken? Dat het is gebeurd is al vreselijk, maar dat wij het laten gebeuren is ondenkbaar. Waarom laten we het gebeuren, Herr Deresser? De regering sluit Duitse scholen bij de vleet. De Duitse school in Bogotá? Dicht. De kleuterschool van Barranquilla? Dicht. Wat, zijn kinderen van zeven soms een bedreiging voor de heerschappij van de Verenigde Staten? Julie hebben vast het commentaar van Struve, die communistische priester, gelezen. Meneer de minister heeft niet een school gesloten, maar een instituut voor politieke propaganda. En dan die goedkope stemmingmakerij. Dat hij die nazidocenten niet meer moet toelaten. Dat het Spaans als officiële lestaal moet worden uitgeroepen. Dat er een brandstapel op het schoolplein moet worden gemaakt om al het propagandamateriaal van de nazi's te verbranden. En wat is dat materiaal dan wel? Geschiedenisboeken. Dat is waar minister Arciniegas op uit is, dat is wat president Santos wil, dat boeken over de Duitse geschiedenis verbrand worden, dat de Duitse taal in dit land wordt vervolgd en uitgeroeid. En wat doen de Duitsers? Ze laten het over zich heen komen, dat lijkt me duidelijk." Margarita onderbrak hem, of probeerde dat althans, door te praten over een vereniging die goede dingen deed. Bethke hoorde haar, maar keek haar niet aan. "Katz, automonteur," zei hij. "Priller, bakker. Is dat de grote gemeenschap? Zijn dat nou die zogenaamde vrije Duitsers? Deze Duitsers hebben gif in hun bloed, Herr Deresser. Die gifbronnen moeten worden uitgeroeid, in naam van onze toekomst, dat zeg ik u." Op dat moment boog je vader zich naar me toe en zei heel zachtjes: "Leugenaar, dat komt niet van hemzelf, dat komt uit een hele beroemde toespraak." Het verbaasde me eerlijk gezegd niet dat hij dat soort dingen wist. Maar ik kon er niet op ingaan of er een vraag over stellen – van wie die toespraak was, wat er nog meer in stond –, want Bethke ratelde maar door. "Er zijn er maar weinig die hun stem durven te verheffen, durven te protesteren, en daar ben ik er een van. Bent u niet trots op uw Duitse bloed, Herr Deresser? Dat dat bloed door de aderen van uw zoon stroomt?" En toen deed Enrique voor het eerst zijn mond open. "Laat mij erbuiten," zei hij. Verder zei hij niets en het zag er ook niet naar uit dat hij nog meer zou gaan zeggen, maar die drie woorden waren genoeg voor ouwe Konrad om rechter in zijn stoel te gaan zitten. "Alsjeblieft, Enrique. Zo praat je niet tegen een..." Maar Bethke kapte hem af. "Nee, laat hem maar, Herr Deresser, laat hem maar, ik wil weten wat jonge mensen ervan vinden. Jonge mensen zijn het motief voor onze strijd." "Nou, wat mij betreft hoeft u geen moeite te doen," zei Enrique, "ik red me prima in mijn eentje." Ouwe Konrad greep in, het was duidelijk dat hij heel goed wist hoe ver zijn zoon kon gaan. "Enrique is een romanticus," zei hij. "Zuid-Amerikaans bloed, Herr Bethke, u kunt hem moeilijk vragen om niet ... Natuurlijk, u begrijpt wel, wie in Colombia is geboren ..." "Ik ben ook in Colombia geboren," kapte Bethke hem af, "maar dat was een ongelukje, en ik vergeet in elk geval niet waar ik vandaan kom en welke mijn wortels zijn. Op deze manier houdt Duitsland op te bestaan, het zal de oorlog verliezen; niet tegen de Amerikanen, niet tegen de communisten, maar tegen elke *Auslandsdeutsche*. Nee, je kunt niet met je armen over elkaar toekijken hoe je volk ten onder gaat. Iedereen weet hoe de mens in elkaar zit. De moeder draagt altijd zorg voor de opvoeding van het kind en in belangrijke mate voor zijn normen en waarden en het is de taal van de moeder die het kind het natuurlijkst overneemt. Uw vrouw weet dat, uw zoon is er het levende bewijs van. Ons eigen bloed wordt ons ontnomen, meneer, onze eigen identiteit wordt ons afgepakt. Elke Duitser die met een Colombiaanse is getrouwd, is een verloren lijn voor het Duitse ras. Jazeker. Verloren voor de 'Duitsheid'."

Dit laatste zei hij terwijl hij naar zijn eigen bord soep keek om een hap te nemen. Het was crèmesoep, een tomatencrèmesoep zo dik als koek, die Margarita had laten opdienen met een sierlijk roomspiraaltje erbovenop. In het midden van dat spiraaltje, waar een takje peterselie lag, kwam een heel broodje terecht, zo'n vuistgroot broodje met een harde korst, weet je welke ik bedoel? Enrique had het zo hard in zijn soep gesmeten dat het leek alsof hij er een vlieg op de peterselie mee had willen doodgooien. Het broodje bleef liggen, afgeremd door de dikke tomatensoep, en de tomatensoep spatte op het overhemd en de stropdas en in het gezicht en het ingevette haar van Herr Bethke. Er kwamen ook wat spetters op mij terecht, natuurlijk, dat was onvermijdelijk. Ik hoef je niet te vertellen dat ik dat helemaal niet erg vond.

Ouwe Konrad stond op alsof er een veer in zijn stoel zat, terwijl hij Duitse woorden schreeuwde en als een zwemmer met zijn armen maaide. In extreme situaties noemde hij Enrique bij zijn Duitse naam. En dit was een extreme situatie. Ouwe Konrad schreeuwde in het Duits tegen zijn zoon Heinrich, hij liep met een servet in zijn hand naar Bethke, hij schreeuwde tegen Heinrich en depte Bethkes schouders schoon. "Dat hoeft niet, maakt u zich geen zorgen," zei Bethke, met zijn lippen zo hard op elkaar geperst dat het een wonder was dat je hem nog verstond. "We wilden toch al gaan." En zijn vrouw, de onzichtbare Julia, stond op zoals ze er de hele maaltijd bij had gezeten: zonder enig geluid. Haar bestek rinkelde niet, haar lepel stootte nooit tegen de bodem van haar bord, haar servet maakte nooit geluid wanneer Julia haar mondje ermee schoondepte. Op die manier stond ze op en ging naast haar man staan en twee seconden later klonk de deur. Je hoorde Konrad afscheid nemen, "het spijt me ontzettend, Herr Bethke, wat een vervelende toestand, iemand als u, u neemt het ons toch niet kwalijk ..." Maar van de kant van de gasten hoorde je niets, alsof ze de oude man die zich stond te verontschuldigen, de rug hadden toegekeerd. Er hingen van die belletjes die rinkelen wanneer de deur open- of dichtgaat. Die hoorden we wel. Die belletjes. En vervolgens zagen we ouwe Konrad de kamer weer binnenkomen, rood van woede maar zonder enig morren of schelden; hij gaf Margarita een zoen op haar voorhoofd en liep zonder Enrique of ons aan te kijken naar de trap. We bestonden niet meer of we bestonden als een schande, als een vinger die hem nawees. Ik vond het al ongelooflijk dat hij niks kwam zeggen, maar toen zei hij vijf woorden, vijf miezerige woordjes: "Laat het niet weer gebeuren." Hij sprak ze uit op dezelfde toon als waarop iemand anders gezegd zou hebben: "Morgen is het markt." "Het zal weer gebeuren," zei Enrique, "elke keer als jij een klootzak in huis haalt." Margarita huilde. Ik zag dat jouw vader met zijn rug naar haar toe ging zitten, vast zodat ze zich niet nog rotter hoefde te voelen. Ik vond het mooi dat hij daarbij stilstond. Ondertussen bleef ouwe Konrad op de eerste trede stilstaan, alsof hij niet zo goed wist hoe hij naar zijn kamer moest komen, of alsof hij opzettelijk stond te wachten tot Enrique zou zeggen: "Ik ben benieuwd wanneer je eens een keer in staat zult zijn om voor jezelf op te komen." "Enrique, lieverd," zei Margarita. "Of kan het je gewoon niet schelen," zei Enrique. "Kan het je niet schelen dat ze je vrouw beledigen waar je bij staat?" "Hou op," zei Margarita. Ouwe Konrad begon de trap op te lopen. "Je bent een lafaard," riep Enrique hem na. "Een lafaard en een kontlikker."

Heb je de trap in die huizen in La Soledad weleens gezien? Het waren hele typische trappen, want sommige, de modernste, hadden geen leuning. Als je vanaf de benedenverdieping iemand naar boven ziet lopen, wordt er bij elke trede een stukje van die persoon afgesneden, is dat je ooit opgevallen? Op de eerste trede zie je het hele lichaam. Op de vierde is het hoofd weg, omdat het door het plafond wordt afgehakt. Verder naar boven wordt de romp afgehakt en even later zijn er alleen nog twee traplopende benen te zien, totdat de persoon die omhoog loopt verdwijnt. Nou, de trap in dat huis was er dus zo een. Ik vertel je dit allemaal omdat Enrique dat riep toen er van ouwe Konrad alleen nog een stel benen te zien was. "Een lafaard, een kontlikker." En de benen op de trap bleven stilstaan, ik geloof met één knie in de lucht en al, zo staat het me in elk geval voor de geest. En toen begonnen ze terug te lopen. Een tree naar beneden. Daarna nog een. Daarna nog een. Het lichaam van ouwe Konrad kwam weer tevoorschijn. Zijn romp, zijn hoofd. Totdat hij bij de eerste trede aankwam. Nee, hij kwam niet van de trap. Het was alsof hij ons ervan wilde verzekeren dat het etentje, ondanks het feit dat hij was teruggekomen om iets te zeggen, voorbij was, dat het samenzijn werd afgelast. En daar, op een van de eerste treden, met de zijkant van zijn lichaam naar ons, de mensen in de kamer, toegedraaid, keek hij naar zijn zoon, zijn zoon die hem een lafaard en een kontlikker had genoemd, en ging door het lint, hij gooide de sluisdeuren open. Hij sprak Spaans, alsof hij tegen Enrique wilde zeggen: nu speel ik volgens jouw regels. Ik heb geen voorsprong nodig, ik hoef geen minzaamheid, ik wil dat je luistert en het in je oren knoopt. En Enrique luisterde, uiteraard. We luisterden allemaal. "Ja, ik ben een lafaard," zei ouwe Konrad, "maar dat ben ik omdat ik niet ben wat ik zijn wil, dat ben ik omdat ik nog steeds hier woon, ik ben hier, dat is laf. Elke dag wordt Duitsland vernederd, sla *El Diario Popular* er maar op na, kijk maar eens wat de slippendragers van Roosevelt de hele tijd roepen, denken ze soms dat niemand dat doorheeft? Denken ze soms dat niemand zijn mond open zal doen? We worden uitgemaakt voor leden van de vijfde colonne, ons gezantschap wordt met stenen bekogeld, de ruiten van onze winkels worden ingegooid, onze taal wordt verboden, Enrique, onze scholen worden gesloten en de schooldirecteuren gedeporteerd. Waarom sluit Arciniegas onze scholen? Is dat uit politieke of religieuze overwegingen? Dat is niet omdat er nazi's zitten, maar leken, en wie geen leek is, is protestant. Je weet niet wie die Duitse scholen sluit, de regering of de Heilige Stoel, en ondertussen noemen Arendt en die verraders van hem zich vrije Duitsers, en ik sta erbij en kijk ernaar. Bethke doet wat ik niet in staat ben om te denken, hij is een echte patriot en schaamt zich er niet voor dat hardop te zeggen, hij spreekt hardop, de Duitse taal is ervoor gemaakt om hardop te worden uitgesproken. Al vergis je je ook weleens. Ja, hij heeft zich vast vergist, maar hij vergist zich voor Duitsland. Ik heb me ervoor geschaamd om Duitser te zijn, maar dat zal niet mijn hele leven zo blijven, elke lafheid heeft zijn grenzen, zelfs de mijne. Ik zeg het je, ik zal niet zwijgend toekijken. Duitsland heeft overal vrienden, jij houdt niet van wat Duits is, natuurlijk niet, want jij weet nog niet waar je vandaan komt, je weet niet wie je bent, je hebt geen wortels. Weet u wat Duits is, juffrouw Guterman, of bent u ook een ontheemde? De verboden taal, de literatuur die uit de Duitse scholen is geroofd en in het openbaar door de pastoor is verbrand. Maar er zijn mensen aan het werk om ervoor te zorgen dat dat stopt. Het kan mij niet schelen of een regering van zwakbegaafden hen als gevaarlijk beschouwt, dat doet me niks, een patriot is nooit gevaarlijk. In Colombia bidden er mensen voor de overwinning van Duitsland, daar hoor ik niet bij, maar dat geeft niet, want de toekomst van Duitsland is groter dan zijn machthebbers, nou en of, de toekomst van Duitsland is groter dan de Duitsers. En daarom zullen we ondanks onszelf weerstand bieden; soms moet je iets doen wat je tegenstaat, maar wie er over je zal oordelen, wie er over je zúllen oordelen, dat is het enige wat telt, het gaat erom wie de rechter van jouw leven is. Hitler verdwijnt, net als alle tirannen, maar Duitsland blijft, en wat dan? We moeten ons verweren, nietwaar? En we zullen weerstand bieden, daar twijfel ik absoluut niet aan. Op wat voor manier en met welke middelen ook."

Later, toen ouwe Konrad op de zwarte lijst werd gezet, moest ik dit voorval dus in herinnering roepen om te begrijpen waarom Enrique verdwenen was alsof hij er niets mee te maken had. En toch was ik geschokt, want zo'n laatdunkende houding is altijd schokkend, toch? Aanvankelijk dacht ik: hij zou toch ook onder de gevolgen te lijden hebben als hun bedrijf geen klanten meer zou krijgen? Dacht hij soms dat dit een spelletje was, dat de mensen stiekem bij hen zouden blijven bestellen, dat ze het risico zouden nemen om ook op de lijst te komen? Als ze straks niet eens meer een gloeilampje mochten kopen, als ze hun twee of drie werknemers geen salaris meer konden uitbetalen, wat zou Enrique dan doen? Dat was uiteraard wat er gebeurde, en wel op een efficiëntere manier dan we ons hadden kunnen voorstellen. Angst werkt heel goed in zulke gevallen; als er angst in het spel is, weten de mensen niet hoe snel ze moeten handelen. Binnen een week waren de bestellingen van een magazijn in Tunja geannuleerd. Het zou kantoorartikelen gaan uitstallen in vitrines van vier bij vijf meter, die zo bijzonder waren dat er nieuwe mallen voor uit Panama hadden moeten komen. Ook de kleinere, maar dikkere vitrineglazen die juwelier Kling had besteld, bleven in het magazijn staan, en vervolgens stopten de leveranciers van soda en kalksteen met het sturen van hun producten, uiteraard zonder het vooruitbetaalde geld te retourneren. Dit heeft Margarita me allemaal verteld. Het was alsof ze zich verplicht voelde om me op de hoogte te houden. Alsof ik aandeelhouder van Deressser Glas was of zo. "De ovens moeten een onderhoudsbeurt hebben. Ik bel de man die dat altijd heeft gedaan, en weet je wat hij zegt? Dat hij geen problemen wil. Of ik dat alsjeblieft wil begrijpen, of ik het hem niet kwalijk wil nemen en dat we wel weer zaken doen wanneer dit allemaal voorbij is, maar natuurlijk. Want ja, hij had een kennis die bij Bayer werkte en op straat was gezet en die vond nu nergens anders een baan. Wat kunnen mij zijn kennissen schelen? Niet dat ik ongevoelig ben voor andermans problemen, maar dat kunnen we er niet ook nog eens bij hebben, dat begrijp je, Sarita, die man heeft een contract met ons getekend. En Konrad is al helemaal als de dood, hij kan het gewoon niet geloven. Afspraken, een gegeven woord, zegt hij, vindt niemand dat dan nog belangrijk?"

Het was in die dagen dat Margarita haar brief aan de congresleden schreef. Ze zocht hulp en iemand had haar die namen aangedragen. Nu kwam mijn vader goed van pas, want Leonardo Lozano had een paar keer in het hotel overnacht. Hij was niet wat je noemt een vaste gast, maar hij kende papa en maakte graag een praatje met hem, een beetje stuntelen in het Duits en er dan ook nog van overtuigd zijn dat mijn vader dat verstond. Na de feestdagen, zodra de overheidskantoren weer opengingen, gaf mijn vader de brief persoonlijk af. Hoewel ik deze specifieke brief niet heb gezien, heb ik in die jaren tientallen soortgelijke brieven gezien, brieven van pure ingehouden vertwijfeling. De gang van zaken was altijd hetzelfde, daarom kan ik het je min of meer met zekerheid vertellen. Als de brief van Margarita leek op de brieven die andere mensen schreven, dan was hij gericht aan een of meerdere congresleden van de oppositie. De meest bevoorrechten schreven ex-president Santos aan, maar dat werkte niet altijd. Soms kon je beter bij minder hooggeplaatste personen aankloppen, want de gringo's waren bang voor de debatten in het Congres. Bang voor de vijandige houding van een belangrijk politicus. Bang voor gezichtsverlies, want dat leidde, neem ik aan, tot verlies van diplomatieke invloed. Sommige congresleden stonden bekend om hun verzet tegen de lijsten en om het feit dat ze verschillende Duitsers eraf hadden weten te krijgen. Margarita moet een van hen hebben aangeschreven. De brief begon er waarschijnlijk mee dat zij Colombiaans staatsburger was, dat haar vader zus was en beroep zo uitoefende, hoe Colombiaanser hoe beter allemaal. Vervolgens heeft ze waarschijnlijk uitgelegd dat haar echtgenoot Duits was, maar dat hij wel al lang voor de oorlog in Colombia was aangekomen en onmiskenbaar was ingeburgerd in het land, want ze hadden zelfs een Colombiaanse zoon. En daarna de bewijzen: we gaan elke zondag naar de katholieke mis. Er wordt Spaans gesproken thuis. Mijn echtgenoot heeft zich aangepast aan de gewoonten van ons vaderland in plaats van de zijne op te leggen. En het belangrijkste: hij heeft nooit, maar dan ook nooit, sympathie gehad voor het Derde Rijk of voor de Führer en diens opvattingen, hij is ervan overtuigd dat de geallieerden de oorlog moeten winnen, hij heeft bewondering en respect voor de inspanningen van president Roosevelt om de werelddemocratie te beschermen. Het is dan ook volstrekt onrechtvaardig dat haar man (of zoon, of broer) op de lijst staat, een dwaling als gevolg van zijn nationaliteit en zijn achternaam, maar niet van zijn daden of opvattingen, want haar man of zoon of broer heeft überhaupt nooit aan politiek gedaan, die zaken hebben hem nooit geïnteresseerd, het enige wat hij wil is dat de oorlog eindigt, zodat hij rustig verder kan leven in dit land, dat hij liefheeft als zijn eigen vaderland, enzovoort, enzovoort, een lang enzovoort. Dit stond waarschijnlijk allemaal in die brief, het kwam altijd op hetzelfde neer. Een bijdehante persoon had makkelijk rijk kunnen worden met de verkoop van voorgedrukte exemplaren. Een pleidooi voor colombianisme, colombiafilie of hoe je het ook noemen wilt. Het was intriest om die brieven te lezen, en dubbel zo triest als ze door de betrokkene zelf waren geschreven en niet door een tussenpersoon. En ondertussen werden er propagandisten van het Derde Rijk met openlijke excuses van de regering en een bos bloemen toe van de lijst gehaald, omdat ze ergens een breekijzer hadden of wat dan ook.

Een week later kreeg Margarita de brief terug in dezelfde envelop als waarin ze hem verstuurd had. Er zat ook een brief bij, natuurlijk. De persoonlijk secretaris van Lozano betreurde het dat de congresleden niet konden helpen, zoiets stond er. Blijkbaar hadden ze al vaker dergelijke gunsten verleend, ze werden door iedereen aangeklampt, iedereen probeerde de mensen te bereiken die zich in het Congres tegen de lijsten hadden verzet en op een gegeven moment was Santos het beu geworden om boodschappen door te sturen, referenties te geven, zich positief uit te laten over de Duitsers om ze van de lijst te krijgen. Margarita meldde zich toen het breekijzer versleten was. Ook breekijzers slijten, dat weet iedereen. De familie Deresser had pech. Ze kwamen simpelweg te laat. Als dit allemaal in 1941 was gebeurd, toen die lijsten nog nieuw waren en het allemaal nog niet zo radicaal was en mensen actie ondernamen om onterechte vermeldingen terug te draaien, was het anders geweest. Maar het gebeurde niet in 1941. Het gebeurde in 1943. Twee jaartjes. En dat maakte alle verschil. Margarita stuurde nog een paar brieven, maar daarop kwam geen antwoord meer. Nou ja, ik lieg: op de eerste kwam geen antwoord, maar op de tweede wel. Het antwoord kwam via een ander kanaal: het was de officiële aanschrijving dat ouwe Konrad tot het einde van de oorlog zou worden "geïnterneerd" in Hotel Sabaneta in Fusagasugá in het departement Cundinamarca, omdat men van mening was dat hij banden onderhield met propagandisten van de regering van het Derde Rijk en omdat er volgens inlichtingen aanleiding toe was te denken dat zowel zijn maatschappelijk als beroepsmatig functioneren een gevaar konden betekenen voor de veiligheid van het halfrond. Met al dit vertoon van woorden, met al deze poespas werd het hem meegedeeld en twee dagen later werd hij opgehaald door een bus van de Escuela General Santander.'

'En Margarita? Wat gebeurde er met haar?'

'Nou, zij maakte een keuze. Ze had twee mogelijkheden, weggaan of blijven, en ze maakte een keuze. Ik weet niet meer precies wanneer ze uit haar huis is vertrokken, of liever gezegd, wanneer we dat ontdekten. Om de een of andere reden is die datum uit mijn geheugen gewist, en dat terwijl ik nooit iets vergeet. Eind 1944, of het jaar daarna? Hoe lang zat Konrad al in Hotel Sabaneta, zes maanden, een jaar? Het faillissement van het bedrijfje en het gezin werd namelijk geheim gehouden, ja, zo ging dat in die tijd. Iedereen zag het achteruitgaan, iedereen wist wanneer ze de machines en meubels die ze het eerst konden missen verkocht hadden, maar van buitenaf kon je niet zien hoe het precies zat. En toen ging Margarita uit haar huis weg. Het eerste weekend nadat ze was vertrokken, nam papa ons mee naar Fusagasugá om ouwe Konrad op te zoeken. "Als ze me daarvoor op de lijst zetten," zei hij tegen mij, "dan moeten ze dat maar doen. Voor zover ik weet, tast het hebben van vrienden niemands democratische veiligheid aan. Als ze je zelfs verbieden om vrienden te hebben, dan kan je dat maar beter meteen weten." "Maar ze zeggen dat hij nazisympathieën heeft," zei mijn moeder. En hij: "Dat weten ze niet. Dat is niet bewezen. Als het bewezen wordt, dan zal Konrad niets meer van ons horen. Maar het is nog niet bewezen, we kunnen nog steeds bij hem op bezoek om hem gezelschap te houden. Zijn vrouw heeft hem in de steek gelaten, dat is niet niks. Wij gaan niet doen alsof we niets gezien hebben." Ik vond dat hij gelijk had, natuurlijk. Bovendien was er in die dagen ook een pronazidemonstratie in Fusagasugá waarin een heleboel studenten meeliepen die leuzen riepen tegen de opsluiting van Duitsers, en er werd tegen niemand opgetreden, er werden niet eens aanhoudingen verricht.

Enrique ging niet mee, natuurlijk, ofschoon we hem dat wel hadden aangeboden. Nee, hij bleef thuis, we probeerden niet eens aan te dringen. Hij had toen al van iedereen afstand genomen. Tegen zijn vader sprak hij niet eens, hij ging zelfs niet bij hem op bezoek als hij met iemand kon meerijden naar Fusa. Zelfs van ons had hij zich afgezonderd. Hij beantwoordde geen berichten, belde niet, nam geen uitnodigingen aan. Met het vertrek van Margarita was de enige bindende factor verdwenen. "Het meest trieste," zei mijn vader, "is dat dit op een dag allemaal voorbij is. Vroeg of laat zal alles weer zijn gewone gang gaan. En wie brengt dit gezin dan weer bij elkaar? Wie gaat Margarita vertellen dat ze terug moet komen, dat alles voortaan goed zal gaan?" En dat was waar. Maar ik reken het haar niet aan, Gabriel. Ik rekende het haar toen niet aan en nu al helemaal niet meer. Ik heb haar leeftijd gehad, ik ben ouder inmiddels, veel ouder dan Margarita was toen ze haar man en zoon verliet, en ik moet je bekennen dat ik hetzelfde had gedaan, daar ben ik zeker van. Waarom moet je wachten tot de dingen weer goed komen als dat een jaar kan duren, maar ook twintig jaar? Mijn vader vroeg: wie gaat Margarita vertellen dat ze terug moet komen? En ik dacht, zonder het te zeggen: en als ze nou terugkomt, als ze bij hen blijft en wacht en vervolgens blijkt dat die concentratiekampen er vijftien jaar later nog steeds zijn en de Duitsers nog steeds in Hotel Sabaneta zitten, wie geeft haar dan straks die verloren jaren terug? Wie geeft haar lichaam de jaren terug die verloren zijn gegaan met wachten op abstracte dingen, een nieuwe wet, het einde van een oorlog?

Die dag in Hotel Sabaneta was een van de merkwaardigste ervaringen uit mijn leven. Het was een luxueus oord, in normale tijden moest het duurder zijn geweest dan ons hotel, en dat zegt veel. Nou ja, dat weet ik niet, dat kan ik niet met zekerheid zeggen, maar het was een eersteklas plek. Het was natuurlijk laaggelegen gebied en daarmee veranderde alles. Waar wij voor de gasten een open haard en poncho's hadden, hadden ze daar enorme tuinen waarin mensen in badkleding lagen te zonnen. Er was een gigantisch zwembad, ik had zelden zoiets gezien, zeker niet met zo'n hoeveelheid halfnaakte lichamen met blonde hoofden, het was als een vakantieoord aan de Franse Rivièra. Aangezien ze toch de hele tijd alleen zaten, gingen de mannen gewoon praktisch in hun nakie in de zon liggen, en als tijdens bezoekdagen hun echtgenotes kwamen, waren die lui zo rood als een kreeft en hadden sommigen bijna een zonnesteek. Het was er vol die dag, stel je voor, meer dan honderd gezinnen in een hotel waar er normaal gesproken niet meer dan vijftig in pasten. Het was alsof je in een bazaar stond, Gabriel, niemand zou gezegd hebben dat deze mannen krijgsgevangenen waren. Maar dat waren ze, toch? Zonnebadende krijgsgevangenen. Krijgsgevangen die op een picknickkleed gebraden kip zaten te eten, om jaloers op te worden gewoon. Krijgsgevangenen die met hun dochters en echtgenotes over de meest pittoreske stenen weggetjes wandelden. Krijgsgevangenen die oefeningen deden in een sportzaal. En onder al die krijgsgevangenen bevonden zich de ouderen, die de hele dag keurig gekleed gingen in wit pak met stropdas en vilten hoed. Zo zag ouwe Konrad eruit, ingepakt tot aan zijn nek, ondanks de hitte. De enige mannen die meer kleren droegen dan hij, waren de twee agenten van de bewaking met hun politiepetten en de sabels in hun gordels, een deerniswekkend duo. Konrad zat op een balkon op de tweede verdieping. Een meter of twee verderop zat nog iemand. Papa herkende hem: "Verdomd, ik wist niet dat Thieck hier ook zat." Dat zei hij. Hij zei het in het Duits, inclusief het grove taalgebruik; het was een grote schok voor hem om die Thieck daar te zien, het was een van de belangrijke figuren uit de gemeenschap in Barranquilla, hij werkte bij Bayer. Hij heeft waarschijnlijk weleens in het hotel overnacht, dat weet ik niet meer. Waar het om gaat, is dat hij twee meter van Konrad vandaan zat en dat ze geen woord met elkaar wisselden, en dat terwijl de mensen in Sabaneta juist de gezelligheid opzochten. Enfin, daar zat Konrad, met zijn rug naar de ander toe. We zwaaiden zo uitbundig mogelijk toen we uit de auto stapten, maar hij hief niet eens zijn hand op, het leek wel alsof zijn krant er te zwaar voor was.

Het was een afschuwelijk bezoek. Konrad drong zich aan iedereen op met zijn ondraaglijke gezeur: "Ik heb niks gedaan, ik zweer het, ik ben een vriend van Colombia en de democratie, ik ben een vijand van alle dictaturen op aarde, ik ben een vijand van de tiran, ik hou van dit land, dat mij als een gast heeft ontvangen", enzovoort, enzovoort. En hij liet ons een blauwe plek onder zijn oog zien, hij was blijkbaar op de vuist gegaan met iemand die met ontzag over Himmler had durven praten. Hij kon geen seconde zijn mond houden of ook maar een onbekende zien zonder zich op die persoon te storten om hem over zijn ellende te vertellen en hem van zijn onschuld te overtuigen. Het was een meelijwekkende vertoning. En overal had hij dat koffertje bij zich waar hij tot zijn dood mee rondliep, hij droeg het door het hele hotel en als je even niet oplette, ging hij zitten en haalde er alle documenten van zijn zaak uit tevoorschijn om ze aan je voor te leggen. Hij haalde er brieven uit waarin hij uitlegde dat het een misverstand was, brieven die hij aan zijn vrouw had geschreven, brieven die ze als antwoord hadden gekregen, de krant van de dag waarop zijn naam op de lijst was verschenen, dit alles sleepte hij overal mee naartoe, "voor het geval ik puur toevallig een goede advocaat tegen het lijf loop," zei hij. En ditmaal waren wij aan de beurt, want wij kwamen voor de ouwe nog het dichtst in de buurt van zoiets als een vertrouwenspersoon. We keken vanaf het balkon, boven een klimmende bougainville, hoe de mensen in het zwembad zwommen en een handdoek op het gazon uitspreidden om te zonnen. Ons gehuurde paradijs, hè? Nou, op een gegeven moment stond mijn vader dus op om met een andere geïnterneerde te praten, een jood uit Cali die hij van naam kende, en begon Konrad tegen ons in het Duits. "Er ontbreekt iets in deze papieren, Sarita, weet je wat? Ik zal het je laten raden, raad maar. Nou, raad eens. Ik heb hier van alles, kijk, dingen over mezelf die ik zelf niet eens wist, ik ben benieuwd of jij ze wel wist, Sarita, wist jij dat ik contacten heb met platinahandelaren? Nee, hè, dat wist je niet, hè, maar toch is het zo. Deresser Glas wordt verdacht van betrokkenheid bij de platinahandel naar Hamburg, ja, ja, kijk toch eens hoe mooi we dat voor elkaar hebben: de platina komt uit Cali, gaat naar Bogotá en komt via Deresser Glas in Barranquilla terecht, waar het wordt verscheept; wat me bindt met mijn compagnons in Barranquilla is onze vriendschap met Herr Bethke, fijn hè, om gemeenschappelijke vrienden te hebben, het is mooi om met je eigen mensen in het buitenland te zitten, de taal is ons vaderland en ga zo maar door. Eens kijken wat ik hier nog meer heb, ik vind altijd meer belangrijke documenten, dit is een bodemloos koffertje, kijk, ik kan je vertellen dat mijn bedrijf in brieven van het gezantschap wordt genoemd, jazeker, het gezantschap in Bogotá schrijft dingen aan het gezantschap in Lima die over mij gaan, ik moet wel heel belangrijk zijn. Ik heb natuurlijk ook papieren die niet over mij gaan, maar over mijn goede vrienden, je weet wel wie ik bedoel. *El Siglo*. November in het jaar onzes Heren 1943. Ja, we krijgen de krant hier, denk maar niet dat we onwetend worden gehouden. Eens even kijken, bij de B van Bethke, eens zien wat er op de lijst staat, ja, de B van Barranquilla, wist je dat hij lid is van de Duitse Club? Wist je dat hij in El Prado woont? Ja, dat zit allemaal in deze koffer, maar er ontbreekt iets, kun je niet raden wat? Ik zal het je vertellen, maar je moet niet schrikken. Het is een afscheidsbriefje." Daar ging zijn ironie over in gesnik. Je had hem moeten zien, hij leek wel een verdwaald kind. "Het kan me niet schelen, al was het maar met potlood op een servetje geschreven; er is hier geen briefje waarop staat 'ik ben weg', jij weet niet hoe het is om op een dag thuis te komen en zoiets mee te maken, samenleven met iemand betekent van alles, daar kom je nog wel achter, maar een van die dingen is dat je wacht tot de ander thuiskomt, want iedereen komt op een gegeven moment thuis, iedereen die een huis heeft komt daar op een zeker tijdstip weer terug, dat is geen routine, het is gewoon iets wat zich vanzelf opdringt, het zal wel dierlijk zijn, denk ik, hè, je wilt altijd terugkomen op de plek waar je veilig bent, waar je de minste kans loopt dat je iets naars overkomt." Enrique had hem net geschreven dat Margarita thuis was weggegaan. "Op een dag kwam ze gewoon niet terug, Sarita, hoe kan iemand zijn gezin zoiets aandoen? Ik sluit mijn ogen en stel me voor hoe Enrique wakker op haar ligt te wachten, Sarita, en geluiden hoort, en dan gaat ineens de telefoon en is zij het, Sarita, zij was het, om haar zoon te vertellen dat ze niet meer terugkomt, dat ze me later nog wel zal schrijven om afscheid te nemen, zo, zonder slag of stoot, ze ging weg en liet een boodschap achter, ze liet een boodschap aan me doorgeven en vertrok en uiteraard heeft ze van mij nooit afscheid genomen, niet eens in een afscheidsbrief, ik weet niet waar ze is of met wie, ik weet niet hoe haar leven er nu uitziet, ik zal het ook nooit meer weten, ik bid tot de hemel dat jou nooit zoiets zal overkomen, Sarita, dit wens ik niemand toe."

Dat vertelde hij me allemaal. En daar hield het niet op. Hij vertelde me over de eerste dagen daarna. Die waren verschrikkelijk geweest, zei hij. Die verschrikkelijke eerste keer dat de beheerder van het hotel hem vol medelijden had aangekeken nadat hij het had gehoord, en vervolgens, toen iedereen aan tafel het inmiddels waarschijnlijk wel wist, die vreselijke eerste keer dat er een brief kwam die hij niet meteen herkende. Hij nam hem in ontvangst in de volle overtuiging dat hij van Margarita was, maar hij bleek van de Spaanse ambassade te zijn, die in die jaren de Duitse bezittingen beheerde. Ze lieten hem weten hoe het met zijn geld stond. Toen hij zijn gezicht ophief, zag hij dat alle anderen onverholen naar hem zaten te kijken. Ze waren allemaal gestopt met bridgen of de krant lezen en keken naar hem, zij wilden ook weten of Margarita was teruggekomen. Of ze wisten juist dat het geen brief van Margarita was en wilden het gezicht van de arme Konrad zien. "Ze dreven de spot met me. Ze lachten me achter mijn rug om uit." De meeste Duitsers die daar opgesloten zaten, waren mensen met geld, die zich de luxe hadden veroorloofd om een huis in het dorp te kopen zodat hun familie in de buurt kon wonen. Voor hen was het makkelijker. Met een vergunning, die ook nog vrij makkelijk te krijgen was, konden ze thuis gaan slapen. Heen en terug werden ze door een politieagent begeleid. Ze hadden een gezin. Ze hadden een vrouw, ze hadden kinderen. Konrad had dat allemaal niet meer. "Iedereen bekeek me met medelijden, maar vanbinnen lachten ze, ze lachten zich kapot, en ik weet zeker dat ze het uitschaterden zodra ik naar mijn kamer vertrok. Nooit heb ik zulke verachtelijke mensen leren kennen als op deze plek. Zelfs de Italianen, Sarita, zelfs de Italianen lachen me uit. Mijn ellende is boeiender voor hen dan een boek, ik ben hun feuilleton, ik bied hun amusement. Ik ben alleen hier, Sarita, ik heb niemand." Alles wat hij tegen de commissie had willen zeggen, tegen de ambassadeur van de gringo's, vertelde hij in Sabaneta tegen mij. En daar kan niet iedereen tegen. Konrad braakte zijn persoonlijke tragedie uit en niets is ondraaglijker dan het aanhoren van ellende waar je niet om gevraagd hebt. Totdat ik opstond en zei: "Het spijt me, Herr Konrad, maar ik kan niet langer blijven. Ik ga papa halen, we moeten terug naar Bogotá en daarna nog door naar Duitama, kunt u nagaan wat een reis we nog voor de boeg hebben. Ik moet nu eenmaal werken, u weet hoe dat gaat in een hotel," en ik liep weg, ik liet hem halverwege zijn zin achter en liep weg. Het was natuurlijk niet waar dat we op dat tijdstip nog terug zouden rijden. We waren van plan om te overnachten in een pension in Fusa dat daar door de zoveelste opportunist was geopend, speciaal omdat er veel gezinnen uit Bogotá hun vaders kwamen opzoeken. We hadden een kamer gereserveerd en zouden de volgende ochtend teruggaan naar het Sabaneta om afscheid te nemen van de ouwe, maar ik smeekte mijn vader om meteen naar Bogotá te rijden. "Wispelturig meisje," noemde mijn vader me, maar ik dacht iets ergers: cynisch meisje. Ik was al begonnen zo te worden. Cynisch en wel dus, dramde ik net zo lang door tot we uiteindelijk inderdaad gingen. We zagen Konrad niet meer terug. Na die dag ben ik nooit meer bij hem op bezoek geweest. Mijn vader is nog twee keer gegaan, maar ik wilde niet. Ik weet heel zeker dat ik er niet tegen had gekund.

Het erge, zoals je wel kunt bedenken, is dat de ouwe niet overdreef. Het was pathetisch hem te zien omdat hij zo weinig ruggengraat had, maar alles wat hem overkwam was echt, niet verzonnen. Toen de oorlog voorbij was en de geïnterneerden uit Hotel Sabaneta kwamen, was ouwe Konrad inmiddels alleen. Zonder Margarita, uiteraard, en zo goed als zonder Enrique, die meteen zijn eigen plan trok, alsof hij zijn hele leven had gewacht op het moment dat hij van zijn ouders af kon komen. Konrad besefte ineens dat het leven hem achter zich had gelaten. Toen hij vrijkwam, kon hij hun huis niet verkopen omdat er nog beslag op lag en uiteindelijk werd het halverwege 1946 geveild. Het geld is uiteraard nooit bij Konrad terechtgekomen; het dekte de kosten van zijn gedwongen zomervakantie en de oorlogsvergoedingen, die de regering betaalde met de bankrekeningen van de Duitsers. Ik weet niet hoe of wanneer hij Josefina heeft leren kennen, maar het is wel duidelijk dat zij zijn leven heeft gered, of liever gezegd, hem heeft geholpen de dood uit te stellen. Veel van de geïnterneerden verlieten het land. Sommigen keerden terug naar Duitsland, anderen gingen naar Venezuela of Ecuador om hetzelfde te doen als wat ze in Colombia hadden gedaan, maar dan weer van voren af aan, en dat maakte alle verschil. Opnieuw beginnen, hè? Dat is wat mensen breekt, ze dwingen opnieuw te beginnen. Konrad lukte het bijvoorbeeld niet. Hij liet zichzelf anderhalf jaar lang langzaam afglijden naar de dood. Ik zie het helemaal voor me, in bed met Josefina alsof deze vrouw zijn reddingsvlot was, zijn dag verdelend over zijn operaplaten en de kopjes koffie met anijsbrandewijn in een willekeurig kroegje. Ja, hoe meer ik erover nadenk, hoe sterker mijn overtuiging dat Margarita er goed aan had gedaan om bij hem weg te gaan. Zij stierf in Cali, in 1980 volgens mij. Ze is na Konrads dood opnieuw getrouwd, ditmaal met een Colombiaan. Ik geloof dat ze twee kinderen heeft gekregen, een jongen en een meisje. Een jongen en een meisje die nu ouder zijn dan jij en waarschijnlijk zelf alweer kinderen hebben. Margarita oma, ongelofelijk. Het klinkt misschien hard, maar zeg nou zelf, wat had ze met die slappe echtgenoot van haar aan gemoeten? Is er soms iemand die gelooft dat Konrad erbovenop zou zijn gekomen? De lijsten waren er nog tot een jaar na de oorlog en in die periode brokkelde Konrad af. Toen ze werden ingetrokken was het al te laat, toen zat de ouwe al bijna aan de bedelstaf, en hij was heus niet de enige. Er waren mensen die de lijsten overleefden. Ik heb een aantal van hen leren kennen, sommigen zaten in het Sabaneta en daar waren echte nazi's bij. Anderen werden niet eens in het hotel opgesloten, maar gingen net als de ouwe failliet. En daarvan zijn velen er weer bovenop gekomen. Ze kregen nooit meer het leven dat ze vóór de lijsten hadden gehad. Het geld hebben ze nooit teruggekregen en tot op de dag van vandaag denken ze aan wat ze verloren hebben. De ouwe was een van degenen die het niet aankonden. Het lukte hem niet, zo zit de wereld in elkaar, je hebt mensen die het wel en mensen die het niet redden. Dus kom me nou niet aanzetten met Margarita's verantwoordelijkheid, hou op. Ze liet natuurlijk haar gezin in de steek en op een bepaalde manier heeft de zelfmoord van de ouwe inderdaad iets met haar te maken. Maar zij slaagde erin te leven, nietwaar? Of trouw je soms om de beschermer van de allerzwaksten te worden? Margarita had een tweede leven, zoals jouw vader zei, en deze keer ging het wél goed. Met kinderen, met kleinkinderen. Ik neem aan dat iedereen zoiets graag wil.

Natuurlijk kwam Margarita niet naar de begrafenis van Konrad. Begrijpelijk, toch? Na alles wat er gebeurd was ook nog eens een zelfmoord en een concubine te verwerken krijgen ... Een mooi woord is dat, concubine, jammer dat het niet meer gebruikt wordt; nu zeg je minnares en dat was het dan. Concubine, concubinaat, mooi hoor, vind je niet, het zijn fraaie klanken. Misschien is dat het wel, mensen vinden het niet prettig als een woord voor zulk soort dingen zo mooi is. Zelfmoord daarentegen is niet mooi. *Selbstmord*, zeg je in het Duits, dat bevalt me ook niet. Ja, ik praat hierover alsof ik het zelf heb verzonnen, maar eigenlijk heeft jouw vader me dit laten inzien. We hadden nog geen afscheid van Josefina genomen of hij zei al tegen me: "Concubine klinkt beter dan minnares, vind je niet? Waarom zou dat zo zijn?" Maar hij zei het somber, helemaal niet koud of afstandelijk of onverschillig voor alles waar we die middag achter waren gekomen, de gruwelijke dood van ouwe Konrad, de gedachte aan de pijn die hij moest hebben geleden, al die dingen ... Op mij maakte het diepe indruk. Hij verdiende zo'n dood niet, daar ben ik van overtuigd, maar wie bepaalt er wat voor dood we verdienen? Hoe meet je dat, hangt het soms af van wat je goed hebt gedaan, je verdiensten, of van wat je verkeerd hebt gedaan, je fouten? Of is er een balans? Voor jullie atheïsten is dat heel lastig, daarom is het fijn om gelovig te zijn. Een ruzie dat ik hierover heb gehad met je vader. Hij won altijd, dat hoef ik je niet te vertellen. Hij heeft me lang het voorbeeld van Konrad gegeven. "De ouwe is zelfs katholiek geworden en wat heeft hij eraan gehad? Jij kent duizenden Duitsers die zich bekeerd hebben om een betere start te maken in Colombia, om makkelijker geaccepteerd te worden door hun echtgenotes, hun schoonmoeders en hun vrienden. En hebben ze daar wat aan gehad?" Ik hield mijn mond, want ik dacht, al had ik het nooit kunnen bewijzen, dat ouwe Konrad net zo goed zelfmoord zou hebben gepleegd als hij protestant was gebleven, en dat niet alleen, hij zou het éérder hebben gedaan. Beter gezegd, het was zijn protestantse kant die tegen hem zei: "Neem die pillen, ga toch weg uit deze ellende." Maar wie bewijst dat? En bovendien, wat heb je eraan, wat heb je er in godsnaam aan om dat te bewijzen?

Die avond, na ons gesprek met Josefina, bleven we bij jouw vader, want het was al te laat om ook maar te denken aan terugrijden naar Duitama. Jouw oma, die altijd in een zwarte omslagdoek gewikkeld was, had het logeerbed voor me opgemaakt. Ze verwelkomde me en ontfermde zich over me met het sombere gezicht dat spoken in films hebben, terwijl Gabriel zo goed als zonder iets te zeggen naar boven liep en zich opsloot in zijn kamer. Het huis lag in Chapinero aan de Avenida Caracas. Het was zo'n huis van twee verdiepingen met een versleten rode loper op de trap, die was vastgezet met koperen roedes. Ik zal niet zeggen "jammer dat je het niet gekend hebt" of iets dergelijks, want ik gruwelde van dat huis, de stomste dingen maakten dat ik me er niet op mijn gemak voelde, zoals die koperen roedes en ringen waarmee de loper bevestigd was, of de papegaai in de achtertuin, die alsmaar "Roberto, Roberto" schreeuwde zonder dat iemand ooit had geweten wie Roberto was of waar die papegaai die naam vandaan had. In elk geval kwam ik die avond maar moeilijk in slaap, want ik was ook niet gewend aan het lawaai van auto's. Wat wil je, ik was een dorpsmeisje, een stad als Bogotá betekende een enorme overgang voor mij. En het leek wel alsof alles in het huis van jouw oma samenspande om mij een onbehaaglijk gevoel te geven, alsof alles me vijandig gezind was. De meubels op mijn kamer waren met lakens bedekt, maar het rook er toch naar stof. Het was alsof het hele huis in de rouw was en wij hadden net met Josefina gesproken en dat allemaal bij elkaar ... Ik weet niet, uiteindelijk ben ik toch in slaap gevallen, maar het was al ontzettend laat. En toen ik wakker werd, was jouw vader al weg geweest en weer teruggekomen met het nieuws dat Enrique niet thuis was. "Hoe bedoel je, hij is niet thuis? Is hij zoek?" "Nee. Ik bedoel dat hij is vertrokken. Dat hij alles heeft achtergelaten en is vertrokken. En men weet niet waarheen." Ik vroeg hem wie hem dat had verteld en hij werd ongeduldig. "De wijkagent. En hij wist het weer van de dienstmeisjes van de familie Cancino. Wat maakt het uit wie me dat verteld heeft? Zijn pa heeft net zelfmoord gepleegd, zijn ma is een tijd terug vertrokken, het lijkt me logisch dat Enrique ook is weggegaan. Hij ging niet alleen in dat huis achterblijven." "Maar zo, zonder gedag te zeggen." "Gedag zeggen, gedag zeggen. Dit is geen cocktailparty, Sara, schei toch uit alsjeblieft."

Later was zijn pesthumeur voorbij en konden we in vrede ontbijten, zonder te praten maar wel in vrede, en vóór het middaguur namen we de trein op station De la Sabana. Het was hondenweer, het regende de hele reis lang. Het regende in Bogotá, het regende toen we er wegreden, het regende toen we in Duitama aankwamen. En de hele tijd zat ik te bedenken welke redenen iemand heeft om op zo'n manier weg te gaan, om alles achter te laten zonder zelfs zijn vrienden gedag te zeggen. Ik zei niets omdat je vader me naar de keel zou vliegen, hij was erg aangedaan, dat zag je. Hij deed alsof hij sliep in de trein, maar ik keek naar zijn dichte ogen en zijn oogleden gingen heel snel op en neer, ze trilden, als bij iemand die zorgen heeft. Ik vond het vreselijk om hem zo te zien. Ik hield toen al van hem als van een broer. Gabriel was als een broer voor mij, en dat terwijl we pas een jaar of vijf bevriend waren, maar je ziet wel, ik logeerde bij hem, hij logeerde in het hotel ... Dat ging allemaal heel fatsoenlijk, natuurlijk, ik was een jongedame van goede naam en zo. Maar dat fatsoen werd zo ver mogelijk opgerekt, heb ik de indruk. En dat was zo omdat we net broer en zus waren. In de trein viel ik, kijkend hoe hij zich slapende hield, zelf ook in slaap. Ik leunde tegen zijn schouder, sloot mijn ogen en het volgende moment maakte Gabriel me wakker omdat we in Duitama waren aangekomen. Hij wekte me met een kus op mijn haar, "we zijn er, Sarita", en ik moest bijna huilen, ik denk van alle stress, of vanwege het contrast, hè? Aan de ene kant de stress en aan de andere kant de tederheid. Of aan de ene kant de zorgen van jouw vader, die misschien wel voorgoed een vriend kwijt was, en aan de andere kant de manier waarop hij zich over mij ontfermde, alsof ík degene was die iemand had verloren. Ja, ik moest bijna huilen. Maar ik hield me in. Wat heb ik toch altijd goed mijn tranen kunnen bedwingen, altijd al, sinds ik heel klein was. Papa heeft er grapjes over gemaakt tot hij van ouderdom stierf. Hij maakte grapjes over mijn trots, die me ervan weerhield om ook maar verdrietig te kijken in het openbaar, laat staan te huilen, een vrouw die in het openbaar huilt vond ik het meest pathetische wat er bestond. Jazeker, dat ben ik. De grote doorbijter.

Toen we in het hotel aankwamen, regende het nog steeds en de lucht was zo donker dat alle lichten aan waren, terwijl het nog best een poos duurde voordat het avond zou worden. Het was zo'n typische grijze hemel van Boyacá, je hebt het idee dat je hem zou kunnen aanraken als je een beetje op je tenen gaat staan, en het water bleef maar vallen alsof er daarboven ergens een bodem uit was gevallen. Jouw vader weigerde met mij onder de paraplu te lopen, hij liet mij vooropgaan en kwam er zelf doorweekt achteraan. Daar in Duitama had het vast ook de hele dag geregend, want de fontein zat tot aan de rand toe vol, het water kon er elk moment overheen stromen. Maar het was mooi om de regen op het water in de fontein te zien plenzen. Zeker als we lekker droog in het restaurant achter een kop warme chocolademelk zouden zitten. Daar was papa met een gast. Hij stelde hem aan ons voor als José María Villarreal en zei dat hij op het punt stond te vertrekken. Ik wist meteen wie het was, want papa had me een paar keer over hem verteld. "Dat is een gevreesde spanjool," zei hij dan, met meer ontzag dan normaal was bij hem. Ze zagen elkaar vaak de laatste tijd, want ze deelden een soort passie voor Simón Bolívar. Villarreal vond het geen punt om af en toe helemaal uit Tunja te komen om over hem te praten, werkelijk waar. We wisselden begroetingen uit met de gevreesde spanjool en Gabriel en ik gingen zitten om onze handen te warmen aan een kop warme chocolademelk bij de glazen deur van het restaurant. De open haard werd al aangestoken; buiten bleef het pijpenstelen regenen, in het restaurant was het heerlijk toeven. Zelfs mijn vader zag er vrolijk uit toen hij met zijn vriend meeliep naar de voordeur, ongetwijfeld pratend over Pantano de Vargas of iets dergelijks, hij was blij als een kind met nieuw speelgoed. Niet te geloven, hè? Niet te geloven dat we zo dicht bij het onheil waren, Gabriel, als ik er over nadenk, vraag ik me af waarom de wereld op dat moment niet ophield met draaien. Wie moesten we omkopen om de wereld daar te laten stoppen, toen het ons allemaal goed ging, toen iedereen de dingen die hij in zijn leven voor de kiezen had gekregen, leek te hebben overleefd? Bij wie moest je aankloppen voor dat breekijzer? Of was dat misschien ook versleten?

Wat Gabriel me de volgende middag vertelde, toen we voor het eerst sinds hij uit zijn narcose was ontwaakt, alleen konden zijn, was dat het ongeveer zo was gegaan: na de chocolademelk was hij naar zijn kamer gelopen om uit te rusten van de treinreis en nog wat te lezen. Een week of wat later zou hij zijn eerste voorbereidende examen hebben: alle vakken van Burgerlijk Recht in één examen, een soort doorlopend vuurpeloton, alsof je tien keer achter elkaar gefusilleerd werd. Hij sloeg dus zijn boeken open op zijn bureau en begon te studeren over eigendomsverwerving. Mooi geschreven artikelen, in elk geval, vol stijlfiguren waar hij het om uitschaterde als hij een goede dag had. Zijn studiegenoten vonden Gabriel maar een vreemde vogel. Die arme mensen zagen niet in wat hij zo grappig vond aan de wet over het alluvierecht, waarvan de omschrijving pure poëzie was, of over de duif die zonder kwade opzet van de nieuwe eigenaar de ene til voor de andere verlaat. "Maar ik kon me niet concentreren," zei hij later tegen me, "ik probeerde over die duif te lezen en dan zag ik ouwe Konrad brakend op straat liggen. Ik ging naar de edelsteen in de ring en zag Josefina op haar sandalen met het verse zaad dat langs haar been naar beneden liep, en dan moest ik ook kokhalzen. Dus stond ik op, deed mijn wetboeken en aantekeningen dicht en ging een blokje om." Ik hoorde hem niet weggaan, want ik zat in de kamer van mijn ouders naar een vreemd bericht op de radio te luisteren. Iemand had een Hongaarse architect en zijn echtgenote, die vóór het begin van de oorlog verdwenen waren, in de bergen teruggevonden. Een groepje toeristen was er aan het wandelen toen de man ineens ergens opdook en vroeg hoe het met de oorlog stond. Hij bleek een stenen grot te hebben ingericht en had daar al die tijd ondergedoken gezeten. Hij viste om te eten en haalde water uit de rivier. Toen ze hem vertelden dat de oorlog al anderhalf jaar geleden was afgelopen, reisde hij naar

Boedapest, bezocht zijn familie en keerde terug naar zijn huis, maar zodra hij daar kwam, besefte hij al dat het niet zou lukken. Zijn echtgenote was het ermee eens. Dus pakten ze hun kleren en spullen bij elkaar en gingen terug naar hun grot. Papa was verguld met het verhaal. “Ik durf er alles onder te verwedden dat het joden zijn,” zei hij. En terwijl wij bleven luisteren tot het programma was afgelopen, liep Gabriel naar beneden om een eindje te gaan wandelen. Maar voordat hij de deur uit ging, liep hij naar de keuken en vroeg om een flink *pandeyuca* voor onderweg. Hij zei tegen María Rosa, de kokkin, dat hij over een uur terug zou zijn.

Het was al donker. Gabriel liep onder balkons en daklijsten door, van het ene balkon naar het andere, van de ene daklijst naar de andere, om zo droog mogelijk te blijven. Maar het regende al niet meer zo hard en het was juist lekker om de schoongespoelde lucht in te ademen, het was lekker om door straten te wandelen waar niemand was. “Ik zette mijn kraag op,” zei hij, “en wilde in twee happen mijn pandeyuca opeten om mijn handen in mijn zakken te kunnen steken, maar toen bedacht ik dat ik mijn handen kon warmen aan het brood. Ik wilde echt een flinke poos gaan wandelen, al zou ik er een longontsteking aan overhouden. Alles was zo rustig, Sara, dat wilde ik niet missen.” Hij moest alleen wel voorzichtig lopen, niet uitglijden op de kinderkopjes, die spiegelglad werden als het regende, en daar was al zijn aandacht op gericht. Zo kwam hij uiteindelijk, al kijkend naar de grond en recht vooruit lopend als een paard met oogkleppen, met een warm pandeyuca in zijn jaszak, bij het plein uit, onder meer omdat alle straten van zo'n dorp op het plein uitkomen, je snapt eigenlijk niet eens waarom het überhaupt een naam krijgt. Plaza de los Libertadores heet het plein van Duitama, maar niemand in de geschiedenis van het stadje heeft ooit de hele naam hoeven uitspreken. Het plein is het plein. Die dag hingen de versieringen van de afgelopen feestdagen er nog, allerlei afbeeldingen van het kindje Jezus aan deuren en balkons en voor de ramen van cafés. Gabriel liep een rondje om het plein en keek naar de winkeletalages, de ramen van de cafés, naar de paar mensen die in die cafés schuilden, voornamelijk verkleumde boeren met een geur van vochtige poncho's. Vanuit een zo'n café, waar geen boeren zaten, maar mensen met vlinderdasjes die op het stadhuis werkten, riep iemand hem, zelfverzekerd, maar zonder zijn stem te verheffen. Het was Villarreal, de vriend van mijn vader.

Hij vroeg hem wat hij daar deed in die regen, of hij iets nodig had. Hij had zijn auto om de hoek staan, zei hij, hij kon hem overal naartoe brengen. "Hij sprak me zo hoffelijk aan dat ik het meest verbazingwekkende meteen vergeten was: dat hij me bij mijn naam had genoemd, bij mijn volledige naam, terwijl hij die maar één keer in het voorbijgaan had gehoord." Maar zo deed Villarreal tegen iedereen. Toen Gabriel hem vertelde dat hij alleen maar een blokje om liep, dat hij 's avonds graag wandelde omdat er in Duitama dan nooit mensen op straat waren, leek Villarreal dat prima te begrijpen, hij begon hem zelfs wandelroutes aan te bevelen. Niet alleen in Duitama, maar ook in Tunja en Soatá en in het centrum van Bogotá; hij was een zeer ontwikkeld man, hij kende de geschiedenis van elke straathoek, althans, zo leek het. Ze spraken over de kathedraal daar aan de andere kant van het plein, die nog in aanbouw was. "Een paar dagen geleden, op zondag, ben ik de bouwplaats op gelopen om hem vanbinnen te bekijken," zei Villarreal. "Als alles goed gaat, wordt het een schitterend gebouw." Gabriel vond dat hij een mooie uitspraak van het Spaans had, die prachtige klanken die verloren zijn gegaan, niemand spreekt het tegenwoordig nog zo. Misschien kwam het daardoor, of misschien door Villarreals voorkomendheid, maar nadat ze afscheid hadden genomen, liep Gabriel verder langs het plein, onder de daklijsten en de balkons en de koloniale straatlantaarns door, die ontstoken waren al verspreidden ze geen licht, stak de straat over en keek om zich heen of niemand hem zag. Dat was gek, want waarom zou het verboden zijn een bouwplaats op te lopen? "Maar toen ik dat bedacht, was het al te laat, ik was al binnen. En ik heb er geen spijt van, Sara, ik heb geen spijt. Het schip van een kathedraal in aanbouw is iets huiveringwekkends."

Hij stond in de luwte van een stel gigantische muren, maar het was er kouder dan buiten. Dat kwam natuurlijk door de vochtigheid van het cement, het was koud cement dat zijn neus binnendrong wanneer hij diep inademde. Dicht bij het altaar, of bij de plaats waar het altaar zou komen te staan, lagen twee manshoge zandbergjes en een kleiner hoopje bakstenen, en daarnaast stond de cementmolen. Aan de deurzijde lagen stapels en stapels stenen en balken. Voor de rest stonden er steigers, overal steigers, een monster dat langs de hele omtrek van het schip stond en tot de vensters zonder gebrandschilderd glas reikte. Het was daarbinnen alsof hij kleurenblind was geworden. Alles was grijs en zwart. En dan was er de stilte, zo'n volmaakte stilte dat Gabriel zich moest inhouden om niet te schreeuwen om te horen of een schip in aanbouw galmde. "Ik voelde me goed," vertelde hij me later. "Ik voelde me voor het eerst in die dagen rustig. Bijna blind en bijna doof, zo voelde ik me, het was een soort sereen gevoel, alsof iemand me vergeven had." Hij wilde gaan zitten, maar de vloer was nat, overal lagen emmers en troffels, er lag ongemengd cement en zand en uit een hoek kwam een urinegeur. Dus hij bleef staan. Op dat moment dacht hij aan zijn pandeyuca. Hij haalde het tevoorschijn, trok er wat draadjes af die er diep in zijn zak aan waren blijven kleven en begon te kauwen.

Het brood was natuurlijk al koud, maar het smaakte goed. Gabriel at langzaam, met kleine hapjes, zonder haast, en probeerde uit alle macht om niet aan de dood van ouwe Konrad te denken, maar aan willekeurige andere dingen, aan het pandeyuca, bijvoorbeeld, aan de cementgeur in de kathedraal, aan waar de stoelen zouden komen te staan, aan de preekstoel van de pastoor, aan hoe lang de bouw zou gaan duren. Aan al die dingen dacht hij en daarna dacht hij aan het hotel, hij dacht aan mij, hij bedacht dat hij van me hield, hij dacht aan mijn vader, hij dacht aan Villarreal, hij dacht aan Bolívar, hij dacht aan de slag bij Pantano de Vargas, hij dacht aan de naam van dat plein, Libertadores, en zo liep hij te peinzen toen die mannen ineens opdoken. Het was er zo donker dat Gabriel de gezichten onder de hoeden niet kon onderscheiden, en hij wist niet wie van de twee hem vroeg of hij Santoro uit Bogotá was. Misschien was degene die het vroeg wel dezelfde als degene die het eerst een kapmes tevoorschijn haalde, dat ligt het meest voor de hand. Vraag, antwoord, mes. Ze waren door de voordeur van de kerk binnengekomen, of beter gezegd door het gat van de deur, dus Gabriel moest wegrennen in de richting van het altaar en erop vertrouwen dat hij de bouwplaats aan de achterkant zou kunnen verlaten. Hij gleed uit op het steengruis maar viel niet, rende verder over de losliggende steigerplanken en moest tussen een zuil en de zandhoop door, maar toen hij in het zand stapte zakte zijn voet weg en gleed zijn schoen opzij en viel Gabriel op de grond. Hij hief zijn rechterhand op om zich tegen de houw met het kapmes te beschermen, maar toen hij het zag aankomen, sloot hij zijn ogen en deed ze niet meer open.

Toen het eten in het restaurant van het hotel was opgediend, ging María Rosa mijn moeder halen en vroeg haar wat we met don Gabriels plaats moesten doen, of we op hem moesten wachten, of hij nog wel zou komen. Mama kwam naar mijn kamer en stelde me precies dezelfde vraag. Ik wist niet eens dat Gabriel de deur uit was gegaan, ik dacht dat hij nog op zijn kamer zat. “Hij is twee uur geleden weggegaan, hij heeft tegen María Rosa gezegd dat hij niet lang weg zou blijven. Waarom trek je niet wat aan en vraag je of ze met je meegaat?” Zij had al een poncho omgeslagen toen ik beneden kwam en zei dat mijn vader al weg was. “Als hij maar niet door een auto is geschept, juffrouw Sara,” zei ze. Dat was precies waar ik bang voor was. Het beviel me niets dat zij op dezelfde gedachte was gekomen. María Rosa liep in de richting van het plein en ik ging de andere kant op, zoals wanneer je met de auto naar het meer gaat. Ik liep een rondje, vroeg de weinige mensen die ik zag naar hem, maar ik wist niet eens wat ik zoeken moest, waar ik kijken moest, ik had me nog nooit in zo’n situatie bevonden. Bovendien was ik bang. Heel Duitama wist wie ik was en ik kon om vier uur ’s nachts alleen de straat op gaan als ik wilde, maar die avond was ik bang. Dus even later was ik weer terug in het hotel. Mama zat op een bankje op de binnenplaats, ondanks de kou, en vertelde me meteen toen ik aankwam dat María Rosa hem bij de kathedraal had gevonden. “Hij is beroofd,” zei ze, “hij is gewond geraakt. Je vader heeft hem meegenomen naar Tunja, hij is nu bij hem dus je hoeft je geen zorgen te maken.”

Maar ze vertelde er niet bij dat ze hem met een kapmes vier vingers hadden afgehakt. Ze vertelde er niet bij dat hij bijna was doodgebloed. Dit vertelde Gabriel me allemaal de volgende dag, toen papa hem mee terugnam naar het hotel. Hij legde me ook uit wat de symptomen van bloedvergiftiging waren. “We moeten goed opletten," zei hij. Dit alles pas toen het inmiddels wat beter met hem ging, nadat hij urenlang bewusteloos was geweest. De huisarts van Duitama kwam langs, bekeek de wond en benadrukte nog maar eens hoeveel geluk we hadden gehad, en ik vond het fijn dat hij in het meervoud sprak, dat hij ons allemaal bij elkaar vond horen. Dat gevoel had ik althans op dat moment: dat ze mijn hand ook hadden afgehakt. Gabriel droeg een verband, maar toen ik de vorm daarvan zag, of liever gezegd, de vorm die eronder zat, wist ik al hoe ernstig het was. "Wie heeft je dit toch aangedaan?" vroeg ik. Het was om maar iets te zeggen, zo'n vraag die je nou eenmaal stelt, zonder een antwoord te verwachten, weet je wel? Maar ik had er meteen spijt van, de angst sloeg me om het hart, want ik merkte dat Gabriel wist wie het had gedaan en dat hij ook wist waarom. "Nee, zeg het maar niet," zei ik, maar hij was al begonnen. "Ze zijn door Enrique gestuurd," zei hij. "Ze zijn door mijn vriend gestuurd. Maar maak je geen zorgen, ik heb het verdiend. Dit en nog veel meer. Ik heb die ouwe vermoord, Sara. Ik heb hun leven verknald. Het is allemaal mijn schuld."'

IV

HET LEVEN ALS ERFENIS

Het leven dat ik heb geërfd – het leven waarin ik niet meer de zoon ben van een voortreffelijk spreker en gelauwerd hoogleraar, niet eens meer van de man die in stilte lijdt en vervolgens publiekelijk onthult dat hij geleden heeft, maar van het meest verachtelijke wezen van allemaal: iemand die in staat is een vriend af te vallen en zijn familie te verraden – begon op een maandag, een week of twee na de jaarwisseling, toen ik rond tien uur 's avonds een maaltijd in de magnetron schoof, met mijn benen over elkaar op mijn onopgemaakte bed ging zitten en, net toen ik de krant van de dag die op zijn einde liep vluchtig wilde gaan doorlezen, Sara Gutermans telefoontje kreeg. Voordat ze ook maar hallo had gezegd, zei Sara: 'Het is op tv.' Waarmee ze bedoelde: het gebeurt. Wat we verwacht hadden gebeurt, dit soort dingen laat meestal niet lang op zich wachten; zet je televisie maar aan en voel hoe je leven verandert; als je een cameraatje hebt, haal het tevoorschijn en film jezelf, leg voor het nageslacht vast wat er met je gezicht gebeurt.

Ik was die dag, net als de hele week, bezig geweest met de tweede verandering in de herinnering aan mijn vader. De eerste keer was een leugenachtige, gemanipuleerde bekentenis al begonnen het verleden overhoop te halen; nu bracht de kracht van de ware feiten (die schijndoden, die cataleptische lichamen) wijzigingen aan in de onzekere waarheid én in de versie die mijn vader had geformuleerd (of nee, opgelegd) met een paar woorden die hij ter plekke in een collegezaal had bedacht. Maar had hij ze wel ter plekke bedacht? Ik begon het nu voor mogelijk te houden dat hij ze met evenveel zorg had voorbereid als zijn toespraken, want dat was het geweest, een uitgedacht betoog, waarmee mijn vader zijn herinnering aan de feiten had verdraaid en zo zijn eigen verleden had willen veranderen of althans de schijn had willen wekken dat het anders was geweest; een verleden, zo zal hij gedacht hebben, waarin Gabriel Santoro niet meer schuldig zou zijn aan de tegenspoed van een vriend en voortaan slachtoffer zou zijn, een van de vele slachtoffers in die tijd waarin praten ertoe deed en je met twee woorden iemand te gronde kon richten. Op sommige momenten was ik ineens ontroerd door het vertrouwen dat mijn vader in zijn eigen zinnen had gehad, het naïeve geloof dat je met een aangepast verhaal – waarin je de personages laat wisselen van positie, als een tovenaar de verrader tot verradene maakt – het verleden zo'n verandering zou kunnen opdringen, ongeveer als het personage van Borges, de lafaard die dankzij het geloof in zijn eigen moed maakt dat deze ook bestaan heeft. 'In de *Summa theologiae* wordt ontkend dat God ervoor kan zorgen dat het verleden niet geweest is,' zegt de verteller van dat verhaal; maar hij zegt ook dat het verleden wijzigen niet het wijzigen van een enkel feit betekent, maar ook de gevolgen ervan tenietdoen, dat wil zeggen, twee algemene geschiedenissen scheppen. Ik heb dat verhaal nooit meer kunnen lezen zonder te denken aan mijn vader en aan wat ik die maandagavond voelde: dat het in de toekomst misschien mijn taak zou zijn om die twee geschiedenissen te reconstrueren, ze vergeefs tegenover elkaar te zetten. Op een gegeven moment bedacht ik dat ik me, zeer tegen mijn wil, daaraan zou gaan wijden, aan het herzien van herinneringen, op zoek naar inconsistenties, tegenstrijdigheden, de aperte leugens waarmee mijn vader een minuscuul feit afschermde – of liever gezegd, probeerde te ontkennen –, een handeling uit de duizenden in zijn leven, dat voller was van gedachten dan van handelingen.

Op de bank in mijn kamer lagen inmiddels de cassettebandjes met mijn gesprekken met Sara als in slagorde gereed. Na ons gesprek op oudejaarsavond – dat tot halfzeven 's ochtends had geduurd, want na de onthullingen die ik heb aangehaald, kwamen mijn vragen, mijn verzet en opnieuw mijn vragen – had ik ze een voor een opnieuw beluisterd en goed opgelet of Sara's stem geen ander verraad verhulde of dat er geen verwijzingen naar of betrokkenheid bij ander verraad werden afgeschermd, andere idiote vermeldingen op de zwarte lijst, andere familiedrama's waar die huis-tuin-en-keukeninquisitie achter zat. En op de dag van het programma had ik voordat Sara belde een van de laatste bandjes zitten beluisteren. Ik vroeg haar daarin of ze weer in Duitsland zou zijn gaan wonen als ze de kans had gekregen, en zij antwoordde: 'Nooit van zijn leven.' En toen ik haar vroeg hoe ze dat zo zeker wist, zei ze: 'Omdat ik er al geweest ben, ik weet al hoe dat voelt.' In 1968, vertelde ze me, had ze een uitnodiging ontvangen van de gemeente Emmerich, haar geboortestad, en was ze met haar vader en haar oudste zoon op reis gegaan – in het vliegtuig naar Frankfurt en met de trein naar Emmerich – om de ceremonies van openbare boetedoening bij te wonen waarmee bepaalde sectoren in de Duitse politiek destijds tevergeefs probeerden wat we allemaal en in alle tijden proberen: fouten rechtzetten, het toegebrachte leed verzachten. 'Het was raar om daar te zijn,' zei de stem op het bandje. 'Maar we waren 's avonds aangekomen en ik bedacht dat ik het de volgende ochtend vast nog veel raarder zou vinden allemaal, als ik de dingen die ik dertig jaar lang niet gezien had, bij daglicht zou zien. Hoewel ik niet wist of ze er nog wel zouden zijn, want Emmerich was een van de zwaarst gebombardeerde steden in de oorlog.' Herr Strecker, de man die hen in 1938 had geholpen het land uit te komen, was degene die hen welkom heette. Herr Strecker was ook uit Duitsland weggegaan, vertelde Sara, hij was in 1939 vertrokken en had een paar jaar in Montevideo en daarna in Buenos Aires gewoond. 'Papa en hij omhelsden elkaar en lieten elkaar bijna niet meer los,' zei Sara, 'maar papa had in het vliegtuig gezegd dat huilen in Duitsland uit den boze was, dus ik beet door, zo moeilijk was dat niet. Die plechtigheden kent iedereen wel zo'n beetje. De bezoekers krijgen een plaatselijke jongere toegewezen, één per echtpaar in ballingschap; aangezien ik zonder mijn echtgenoot was gegaan, was ik mijn vaders partner. Het eigenaardigst was hoe ze de mond vol hadden van het woord "balling" en al zijn synoniemen, daar voorziet de Duitse taal ruimschoots in, we hebben woorden te over om de mensen die weggaan te benoemen. We werden verondersteld op een school of universiteit over onze ervaringen te praten en mijn vader zei: "Ik weet niet of er wel genoeg scholen zijn in Emmerich om alle ballingen aan het woord te laten komen." En dan te bedenken dat in andere steden hetzelfde gaande was, in het hele land. Ik weet niet, soms denk ik dat ik eigenlijk niet zo goed weet waar dat allemaal goed voor was, waar die behoefte vandaan kwam om iedereen uit het buitenland over te laten komen om hen eraan te herinneren waar ze vandaan kwamen. Alsof ze ons opeisten, hè? Een absurd soort terugvordering, bij wijze van spreken.

Een vriend van papa was drie jaar daarvoor overleden en niemand had ons dat verteld. We kregen het te horen toen we aankwamen. Zijn weduwe vroeg ons of het de moeite waard was om in Colombia te gaan wonen, ze bleef maar herhalen dat ze echt van plan was ergens anders naartoe te gaan en glimlachte naar me en raadpleegde papa over de opties. Ze vroeg ons hoe Colombia was. Soms dacht ze aan Canada. Wat vonden wij van Canada? Ik had met haar te doen, want het was duidelijk dat ze niet weg wilde. Ik weet nog steeds niet waarom ze andere mensen van het tegendeel wilde overtuigen. Zelf kwam ik een schoolvriendin tegen. Dat was heel vreemd. Ik vroeg haar hoe het met deze en gene was en met name met Barbara Wolff, die mijn beste vriendin was geweest bij de Dochters van het Heilig Kruis, ja, wat een naam hè, en wat een school ook: hij werd bestuurd door een orde van adellijke nonnen, ik had tot op dat moment niet eens kunnen bedenken dat zoiets bestond. Een non met blauw bloed, kun je nagaan. Nou, die vriendin keek me dus stomverbaasd aan, totdat ze mijn lovende woorden over mijn vriendschap met Barbara niet meer kon aanhoren. "Maar zij heeft jou toch heel veel verdriet gedaan," zei ze. Blijkbaar herinnerde iedereen zich hoe Barbara mij verdriet deed, ze kletste achter mijn rug om over me en bracht geruchten de wereld in, allemaal van die kleinemeisjesdingen. Ik moest haar wel geloven, maar ik was geschrokken, want ik kon me helemaal niets herinneren van wat ze me vertelde. Ik had zo'n mooie herinnering aan Barbara dat ik op dat moment niet wist wat ik moest denken. Ik was er een beetje verdrietig van, het was niet de bedoeling dat we nare dingen te horen zouden krijgen op onze reis, stel je voor dat er nu iemand naar je toe komt om je te vertellen dat jouw vader je mishandelde en jij herinnert het je niet, dan staat je wereld toch op z'n kop? Dat van mij is niet zó erg, maar wel bijna, het is toch alsof de wereld van vóór de emigratie niet meer betrouwbaar is. Ik dacht heel veel aan papa, aan het feit dat hij deze reis zo hard nodig had. Een van de redenen daarvoor, de meest voor de hand liggende, was om te weten of hij de juiste beslissing had genomen. Stel je voor dat hij dertig jaar later zou beseffen dat het hem beter zou zijn vergaan als hij gebleven was. Nee, we moesten weten hoe het was geweest voordat we weggingen, weten hoe zwaar de joden het hadden gehad die gebleven waren. Bij Barbara kwam ik daar niet achter, want die woonde inmiddels in Engeland, het schijnt dat ze biologe was, of nog is. Wat zou ik gezegd hebben als ik haar had kunnen bellen? Nou, Barbara, vertel eens, herinner jij je dat je mij slecht hebt behandeld toen we klein waren? Nee, absurd. Maar als ik zin had om te huilen, pakte ik de auto en reed naar Nederland, dan stak ik de grens over, want ik had papa's regel goed in mijn oren geknoopt: in Duitsland geen gehuil. En daar hield ik me de hele tijd aan, zelfs als het niet van me gevraagd werd. Ik huilde niet eens toen we het graf van Miriam, mijn oudere zus, bezochten, die op zevenjarige leeftijd aan hersenvliesontsteking was overleden, ik kon me haar nauwelijks herinneren. Hoe het ook zij, op zulke momenten begon ik te bedenken dat ik begreep waarom God ons naar Duitama had gestuurd. Ik bedacht dat Hij ons zo hard had laten werken om niet te blijven hangen in slechte herinneringen. Nu niet, nu vind ik dat grote onzin, niet alleen omdat papa inmiddels dood is en ik als jong meisje dankzij zijn aanwezigheid dit soort religieuze gedachtes had, maar ook om iets wat moeilijker uit te leggen is. Je wordt oud en symbolen verliezen hun waarde, dingen worden gewoon wat ze zijn. Je wordt de voorstellingen zat: dit stelt zus voor, dat stelt zo voor. Het vermogen om symbolen te interpreteren ben ik inmiddels kwijt, en daarmee ben je ook God kwijt, alsof hij uitdooft. Je wordt het zat om Hem overal achter te zoeken. Achter de bril van de pastoor. Achter een stuk hostie. Misschien is het voor jullie jongeren moeilijk te begrijpen, maar voor oude mensen is God het volgende: een man met wie we te lang verstoppertje hebben gespeeld. Zie maar of je dit allemaal in het boek wilt zetten. Misschien moet je het niet doen, wie interesseert dit geleuter nou? Ja, ik kan beter bij mijn eigen zaken blijven. Straks word je mijn geklets nog zat en zet je de cassetterecorder uit, en dat wil ik niet, ik vind het fijn om over al deze dingen te praten.

Het welkomstwoord werd gesproken door de burgemeester. Een hele ervaring, want die toespraak bracht aan het licht hoe moeilijk het was om Duitsland te verlaten in de tijd dat wij dat gedaan hadden. Ik ontdekte hoe rijk mijn ouders waren geweest, want alleen de rijken konden die emigratiebelasting betalen, ja, zo noemden ze dat, niets meer en niets minder. Ik ontdekte wat een vermogen ze hadden achtergelaten om naar Colombia te gaan. We gingen naar de synagoge, een massief betonnen gevaarte met ronde, koperen koepels, als een Russische kerk, al mag ik dat zo misschien niet zeggen. Daar accepteerde ik op een gegeven moment dat Duitsland mijn land niet meer was, althans niet zoals een land bij een normaal mens hoort. Die reis viel papa heel zwaar. Hij dacht alleen maar aan de wetten van '41. Ik zei dat er bijna dertig jaar verstreken waren en dat je zulke dingen moet vergeten, maar hij kon het niet.'

'De wetten van '41?' Dat is mijn stem op het bandje. Ik herken mezelf niet.

'Wij zaten in Colombia, op een oceaan afstand van Duitsland, en op een goede dag stonden we op en waren we geen Duitsers meer. Je weet pas wat dat betekent als je paspoort verloopt. Want wat ben je dan? Je bent niet van hier, maar ook niet van daar. Als je iets vervelends overkomt, als iemand je wat aandoet, zal niemand je helpen. Er is geen staat die voor je opkomt. Wacht, ik zal je wat laten zien.' Er valt een stilte in de opname, terwijl Sara tussen haar papieren zoekt naar een brief die mijn vader haar uit Bogotá had geschreven, gedagtekend 1 april 5728. 'Typisch iets voor jouw vader,' zei Sara. 'Ik kreeg hem niet uitgelegd dat de godsdienst ook langzaam uit mijn leven was verdwenen en in dat van mijn kinderen überhaupt nooit heeft bestaan.'

'Mag ik die hebben?' zegt mijn stem.

'Dat hangt ervan af.'

'Waarvan?'

'Ga je hem in je boek zetten?'

'Dat weet ik niet, Sara. Misschien wel, misschien niet.'

'Je mag hem hebben,' zei ze, 'als je hem er niet in zet.'

'Waarom niet?'

'Ik ken Gabriel. Hij zal het helemaal niet leuk vinden om in een boek te staan zonder dat iemand hem om toestemming heeft gevraagd.'

'Maar als ik hem nou nodig ...'

'Nee, niks ervan. Je mag hem meenemen als je het me belooft. Zo niet, dan blijft de brief bij mij.'

Ik besloot hem te houden. Ik heb hem hier. *'Ik zou me niet al te druk maken als ik jou was,'* schrijft mijn vader aan Sara. *'Je bent thuis waar je je het lekkerst voelt, en wortels zijn voor planten. Dat weet iedereen, of niet? Ubi bene ibi patria, dat soort tegeltjeswijsheden. (Een Romeins tegeltje, dat wel. Dan is het in elk geval oud.) Zelf ben ik dit land nooit uit geweest en soms denk ik dat het er nooit van zal komen. Ik zou het ook niet nodig hebben, weet je dat? Er gebeurt een heleboel hier, sterker nog, hier gebeurt het; en hoewel ik soms tegen de bekrompenheid van ons zogenaamde Athene van Zuid-Amerika aanloop, denk ik over het algemeen dat de menselijke ervaring hier een bijzonder gewicht heeft, dat ze van een chemische dichtheid is. Hier lijken de dingen die iemand zegt net zo belangrijk te zijn als de dingen die hij doet, deels om een vrij onnozele reden, als je het goed bekijkt: alles moet nog gebeuren. Hier doen woorden ertoe. Hier kun je je omgeving nog vormgeven. Dat is een verschrikkelijke macht, nietwaar?'* Ik heb de brief meerdere keren gelezen; ik lees hem nu, terwijl ik schrijf, en ik had hem die avond ook gelezen, vlak voordat Sara me belde om me te vertellen dat de val van mijn vader was ingezet, de man die dit land nooit uit was geweest en dat ook nooit zou doen, de man die zeggen en doen even belangrijk leek te vinden. Wat zou hij gedacht hebben als hij op televisie had gezien wat ik nu zag? Zou hij spijt hebben gehad van wat hij op 1 april 5728 had geschreven? Zou hij het expres hebben vergeten? Voor mij, als onbevangen lezer, was het duidelijk dat mijn vader tijdens het schrijven van de brief aan Deresser moest hebben gedacht. Het zou zonder twijfel een van de vele inventarissen worden die ik zou moeten aanleggen op grond van Sara's bijdragen aan het dossier; met elke zin die mijn vader had uitgesproken, elke losse, op het oog onbelangrijke opmerking, elke reactie van hem op andermans opmerking, zou al snel een lijst gevuld zijn, de lijst van momenten waarop mijn vader aan Deresser dacht en, vooral, aan wat hij hem had aangedaan. 'Een verschrikkelijke macht, nietwaar?' Ja, papa, verschrikkelijk, jij wist het, jij herinnerde je wat je gedaan had, wat jouw woorden hadden aangericht. (Maar welke woorden dan, en hoe waren ze uitgesproken? Tegenover wie, in ruil waarvoor? Onder welke omstandigheden? Hoe had mijn vader de rol van informant uitgeoefend? Ik zou er nooit meer achter komen, want er waren geen getuigen van.) En nu moet je publiekelijk voor je woorden boeten.

De zaak was dus op televisie. Het was geen schriftelijk interview – zoals Sara aanvankelijk had gedacht en mij ook had laten geloven –, waarin Angelina, met medewerking van de sensatielust van de Bogotanen, mijn vaders reputatie om zeep zou gaan helpen; het was geen tijdschrift dat van haar diensten gebruik wilde maken, maar een van die tv-programma's laat op de avond van strikt lokaal belang, met sensationele en vooral Bogotaanse journalistiek, die tegenwoordig dagelijkse kost zijn, maar in dat jaar 1992 nog een noviteit waren voor de inwoners van deze illustere hoofdstad. Voor die eerste programma's, moet ik aantekenen, zijn meerdere collega's van mij gezwicht, heuse journalisten die keurig achter hun toetsenbord zaten, degelijke onderzoekers en redelijke schrijvers die op een gegeven moment alleen nog maar theaterstukjes voor twee acteurs (presentator en gast) produceerden, stukjes die om de kosten te drukken met twee camera's werden opgenomen en zich, ter verhoging van de dramatiek, afspeelden tegen een zwart decor. Het hield het midden tussen een politieverhoor en riooljournalistiek; de gasten konden zijn (en waren dat ook daadwerkelijk geweest) een congreslid beschuldigd van verduistering van overheidsgelden, een miss die ervan werd beschuldigd een alleenstaande moeder te zijn, een autocoureur beschuldigd van dopinggebruik, een gemeenteraadslid beschuldigd van banden met de drugshandel; allemaal geboren of ingeburgerd in Bogotá, allemaal herkenbaar als een soort symbolen van de stad. Dat was het programma: een podium om te discussiëren over onbewezen aantijgingen, om min of meer heilige figuren van hun voetstuk te stoten, een van de favoriete bezigheden van het Bogotaanse publiek, dat is algemeen bekend. Als mijn vader nog leefde, dacht ik, zou hij in de gastenstoel zitten: een moralist beschuldigd van verraad. In zijn plaats zat daar Angelina Franco, ex-geliefde en getuige à charge, de vrouw die zijn val van dichtbij had meegemaakt. De dramatische opbouw – van de roem naar de ondergang, alles inclusief romance – was duidelijk; de journalistieke potentie was zelfs voor een niet-ingewijde onbetwistbaar geweest. Je voelde de golven van het elektromagnetisch spectrum hier in Bogotá bijna zinderen van opwinding over het eerverlies van de hoogmoedigen, de afstraffing van de arroganten.

Angelina zat in een draaistoel tegenover de presentator, aan de andere kant van een moderne kantoortafel met een smakeloos blad van triplex of misschien wel gewoon fineer; de presentator was Rafael Jaramillo Arteaga, een journalist die bekendstond om zijn vijandige houding (zelf zei hij: mijn directheid) en om de weinige scrupules die hij ondervond als het op pijnlijke onthullingen aankwam (zelf noemde hij dat: de verborgen waarheid aan het licht brengen). Het decor was gemaakt om te intimideren: een illusie van het raadselachtige, het duistere, het verbodene. Daar zat Angelina, zelfverzekerd, gewillig, gekleed in een van haar strakke, opzichtige bloesjes – fuchsiaroze ditmaal – en een rokje dat blijkbaar niet zo lekker zat, want ze moest de hele tijd haar heupen optillen om het bij de zoom te pakken en recht te trekken. De camera zoomde in op de presentator. 'Niet iedereen herinnert zich een van de moeilijkst te duiden, meest paradoxale episodes uit onze recente geschiedenis,' zei hij. 'We hebben het over de Lijst van Onteigende Staatsburgers, pijnlijk beroemd onder geschiedschrijvers, pijnlijk vergeten door het grote publiek. Tijdens de Tweede Wereldoorlog hadden deze lijsten, ook wel "Zwarte Lijsten van het Ministerie van Buitenlandse Zaken van de Verenigde Staten" genoemd, ten doel de financiële middelen van de asmogenheden in Latijns-Amerika te blokkeren. Maar dit systeem leidde overal, niet alleen in Colombia, tot misbruik en meer dan eens hebben de goeden onder de kwaden moeten lijden. Vandaag vertellen wij u een verhaal van verraad.' Reclameonderbreking. Vervolgens kwam er een foto van mijn vader in beeld, dezelfde als die op de pagina met overlijdensberichten van *El Tiempo* had gestaan. De voice-over vertelde: 'Gabriel Santoro was advocaat en gerenommeerd hoogleraar in onze hoofdstad. Meer dan twintig jaar wijdde hij zijn tijd aan het onderwijzen van spreektechnieken aan andere advocaten, in het kader van een speciaal programma van het hooggerechtshof. Vorig jaar kwam hij bij een tragisch verkeersongeval op de weg tussen Bogotá en Medellín om het leven. Hij was naar de stad van de eeuwige lente afgereisd om de feestdagen door te brengen in gezelschap van zijn partner, Angelina Franco, die uit die stad afkomstig is.' Toen verscheen Angelina's gezicht in beeld met daaronder in witte letters haar naam. 'Maar zodra ze daar arriveerden, merkte Angelina al dat haar vriend haar niet de hele waarheid had verteld. Die waarheid heeft ze inmiddels gevonden, en vanavond is zij hier om daarover te vertellen.' En dat deed ze: ze vertelde. Ze vertelde aan één stuk door, alsof haar leven ervan afhing, alsof iemand onder de tafel een pistool op haar gericht hield. Tussen al wat er uit de luidsprekers kwam – die dialoog tussen de scherpschutter en zijn eigen geweer – zaten naar ik aannam een hoop schaamteloze verzinsels, maar alles hielp om me een beeld te vormen van de geliefde van mijn vader, want zelfs leugens, zelfs de meest ordinaire verzinsels die iemand over zichzelf ophangt, geven ons waardevolle informatie over die persoon, misschien nog wel waardevoller dan de meest oprechte waarheden. Transparantie is het grootste bedrog ter wereld, zei mijn vader altijd: je bent de leugens die je zelf verkondigt. Dat leert elke interviewer na twee interviews, elke advocaat na twee verhoren en, vooral, elke spreker na twee toespraken. Dat dacht ik allemaal; toch viel ik tijdens het eindeloze uur dat het programma duurde – zestig minuten, inclusief reclameblokken – en waarin de nagedachtenis aan mijn vader op zorgvuldige wijze werd gedefenestreerd, van de ene verbazing in de andere. Waarom deed ze dit? Terwijl Angelina haar verhaal vertelde en af en toe naar het decor achter zich keek, betoverd door de blauwe neonletters die de naam van het programma vormden, kon ik me alleen maar concentreren op deze vraag: waarom deed ze mijn vader dit aan?

Ik had toen graag geweten wat ik later heb gehoord. Niets nieuws, niets origineels, het overkomt ons allemaal, de hele tijd. Om dit theaterstukje – de val van een semipublieke persoon, het impromptu van de ontgoochelde fysiotherapeute – goed te kunnen begrijpen, moest ik eerst andere dingen begrijpen. Maar die dingen kwamen, zoals zo vaak, pas later, toen ze inmiddels minder urgent en minder bruikbaar waren, want het leven is niet zo geordend als een boek doet voorkomen. Nu ik weet wat ik weet, komt mijn vraag me bijna naïef voor. De redenen die Angelina had om dit te doen, waren niet anders, niet verhevener, beschaafder, romanesker of verfijnder dan die van ieder ander, waarmee ik wil zeggen dat haar beweegredenen beantwoordden aan mechanismen die we allemaal kennen, hoe verheven, beschaafd of verfijnd we ook menen te zijn. Mijn vraag was geweest: waarom deed ze mijn vader dit aan? Maar ik had ook gewoon kunnen zeggen: 'Waarom deed ze dit?' Ze deed dit omdat een man (een anonieme man, om het even wie; als het mijn vader niet was geweest, had een ander die rol wel gekregen) voor haar de belichaming werd van alles wat er naar en beangstigend was aan haar leven, en ze wilde wraak nemen. Ze deed het uit wraak, een postume wraak waar alleen Angelina het nut van inzag. Ze deed het omdat mijn vader ongewild elk klein drama dat Angelina in haar leven had meegemaakt, in zich verenigde. Hoe ik dat weet? Dat heeft ze me zelf verteld. Zij heeft me de informatie gegeven en ik heb die, door een soort verslaving die ik niet meer kon afwenden, willen ontvangen.

Maar eerst moest ik nog andere klappen incasseren: de klappen die vanaf het beeldscherm door de interviewer en de geïnterviewde werden uitgedeeld. Ik heb ze als volgt gereconstrueerd.

Was zij op de hoogte van Gabriel Santoro's reputatie?

Nee. Nou ja, toen Angelina hem leerde kennen, lag Gabriel als een klein kind ingestopt in bed en dan kom je natuurlijk nooit zo best uit de verf; zelfs de president zou er in zijn pyjama onder de dekens maar klein en gewoontjes uitzien. Angelina wist echter (of was er eigenlijk in de loop der tijd achter gekomen) dat haar patiënt een zeer geleerd man was, maar op een goede manier, iemand die met veel geduld van alles en nog wat kon uitleggen. Met haar had hij in elk geval veel geduld: hij legde haar de dingen twee of drie keer uit als het nodig was, en daarin herkende Angelina de goede leraar nog. Hij was natuurlijk al met pensioen toen ze elkaar leerden kennen, maar leraar bleef je altijd, dat zei hij tenminste. Maar over zijn aanzien, zijn plaatselijke bekendheid, dat alles, had ze pas na zijn dood gehoord. Gabriel sprak daar niet over; als ze een hele avond in zijn appartement doorbrachten, bijvoorbeeld, nam Angelina alle prijzen die hij had gekregen een voor een uit de kast en vroeg om een toelichting. En deze, waarvoor? En deze? Zo hoorde ze van zijn toespraak in het Capitolio, zo kwam ze te weten dat men die toespraak heel goed had gevonden, zo kwam ze te weten dat Gabriel een heel belangrijk rechter had kunnen worden als hij was ingegaan op de aanbiedingen die hij had gekregen. Wat overigens niet wilde zeggen dat hij een belangrijk persoon was.

Maar ze wist toch dat Santoro onderscheiden zou worden?

Ja, maar dat zei haar niet zoveel. Zij wist niet wie er onderscheiden werd en waarvoor. Voor haar was de onderscheiding iets wat op zijn begrafenis had plaatsgevonden, een ritueel als alle andere, een schijnvertoning die iedereen omwille van de overledene voor waar aanneemt. Net als de dingen die de pastoor had gezegd.

Hoe hadden ze een liefdesrelatie gekregen?

Gewoon, net als iedereen. Ze waren allebei eenzaam en eenzame mensen zijn geïnteresseerd in andere eenzame mensen en proberen of ze zich met andere eenzame mensen misschien minder eenzaam voelen. Heel eenvoudig. Gabriel was tenslotte een heel eenvoudige persoon. Hij wilde dezelfde dingen als iedereen: erkenning voor wat hij goed had gedaan, vergeving voor wat hij fout had gedaan, en dat er van hem gehouden werd. Ja, vooral dat, dat er van hem gehouden werd.

Hoe was zij erachter gekomen wat hij in zijn jeugd had meegemaakt?

Dat had hij haar zelf allemaal verteld. Maar dat was al in Medellín, toen alles goed leek te gaan, toen het er niet meer naar uitzag dat hun relatie nog een deuk kon oplopen door verhalen van vroeger. Maar dat gebeurde wel, ja, al kon Angelina het nu niet allemaal stap voor stap uiteenzetten; wie kan dat wel, de reeks van beslissingen overzien die een relatie naar de verdommenis helpen? Het was als volgt gegaan: Angelina had hem uitgenodigd; ze wilde hem haar stad laten zien, er met hem doorheen wandelen, deels uit zo'n drang die verliefden hebben om de ander hun vroegere leven te overhandigen en deels omdat Gabriel Bogotá heel weinig uit kwam en de afgelopen twintig jaar nergens was geweest waarheen het langer dan vier uur rijden was. Dat vond Angelina voor iemand met zijn culturele achtergrond bijna absurd. En op een dag, toen ze inmiddels een aantal weken met elkaar uitgingen – ze zeiden 'uitgaan', hoewel hun afspraakjes nooit in de openlucht plaatsvonden, maar zich verdeelden over zijn appartement en het hare, twee pijpenlades – was Angelina met het plan gekomen en ook nog met een ingepakte envelop van manillapapier en een strik van rode neptafzijde eromheen, waarin een zogenaamde routebeschrijving zat: een dikke zwarte viltstiftstreep die de weg moest voorstellen, met her en der perfect ronde punten, als etappes in de Ronde van Colombia. Eerste etappe: Rompóin de Siberia.

We tanken en geven elkaar een zoen. Eenentwintigste etappe: Medellín. Ik laat je mijn ouderlijk huis zien en we geven elkaar een zoen. Gabriel had meteen ingestemd en de auto aan zijn zoon gevraagd, en op een vrijdag in december, in alle vroegte, waren ze vertrokken. Met een veilige snelheid en alle stops waar Gabriels gezondheidstoestand om vroeg, hadden ze er minder dan tien uur over gedaan.

Wat gebeurde er in Medellín?

In het begin ging het allemaal goed, zonder problemen. Gabriel wilde per se een hotel nemen, op voorwaarde dat het niet te duur was – hij had toch zeker zijn pensioen om zich enige luxe te kunnen veroorloven? – en op de eerste avond staken ze de straat naar de parkeerplaats van het hotel over en aten in een toeristisch eettentje, opzettelijk rommelig, een beetje volks maar niet té, een soort themarestaurantje met ezeldrijversattributen. De volgende dag liepen ze de stad door op zoek naar het huis waar Angelina op haar achttiende uit was vertrokken en troffen er op de begane grond, waar vroeger de woonkamer had gezeten, een winkel in wollen kousen aan en op de tweede, waar vroeger de kamer was die zij met haar broer deelde, een tweedehandskledingzaak. Hij had drie gangpaden, gevormd door lange aluminium stangen die als kledingrek dienden, en aan die stangen hingen jassen, mantels, colberts, jurken met pailletten, overalls, jacquetjassen om te huren en zelfs verkleedcapes, met een geur van stof en mottenballen ondanks de plastic hoezen. En zo, al babbelend over lege kleren, over blouses die strak stonden van het stijfsel, over mantels die daar hingen als varkens in een slachthuis, liepen ze terug naar het hotel, waar ze probeerden de liefde te bedrijven, maar Gabriel het niet kon. Angelina dacht aan de gebruikelijke oorzaken – een combinatie van ouderdom en vermoeidheid –, maar het was nooit in haar opgekomen dat Gabriel misschien zenuwachtig was over zaken die niets met zijn of haar lichaam te maken hadden en dat de spanning (de spanning over wat hij van plan was) inmiddels zo hoog was opgelopen dat deze een goede vrijpartij van een paar minuten kon bederven. En toen vertelde hij haar over Enrique Deresser. Hij noemde hem niet bij naam, want het was haar natuurlijk volkomen om het even hoe de naam luidde van de jeugdvriend van een naakte zestiger die bij haar in bed lag en ineens onthullingen deed waar zij niet om had gevraagd. Gabriel vertelde haar alles; hij vertelde haar over wat er meer dan veertig jaar geleden gebeurd was, over wat hij gedaan had, over zijn schuldgevoel, over zijn obsessie om vergeven te worden; en zo, met het gemak van een politicus, sprekend zoals een ander ademhaalt (hoewel hij dat met pijn en moeite deed), alsof je een vlieg verjaagt (al is het met een onvolledige hand), vertelde hij haar dat zijn vriend Enrique in Medellín woonde, dat hij daar al meer dan twintig jaar zat, maar dat hij er uit lafheid nooit toe gekomen was om te doen wat hij nu deed: de mogelijkheid overwegen om veertig jaar ineens te overbruggen en te gaan praten met de man wiens leven hij verwoest had.

Wat voelde zij op dat moment?

Aan de ene kant nieuwsgierigheid, oppervlakkige nieuwsgierigheid, net zoiets als wat iedereen in haar plaats zou hebben gevoeld. Wat zou er in het hoofd van die vriend omgaan? Waarom had hij in al die jaren geen contact opgenomen met Gabriel? Was de haat, de wrok, zo groot? De redenen waarom het omgekeerde niet was gebeurd, waren voor de hand liggender: volgens Gabriel had hij begin jaren zeventig, toen hij hoorde dat zijn vriend in Medellín zat, de aandrang gevoeld om hem op te zoeken, maar was hij bang geweest. Zijn vrouw leefde nog en zijn enige zoon was ongeveer tien jaar oud; terecht of onterecht had Gabriel het gevoel dat toenadering zoeken tot Enrique het gevaarlijkst was wat hij kon doen, zoiets als het leven van zijn gezin inzetten bij een spelletje eenentwintigen. Natuurlijk zette hij er niemands leven mee op het spel, maar zoiets persoonlijks als zijn eigen imago. Maar daar mocht je hem niet om veroordelen. Je raakte er tenslotte aan gewend dat anderen naar je kijken – en aan alles wat er in dat kijken besloten lag: bewondering of respect, erbarmen of mededogen – en negentig procent van de mensheid zou niet in staat zijn iets te doen wat verandering zou brengen in de manier waarop ze gezien worden. Gabriel was per slot van rekening een mens. Nou, na al die uitleg vooraf, zei de naakte man: 'Ik heb het nooit gedurfd en nu ga ik het eindelijk doen. En dat dankzij jou. Dat heb ik aan jou te danken. Jij geeft me de kracht, dat weet ik zeker. Als ik niet met jou omging, zou ik het niet doen. Hier heb ik al die tijd op gewacht, Angelina. Ik heb gewacht op jouw steun en jouw gezelschap, allemaal dingen die niemand anders me kon geven.' Ja, dit zei Gabriel allemaal tegen haar, met al deze verantwoordelijkheden zadelde hij haar op.

Wat voelde ze verder nog voor emoties, behalve die nieuwsgierigheid?

Ze voelde zich trots, maar ook een beetje verraden. Trots omdat zij het motief was van die opwelling van moed; ja, ze had het geloofd, ze had geloofd dat Gabriel Santoro zonder haar nooit naar Medellín was gekomen. En verraden om vreemdere, lastiger uit te leggen redenen die veel met jaloezie te maken hadden. Enrique Deresser werd ineens zoiets als een geliefde uit het verleden, een vriendin die Gabriel Santoro in zijn jeugd had gehad. Angelina luisterde naar Gabriel en hoorde dit: heimwee naar een oude liefde, een verlangen om die herinneringen opnieuw te beleven. Dat was natuurlijk niet zo, maar daar in Medellín voelde Angelina zich ineens gedwongen om met iemand anders te wedijveren om Gabriels aandacht. Verraad is een groot woord, natuurlijk. Je zou kunnen zeggen dat ze jaloers was, jaloers op het verleden dat tot dan toe zo aangenaam afwezig was geweest. Het ergste verraad voltrekt zich op die manier, met kleine dingetjes die voor een ander geen betekenis zouden hebben. Het pijnlijkste verraad voltrekt zich wanneer ze je zwakke plek vinden, met iets wat een ander niets zou doen maar jou wel. En dat was wat Gabriel deed: hij vond haar zwakke plek. Dus daarvoor had hij haar meegenomen? dacht Angelina. Tot op dat moment was Gabriel voor haar een soort akte van geloof in haar eigen leven geweest, het bewijs dat een vrouw van bijna vijftig het gedeelde geluk nog kon vinden en ook het bewijs dat gelukkig toeval bestond, want ze hadden elkaar bij toeval ontmoet; een man die herstelt van een ziekte en een fysiotherapeute hebben natuurlijk een redelijke kans om bij elkaar terecht te komen, maar minder waarschijnlijk is het dat die fysiotherapeute zo hard liefde nodig heeft als zij en dat de herstellende patiënt zo bereid is haar die te geven als hij. Gabriel, zo had ze meer dan eens bedacht, was haar reddingsboei. En daar in dat hotel in Medellín dacht Angela ineens dat haar reddingsboei haar gebruikt had. Ze raakte in een soort heimelijke paniektoestand die ze heel goed verborgen hield.

Waaruit bestond die heimelijke paniek?

Uit het verschil tussen wat ze dacht en wat ze zei. Bij zichzelf dacht ze, dwars tegen alle signalen in, dat Gabriel helemaal niet van haar hield, dat de liefde die hij haar had gegeven niet echt was. Bij zichzelf dacht ze dat Gabriel haar had gebruikt om zijn zwakte en zijn lafheid te verdoezelen. Bij zichzelf dacht ze: hij heeft me de hele week laten geloven dat hij enthousiast was over het plan om naar Medellín te gaan, terwijl hij heel andere bedoelingen had. Leugens. Allemaal leugens. Bij zichzelf dacht ze: eigenlijk zocht Gabriel geen geliefde, maar iemand die zijn hart genas, een soort kruising tussen een zuster en een psychologe, iemand die hem zou helpen naar Medellín te gaan en hem eenmaal daar zou helpen om verlaat om vergeving te vragen, omdat hij altijd te laf was geweest om dat zelf te doen. Iemand dus die in het hotel op hem wachtte terwijl hij zijn uitgestelde zaken ging afwikkelen, terwijl hij zijn vriend ging opzoeken en zich door hem liet vergeven en ze samen een drankje namen en proostten op de goede oude tijd en het verdwijnen van alle wrokgevoelens. Bij zichzelf dacht ze dat ze slechts een figurante was in deze film, een reservespeelster, een troostprijs. En alsof dit allemaal nog niet genoeg was, zag Angelina Gabriel ook nog voor haar ogen veranderen: van de volwassen, wijze, ontwikkelde, elegante man die ze had leren kennen, in een verrader, de verrader van een vriend, de verrader van een geliefde; ja, een leugenaar, een manipulator, een trouweloze. Maar ze hield zich groot, ze stopte het weg, ze begreep dat ze wellicht verblind werd door emoties, als in een soap. De ontgoocheling, de vernedering, de spot (ja, want wat er daar in die hotelkamer gebeurde, kwam daarop neer: het leven spotte met haar, het leven dat Gabriel Santoro had aangewezen om haar te laten zien dat er geen uitweg mogelijk was, dat geluk niet bestond en zeker niet in het hoofd van een man, dat het naïef was ernaar te zoeken en ronduit stom te denken dat ze het had gevonden) waren enorm. En toch hield Angelina vol, zoals ze dat haar hele leven had gedaan, want ze hield van Gabriel en wilde dat Gabriel van haar bleef houden. Ze wist dat jaloezie mensen blind maakt en dat je ook jaloers kunt zijn op het verleden, al zou Gabriel haar een paar uur alleen laten om naar een oude vriend te gaan en niet naar een jeugdliefde. Ja, zo splitste ze zich op: bij zichzelf dacht ze dat het leven haar Gabriel Santoro had gestuurd om haar dit te laten zien, dat Gabriel Santoro de boodschapper van haar vernedering was. Maar aan de buitenkant besloot ze vol te houden, een gezicht op te zetten van 'dit raakt me niet' en het enige te doen wat ze kon doen: Gabriel feliciteren, hem complimenteren met zijn moed en zijn wens om vergeven te worden. Hypocriet die ze was.

Was die felicitatie niet oprecht?

Nee, nee, nee. Wat Gabriel zijn vriend had aangedaan, was onvergeeflijk, dat stond voor haar als een paal boven water en iedereen zou het daarmee eens zijn. Ja, er was veel tijd verstreken sinds de gebeurtenissen in de oorlog, sinds de kwestie met de zwarte lijsten en de groepen informanten en spontane informanten; maar de tijd heelde niet alle wonden, dat was je reinste leugen. Sommige dingen bleven ons bij: een broer die je in de steek laat, een geliefde die je minacht, de dood van je ouders, het verraad van een vriend of diens familie. Daarvan kwam niemand meer los en dat was maar goed ook. De verraders verdienden straf, en als ze op enige wijze ongestraft verraad konden plegen, verdienden ze het op z'n minst om tot hun dood hun schuldgevoel met zich mee te dragen. Als het aan Angelina had gelegen, als ze ook maar een heel klein beetje invloed had op de gebeurtenissen om haar heen (precies dat wat ze nooit had gehad) en vooral als ze niet zo verliefd was geweest, zou Gabriel het hotel nooit hebben verlaten, hij zou nooit naar zijn vriend zijn gegaan.

Dus uiteindelijk is hij naar hem toe gegaan.

Natuurlijk is hij gegaan. Hij verliet althans het hotel om naar hem toe te gaan. Als een cowboy, hè. Alsof hij wilde zeggen: ik ga, ik schiet hem overhoop en kom terug. Dat was op zondag. Angelina wist het nog omdat ze de hele ochtend in het hotel tekenfilms had zitten kijken.

En wat gebeurde er tussen de twee mannen?

Dat wist Angelina natuurlijk niet, want ze was niet mee geweest. Het was als volgt gegaan: na zijn bekentenis was Angelina opgestaan en naar de badkamer gelopen. Ze keek in de spiegel, want ze had gezien dat mensen in de spiegel keken als ze hun ergste problemen wilden oplossen, en zei tegen zichzelf: je moet de zonnige kant van de dingen inzien. Afhankelijk van hoe je het bekijkt, is het eigenlijk heel mooi wat hij doet. Hij heeft je om hulp gevraagd. Je bent belangrijk voor hem. Zo slaagde ze erin haar gevoelens (wat ze bij zichzelf had gedacht) te onderdrukken en toen ze, wat gekalmeerd inmiddels, er weer uit kwam, gaf ze Gabriel meteen een knuffel en zei: 'Goed zo, ik vind het heel dapper van je, je vriend zal je heus wel goed ontvangen, hoor, wrok duurt nooit eeuwig.' En direct na het uitspreken van die woorden voelde ze de sfeer in de kamer veranderen. Er was weer genegenheid, de spanningen verdwenen, ja, het enige wat je nodig had, was een beetje goede wil, controle over je negatieve gevoelens. En nu lukte het wél. Ze gingen met elkaar naar bed, het lukte. Het was niet hun beste keer, maar het was fijn, er was een genegenheid die er heerst wanneer iemand de relatiebom onschadelijk heeft gemaakt. Gabriel zei dat hij van haar hield. Zij hoorde het aan zonder te antwoorden, maar voelde dat ze ook van hem hield. En zo was ze in slaap gevallen. Ze zag hem niet meer terug.

Ging hij weg zonder afscheid te nemen?

Waarom zou hij? Het was immers de bedoeling dat hij met zijn vriend ging praten en dan terug zou komen.

Had zij geen vermoeden gehad dat Gabriel niet zou terugkomen? Was die mogelijkheid nooit in haar opgekomen?

Jawel, maar toen het al te laat was. Gabriel was de volgende dag heel vroeg opgestaan en vertrokken, waarschijnlijk zonder zich te douchen, want Angelina had hem niet gehoord deze keer. Ze had hem niet horen opstaan, hem zich niet horen aankleden, hem de kamer niet uit horen gaan. Toen ze wakker werd, vond ze zijn berichtje. Gabriel had het op papier van het hotel geschreven, geen briefpapier, maar een envelop, hoogstwaarschijnlijk omdat hij die rechtop tegen de schemerlamp op het nachtkastje kon zetten. '*Het kan zijn dat het even duurt. In elk geval ben ik vanmiddag weer vrij. Dank je voor alles. Ik hou van je.*' Zij herlas dat 'Ik hou van je' en voelde zich blij, maar er zat haar iets niet lekker. 'Ben ik vanmiddag weer vrij'. Vrij van haar? Zou Angelina soms een blok aan zijn been worden wanneer haar missie als reisgenote vervuld was? Ze dacht iets wat ze nooit eerder had gedacht: hij komt niet terug. Nee, dat was onmogelijk, Gabriel zou haar niet op zo'n manier laten zitten, zelfs niet als hij haar voor een bepaald doel gebruikt had en dat doel bereikt was. Nee, dat kon niet. Ze verbeet zich zo goed als ze kon; ze zette de televisie aan en zapte langs de zenders (een paar Amerikaanse, een Spaanse, zelfs een Mexicaanse) op zoek naar een programma dat afleiding kon bieden en merkte dat tekenfilms, al die klappen met hamers, de schoten van dichtbij, de ontploffingen, de vrije vallen, met andere woorden, al die karikaturale wreedheden, heel precies en zorgvuldig de kleine wreedheden, de kleine onzekerheden van het echte leven, uitwisten. Rond het middaguur ging ze naar het zwembad, bestelde een lunch voor wel drie hongerige fysiotherapeutes en vroeg die naar haar kamer te laten brengen. En in het bijzijn van de twee natte kinderen van een kusttoerist, verwende jochies die haar onderspetterden toen ze met beslagen duikbrillen op en rode vleugeltjes om hun bovenarmen voorbijrenden, had ze ineens het gevoel alsof het in haar oor werd gefluisterd: hij komt niet terug. Hij heeft tegen me gelogen. Hij gaat doen wat hij doen moet en dan vertrekt hij, hij laat me goed verzorgd achter in dit hotel, zodat ik nog een paar daagjes kan genieten, maar hij gaat me verlaten. En dat werd steeds duidelijker naarmate de tijd verstreek, want het beste bewijs dat iemand niet terug zal komen, is dat hij niet terugkomt, toch? Angelina zat de hele middag in het hotel te wachten op een telefoontje, te wachten tot een piccolo een briefje zou komen afgeven, maar zelfs dat niet, die rotzak van een Gabriel liet niet eens een briefje achter. En toen ze uit het raam keek, alsof je vanuit het raam de weg naar het hotel kon zien, besefte Angelina dat ze in haar eigen stad was, de plaats waar ze was geboren en jarenlang had gewoond, maar dat ze nergens heen kon. Alweer, dacht ze. Weer waren de mannen erin geslaagd een vriendelijke stad in een vijandige stad te veranderen; om haar, een stabiele vrouw die met twee benen op de grond stond, te veranderen in een buitenstaander, een ontwrichte, een vreemdelinge.

Had ze helemaal geen bekenden meer in Medellín?

Bekenden wel, maar iemand kennen is niet genoeg om hem een nacht om onderdak te vragen, laat staan hem uit te leggen hoe ze terecht was gekomen in de situatie waarin ze zich nu bevond (ze durfde het woord 'hulpeloos' niet uit te spreken, dat klonk pathetisch, of in elk geval te klagerig). Ze wilde zich verliezen tussen de lichtfiguren die in die tijd van het jaar in het centrum van Medellín stonden, sterren, kerststallen, klokken, allemaal voor de gelegenheid vervaardigd uit beschilderde gloeilampen en met groen plastic omwikkelde stroomkabels; ze wilde een eindje door de stad wandelen en gewoon etalages bekijken, ervan uitgaande dat drie dagen voor kerst alle winkels in de stad geopend zouden zijn en vol mensen, geroezemoes, slingers, opgetuigde bomen en lampjes en kerstliedjes; ze wilde, kortom, het leven meteen de kans geven weer zijn gewone loop te nemen, het niet te laten ontsporen. Ze liep naar de parkeerplaats, constateerde dat Gabriel de auto had meegenomen – ze stelde zich voor hoe hij met zijn linkerhand stuurde en met de duim van zijn verminkte hand schakelde – en zag dat het de nacht ervoor had geregend, want op het asfalt was nog een droge rechthoek te zien waar de auto had gestaan; meteen liep ze naar de hotelkamer, haalde alles wat van Gabriel was uit de koffer en liet het achteloos op bed liggen. Zo bracht ze de nacht door, naast de kleren van de man die haar had laten zitten. Ze sliep slecht. Om zes uur 's ochtends had ze al een taxi gebeld en binnen een kwartier had de taxi haar opgehaald en was Angelina onderweg naar het busstation.

Dus zij was ook weggegaan zonder een briefje achter te laten, zonder op enige manier afscheid te nemen?

Gabriel zou niet terugkomen, dat was wel duidelijk. Waarom zou ze afscheid nemen? Door haar afgedankt in het hotel te laten zitten, had Gabriel heel duidelijk gemaakt dat hij haar niet meer wilde zien, wat voor briefje had ze kunnen schrijven? Natuurlijk, ze had niet gedacht dat ze hem nooit van haar leven meer zou terugzien; ze zou bij terugkomst in Bogotá wel achter hem aan gaan om hem om opheldering te vragen of in elk geval te praten, ze had nooit kunnen bedenken dat Gabriel zou sterven op het moment dat hij haar in de steek liet, was dat niet heel ironisch? Ja, sommige ongelukken lijken wel een straf, niet dat zij daar blij om is, het zou wel een erg zware zijn. Gabriel dood nadat hij haar heeft laten zitten, niet te geloven. Als ze het ook maar enigszins had kunnen vermoeden, was ze op een andere manier weggegaan. Iedereen heeft zo zijn manier van weggaan en die manieren hangen af van honderden dingen: vanwaar vertrekken we, waarom vertrekken we, van wie vertrekken we?

Hoe vernam ze dat hij dood was?

Via de kranten. Het afschuwelijkst was natuurlijk dat ze een paar uur later zelf langs de plek van het ongeval was gekomen, maar niets had gezien. Ze zat in een bus van Expreso Bolivariano, zo'n zelfde als de bus die was verongelukt; hij was om zeven uur 's ochtends vertrokken en Angelina was klaarwakker toen ze de weg naar Las Palmas waren ingeslagen. Ze had echter niets bijzonders gevoeld, ze had niets gemerkt van de opschudding onder de nieuwsgierigen die uit het raam keken of van de files die zo'n toch min of meer opzienbarend ongeluk kan veroorzaken. En helemaal niets gaf haar het gevoel dat de wereld was veranderd, niets attendeerde haar op die nieuwe afwezigheid, de verdwijning, de leemte in de orde der dingen, wat uiteraard betekende dat haar emotionele banden met Gabriel geheel en voorgoed verbroken waren. Later was ze door het schommelen van de bus ingedut en had ze, tussen dromen en waken, teruggedacht aan dat vreselijke verhaal van die buitenlandse familie en de vriend die hen verried. Soms hield ze het niet voor mogelijk: Gabriel was te eerlijk om zo'n laffe daad te plegen en te slim om het uit naïviteit of onschuld te doen. Maar misschien was dat allemaal niet waar en was het gewoon heel simpel: deze man, die haar had gebruikt om naar Medellín te gaan, die in staat was geweest met haar naar bed te gaan, toekomstplannen met haar te maken, te zeggen dat hij van haar hield en dat allemaal om haar vervolgens in een hotelkamer aan haar lot over te laten, deze man was niets anders dan wat zijn daden lieten zien en had zijn leven lang een masker van respectabiliteit opgehouden, ten koste van de geloofwaardigheid en genegenheid van de mensen om hem heen. Iedereen weet het: eens een verrader, altijd een verrader, tot aan de dood.

Dus zij geloofde niet in spijt.

Op zich geloofde ze wel in spijt, maar het leek haar niet mogelijk dat hij spijt had gekregen. Of misschien ook wel, maar niet zonder meer als iets wat hem sierde. Zelfs al was zijn spijt oprecht, zijn wens om vergeven te worden oprecht, dan had Gabriel er nog altijd geen punt van gemaakt om zijn relatie met haar ervoor aan de kant te zetten. Spijt was geen excuus om zomaar de egoïst te gaan uithangen; en spijt sloot evenmin bepaalde verantwoordelijkheden uit, of althans bepaalde menselijke prioriteiten. We zullen nooit meer weten welke redenen Gabriel had om niet meer van haar te houden, om te besluiten dat terugkeren naar het hotel niet tot zijn plannen behoorde. Was het soms goed te praten dat hij haar op zo'n manier had gekwetst, haar had belogen, bedrogen (geschreven dat hij terug zou komen terwijl het alleszins duidelijk was dat hij dat niet van plan was), haar zo gemeen in de val had gelokt? En dan hebben we het nog niet over het feit dat hij haar zijn ware aard had onthuld, aan haar, die dolgraag in een leugen had geleefd als ze hem daarmee had kunnen behouden.

Wat dacht zij dat er tussen Gabriel Santoro en Enrique Deresser was gebeurd?

Aangenomen dat ze elkaar gezien hadden, toch? Want dat was ook niet zeker. De kans dat Gabriel na aankomst in Medellín de moed in de schoenen was gezonken, was best reëel, daar moest rekening mee worden gehouden. Angelina had daar tijdens de crematieplechtigheid aan gedacht: wat als Gabriel nou eens spijt had gekregen van zijn spijt? Als de angst voor de confrontatie met zijn vriend groter was geweest dan de kans op vergeving? Wat als Gabriel haar nou had opgeofferd, vervolgens zelf was verongelukt en dat het allemaal voor niets was geweest? Bij het crematorium had Angelina Gabriels zoon, de journalist, ontmoet en hem voorgesteld om in het appartement van de overledene af te spreken om hem alles te vertellen, om hem te vertellen wie zijn vader werkelijk was geweest, om ook hem uit de droom te helpen. Uiteindelijk had ze dat niet gekund, en wel om deze reden: omdat de mogelijkheid bestond dat Gabriel nooit bij zijn vriend was aangekomen. Want op dat moment, na de heftige gebeurtenis van de crematie, na de triestheid van de hele ceremonie, was de gedachte dat Gabriel op de terugweg van Medellín was omgekomen (nadat hij haar in de steek had gelaten, dat wel, maar zonder dat hij het doel van zijn reis had volbracht) eerder harteloos dan absurd. En Angelina was geen harteloos mens.

Stel dat ze elkaar hebben gezien, wat zou er dan tussen hen gebeurd kunnen zijn?

Angelina wist het niet. Eerlijk gezegd interesseerde het haar ook niet. Ze had het allemaal al achter zich gelaten. Ze was Gabriel al aan het vergeten. Ze wilde weer vooruit, naar een nieuw leven. Een praatje tussen twee vermoeide oude mannen over dingen van een halve eeuw geleden? Alsjeblieft, zeg. Was er íéts onbelangrijker?

Met mij ging het uiteraard precies andersom. Tijdens die uitzending van een uur leek er meer te zijn gebeurd dan in al mijn dertig jaren, of anders gezegd: vanaf dat moment leek het wel alsof er, behalve dat lokale televisieprogramma, niets in mijn leven was gebeurd; er gingen zo veel deuren open naar zo veel nieuwe kamers, zo veel valkuilen dat ik me, in plaats van het toestel uit te zetten en Sara te bellen om te bespreken wat Angelina had verteld, wat het meest logische zou zijn geweest, in een soort maalstroom mijn huis uit liet sleuren en om elf uur 's avonds ineens over de zevende straat in de richting van de arena reed. De ene helft van mijn hoofd wilde onaangekondigd bij Sara langsgaan en de andere helft vond het een belediging, verraad bijna (ja, het woord had zich in mijn vocabulaire geïnstalleerd als een nieuw lettertype in de tekstverwerker) dat Sara me niet over Enrique Deresser had verteld. Enrique Deresser leefde; Enrique Deresser was in Medellín. Kon het zijn dat zij daar ook niets van wist? Kon het zijn dat mijn vader dat ook voor haar verborgen had gehouden, zoals Angelina had gesuggereerd? Op televisie had de geliefde van mijn vader zichzelf tot het niveau van opperste vertrouwelinge verheven, de enige persoon op aarde die mijn vader vertrouwde of althans voldoende vertrouwde om zijn geheim met haar te delen en haar om hulp te vragen. En wat had zij gedaan? Nadat ze had verklaard dat ze hem had begrepen, nadat ze dubbelhartig haar bewondering voor zijn berouw en lef had uitgesproken, voor de moed die een man van zijn leeftijd en met zijn leven nodig had om een acht uur durende reis te maken en dat alleen om om vergeving te vragen, na dit alles, wat had ze toen gedaan? Ze was naar zichzelf gaan zitten kijken. Ze wist net zomin als de rest van de wereld waarom mijn vader hun relatie had beëindigd (op een vrij stijlloze manier, dat is waar, maar stijl is voorbehouden aan wie gerespecteerd wordt, stijl is een manier van leven die mijn vader inmiddels had afgezworen). In de strijd van een man tegen zijn fouten had Angelina slechts een man gezien die zonder afscheid te nemen uit haar leven verdween, en ze had besloten een weerwoord te geven op die vernedering. Dat had ze gedaan: ze had hem verraden. Ze had hem na zijn dood, toen hij zichzelf niet meer kon verweren, verraden.

Deresser in Medellín? Had hij soms iedereen misleid, had hij misschien net gedaan alsof hij uit Bogotá en Colombia was vertrokken, terwijl hij zich in werkelijkheid verstopt had en al die jaren in zijn schuilplaats was blijven zitten? Nee, dat was onmogelijk. Was hij misschien echt het land uit gegaan, had hij elders gewoond – in Ecuador of Panamá, in Venezuela, in Cuba, in Mexico – voordat hij incognito was teruggekeerd en een leven was begonnen als de man zonder rug, zonder vaste nationaliteit en van gemengd bloed, die hij in zijn jonge jaren weleens had willen zijn? Al rijdende betrapte ik mezelf erop dat ik over zijn leven zat te speculeren, over wat hij in die veertig jaar meegemaakt zou kunnen hebben, hoe vaak hij zich misschien vergist had zoals hij zich in mijn vader had vergist, hoeveel fouten hij had gemaakt, van hoeveel dingen hij spijt had, voor hoeveel dingen hij graag vergeven zou willen worden. Door het idee dat Deresser nog leefde, veranderde ook mijn beeld van hem – als het povere, onvolledige portret dat Sara voor mij had geschetst tenminste die naam mocht hebben – omdat er ineens gevolgen kleefden aan zijn daden en handelingen, die gewoon door waren gegaan; het werd, kortom, ontdaan van dat eigenaardige aura van maagdelijkheid dat vermiste mensen omgeeft en hen tevens immuun maakt voor fouten. Het was duidelijk: wie verdwijnt, verliest eerst en vooral het vermogen om fouten te blijven maken, de vaardigheid om te verraden en te liegen. Zijn karakter verandert niet meer, of liever gezegd, het wordt gefixeerd, als licht op het zilver van een negatief. Een verdwijning is een morele foto. Deresser, die dagenlang een abstractie voor mij was geweest (een abstractie die in twee ruimtes leefde: in Sara's stem en in de jaren veertig), werd weer kwetsbaar. Hij was geen heilige meer; hij was geen slachtoffer meer, althans niet alléén slachtoffer. Hij was iemand geweest die mensen kwaad kon doen, zoals mijn vader hem kwaad had gedaan, en dat was hij nog altijd, dat wil zeggen, dat was hij een halve eeuw lang gebleven. Die halve eeuw, dacht ik, heeft hij gekregen om kwaad te blijven doen. En waarschijnlijk – nee, zeer zeker – had hij er gebruik van gemaakt.

Hij was misschien getrouwd in het eerste land van aankomst, Panamá of Venezuela, en na verloop van tijd van zijn vrouw en kinderen gescheiden door van die banale meningsverschillen die op scheidingen uitdraaien. Zou hij toen hij trouwde zijn naam hebben veranderd? In die tijd was dat niet zo moeilijk, want de wereld was nog niet zo bang voor de identiteit van zijn bewoners als nu en Deresser had zich wellicht zonder al te veel papierwerk bijvoorbeeld Javier kunnen noemen, of hij was gewoon Enrique blijven heten, maar met een andere achternaam. Enrique López had hij waarschijnlijk te gewoontjes gevonden, te gewoontjes misschien om geloofwaardig te zijn; Enrique Piedrahíta had beter geklonken, een persoonlijke, maar geen opvallende naam, karakteristiek maar niet in het oog springend. En zo had Enrique Piedrahíta het gehate Duitszijn, dat hem in Colombia zo veel problemen had opgeleverd, voor eens en voor altijd achter zich gelaten en zich daarmee losgemaakt van zijn vader, van de nagedachtenis van zijn vader – die nagedachtenis die zijn erfenis was en over Duitsland sprak alsof de Kaiser nog leefde, alsof het Verdrag van Versailles niet bestond – en tevens van de geërfde fouten, want Enrique Piedrahíta, eindelijk vrij van die weemoedige familie, kon niet verdacht worden van hinderlijke connecties en niemand zou ooit een autoriteit op de hoogte kunnen brengen van dergelijke connecties: niemand zou zijn gezin ervan kunnen beschuldigen nazigezind te zijn, de veiligheid van het halfrond in gevaar te brengen of met zijn nationaliteit en taal de belangen van de democratie te schaden. Als iemand hem bij het verlaten van een begraafplaats in een zwart overhemd zou zien, zou hij denken dat hij in de rouw was, hij zou hem niet van fascisme beschuldigen; als iemand hem Duits hoorde spreken of met liefde hoorde praten over de plek waar zijn vader was geboren, zou hij hem niet tot aan zijn huis achtervolgen of in zijn papieren snuffelen of zijn handel in glas en spiegels sluiten; en als iemand tussen zijn brieven een dronken krabbel zou vinden waarin hij Roosevelt uitschold, en als iemand ... en als iemand ... Nee, dit zou allemaal niet gebeuren. Niemand zou hem op een zwarte lijst zetten, niemand zou hem naar het concentratiekamp van Fusagasugá sturen, niemand zou hem tussen mensen zetten die de nazipartij wel degelijk dienden, vanuit posities die de hand boven het hoofd werd gehouden door de conservatieve dagbladen in het land, niemand zou hem met het franquisme van Laureano Gómez vereenzelvigen, niemand zou hem aanzien voor een van de vele nazi's in hart en nieren met wie hij in het

Duitse gezantschap of op vergaderingen van de Duitse gemeenschap had gesproken en tegenover wie hij een weemoed, een patriottisme, een Duitsheid had voorgewend die hij niet voelde. En hij zou vrij zijn, hij zou voor de rest van zijn leven Enrique Piedrahíta zijn en hij zou vrij zijn.

Op een gegeven moment zou hij zich dan echter vergist hebben: in een afgedwongen opwelling van eerlijkheid, uit zo'n behoefte die mensen er volgens criminologen toe brengt om vragen te beantwoorden die niemand heeft gesteld, had hij zijn echtgenote misschien wel opgebiecht dat zijn achternaam niet Piedrahíta was, maar Deresser, en dat hij wel in Colombia geboren was, zoals je aan zijn accent, zijn gewoontes en de manier waarop hij door het leven ging kon merken, maar dat hij Duits bloed had. Hij had haar misschien opgebiecht dat zijn ouders niet bij een vliegtuigongeluk waren omgekomen – bij het ongeluk in El Tablazo in februari 1947 –, maar dat zijn moeder (ze heette Margarita) hen in de steek had gelaten en dat zijn vader (hij heette Konrad, niet Conrado), een laffe man, een slapjanus van heb ik jou daar was, die liever zelfmoord had gepleegd dan te proberen uit zijn faillissement op te krabbelen en over het vertrek van zijn vrouw heen te komen. Wat hij had opgebiecht was allemaal niet zo ernstig geweest, maar zijn echtgenote, een zwijgzame, bedeesde vrouw, die met dezelfde vanzelfsprekendheid als alle andere vrouwen verliefd was geworden op Enrique, had zich wellicht het verschrikkelijke gevaar gerealiseerd: eens een leugenaar, altijd een leugenaar; wie zo lang iets verborgen kon houden, zou dingen blijven verbergen; ze zou hem in elk geval onmogelijk nog kunnen vertrouwen en bij elk meningsverschil, elk conflict dat ze in de rest van hun leven zouden hebben, zou het besef dat Enrique misschíén tegen haar loog, dat wat hij haar nu weer vertelde misschíén ook niet waar was, haar bitter maken. Nee, daar zou ze niet tegen kunnen en uiteindelijk zou ze het huis verlaten, net als haar schoonmoeder, voor wie ze ineens begrip had (in zo'n flits van bijna religieuze solidariteit die onder bedrogen vrouwen bestaat), voor wie ze op een laat moment nog respect kreeg, al had ze haar nooit gekend.

Zou Enrique contact hebben gehouden met zijn moeder? Dat was niet erg waarschijnlijk. Nee, dat was ronduit onmogelijk.

Maar misschien zou hij haar een paar keer geschreven hebben, eerst om haar te verwijten dat ze was weggegaan en daarmee zijn vader tot zelfmoord had gedreven, later om voorzichtig te peilen of er een mogelijkheid bestond om elkaar terug te zien; of misschien zou zij hém juist gezocht hebben, had ze via Duitse consulaten in alle hoofdsteden van Latijns-Amerika naar hem gespeurd tot ze hem had gevonden en hem een brief geschreven die Enrique terzijde had geschoven en nooit had beantwoord (hij zou het handschrift herkend hebben; hij zou de brief hebben verscheurd zonder de envelop ook maar te openen). En met de tijd zou de vrijwillig verbannen herinnering aan zijn moeder vervagen als een oude foto en zou Enrique niet eens weten dat Margarita overleden was omdat niemand hem had kunnen lokaliseren om hem het nieuws te vertellen, en op een dag was hij misschien eens gaan rekenen hoeveel tijd er was verstreken en hoe groot de kans was dat zijn moeder, die god weet waar en in wiens gezelschap oud was geworden, ziek of stervende of al gestorven was. En Enrique Piedrahíta, die inmiddels in Venezuela of Ecuador een ander leven zou hebben opgebouwd, met vrienden en zakenpartners, maar ook met vijanden die hij zonder verdere schuldgevoelens had gemaakt – want ofschoon hij er waarschijnlijk alles aan had gedaan om onopgemerkt te blijven, is niemand vrij van laster en verraad, niemand immuun voor willekeurige haat –, zou gaan overwegen wat hij nooit eerder had overwogen: terugkeren naar Colombia.

Hij zou dat niet van het ene moment op het andere hebben besloten, uiteraard, maar na een aantal dagen, een aantal weken van twijfel, misschien waren er zelfs wel hele jaren overheen gegaan voordat hij uiteindelijk zou besluiten dat terugkeren haalbaar was. Op een gegeven moment had hij misschien een hekel gekregen aan dit leven vol beslissingen, mogelijkheden en kansen; hij zou tevreden zijn geweest met een honkvast, zwijgzaam leven, waarin hij zich nooit zou hoeven afvragen waarheen hij nu weer zou gaan of waarom hij misschien juist moest blijven, welke risico's of voordelen een verhuizing met zich mee zou brengen. Hij zou getwijfeld hebben. Hij zou zijn vrienden kwijtraken. Hij zou de bescheiden reputatie kwijtraken die hij als nieuwkomer, als buitenlander, als immigrant met hard werken had verworven, hard werken zoals hij dat, paradoxalerwijs en bizar genoeg had geleerd van zijn vader, immigrant en buitenlander. Dit alles zou hij zich hebben afgevraagd en meteen zou hij gedacht hebben: waarom eigenlijk niet? Niemand van zijn vrienden zou hem dwingen te blijven, dat zeker niet, zo belangrijk was hij nooit voor hen geweest; en degene die het wel zou doen, zou best de persoon kunnen zijn die hem later definitief pootje zou lichten, het geld uit zijn bedrijf zou roven, met zijn nieuwe vrouw naar bed zou gaan. Hij was aan niets of niemand gebonden. Uit angst zich verbannen en ontheemd te voelen, zou Enrique een smoes hebben verzonnen om te vertrekken en misschien ook wel een bestemming: hij zou naar de Verenigde Staten gaan, dat had hij wellicht gezegd. En hij had het niet hoeven rechtvaardigen, want de redenen waarom iemand weggaat, zijn voor zijn dierbaren altijd duidelijk en volgens de geruchten (zouden diezelfde dierbaren denken, enigszins bedroefd – want het is altijd droevig als er iemand weggaat –, maar ook met de rare jaloezie van degene die niet uit vrije keuze, maar bij gebrek aan mogelijkheden achterblijft) zijn de Verenigde Staten een land dat gemaakt is om iedereen op te nemen, zelfs verdrevenen als hij.

Bij aankomst in Bogotá zou hij echter ontdekt hebben dat het niet meer zijn stad was, dat hij hem voorgoed had verloren door naar Ecuador of Peru te gaan en dat er een soort reusachtige kloof, een enorm ravijn van vijandigheid en slechte herinneringen en afgestompte wrok gaapte tussen hem en de stad. Twintig jaar afwezigheid heeft natuurlijk gevolgen en Enrique zou beseft hebben dat niet terugkeren naar de plek waar hij was weggegaan, de enige manier was om die afwezigheid minder voelbaar te maken, zoals het volhouden van de leugen, het niet vertellen van de waarheid, de beste manier is om een leugen te corrigeren. In Bogotá zou hij vernomen hebben dat veel Duitsers uit Barranquilla er na de oorlog hadden kunnen terugkeren, toen de maatregelen die het onderdanen van de asmogendheden verboden in het kustgebied te wonen, waren opgeheven. Maar Barranquilla was niets voor hem, niet alleen omdat Barranquilla in zijn hoofd de stad van de nazipartij was, niet alleen omdat de Bethkes uit Barranquilla waren gekomen, die misschien nog wel leefden en zich dat etentje herinnerden waar over heikele onderwerpen was gesproken in het bijzijn van

Gabriel Santoro – die vervolgens iedereen die het horen wilde van die onderwerpen op de hoogte bracht –, maar ook omdat er Bogotaans bloed door zijn aderen stroomde en hij voorgoed gewend was aan regen en kou en het grauwe gezicht van de Bogotanen en zich nooit prettig zou voelen bij veertig graden in de schaduw. En net toen het ontheemde gevoel wel een erg zware last begon te worden, zou er iets gebeurd zijn. Enrique Piedrahíta of Deresser, die over de veertig was, maar nog steeds de aantrekkingskracht van een creoolse Paul Henreid bezat, zou verliefd zijn geworden, of liever gezegd, een vrouw – gescheiden wellicht, of weduwe ondanks haar jonge leeftijd – zou verliefd zijn geworden op hem, en met de helderheid van geest die de balling kenmerkt, zou hij hebben ingezien dat verliefd worden de beste manier is om je een stad eigen te maken, dat een gevoel van bezit een van de moeilijkst te doorgronden gevolgen van seks is. En zo zou hij zich, in het geheim en bijna incognito, zonder ook maar een moment te aarzelen, de stad hebben eigen gemaakt die hem ditmaal ten deel was gevallen.

Dertig jaar. Dertig jaar zou hij in Medellín hebben gewoond met zijn laatste vrouw en een dochter, eentje maar, want zijn echtgenote zou geweten hebben dat meer dan één zwangerschap na een bepaalde leeftijd gevaarlijk en zelfs onverantwoord is. En in de loop van die dertig jaar zou hij vaak aan Sara en Gabriel hebben gedacht. Om de aandrang te onderdrukken om hen op te bellen zou hij hebben moeten terugdenken aan het verraad en de zelfmoord en aan het gezicht van de mannen met de kapmessen toen hij hun veertig peso had betaald om te doen wat ze deden (hoewel Enrique niet te weten zou zijn gekomen hoe het afliep; voor hem had de aanval een abstract karakter; in zijn verbeelding zouden de afgehakte vingers of de stomp of de eenzame duim niet bestaan hebben). In die dertig jaar zou hij misschien vele brieven hebben geschreven, hij zou heel vaak *Mejuffrouw Sara Guterman, Hotel Pension Nueva Europa, Duitama, Boyacá* op een envelop hebben geschreven en op verschillende manieren begonnen zijn op een blanco vel papier, nu eens bitter en dan weer verzoenend, nu eens vol zelfbeklag en dan weer hatelijk, soms alleen aan Sara gericht en soms met een aparte brief voor Gabriel Santoro erbij, de afvallige vriend, de informant. In die brief zou hij hem op niet erg bedreven maar wel sarcastische wijze hebben gevraagd of hij Konrad Deresser nog steeds een bedreiging vond voor de Colombiaanse democratie, alleen omdat hij een fanatiekeling over de vloer had gehad, omdat hij zonder tegensputteren onzinnige uitspraken had aangehoord, omdat hij er zijn eigen weemoedige en goedkope vaderlandslievende uitspraken aan had toegevoegd, omdat hij een Duitser was en ook nog eens een lafaard; en of die vermoedens, die hij zogenaamd uit altruïstische overwegingen koesterde, voldoende waren om het leven van mensen die van hem hadden gehouden te gronde te richten; en of hij geld had aangenomen in ruil voor het verstrekken van informatie aan de Amerikaanse ambassadeur of diens waarnemer, of dat hij het juist had geweigerd toen hij het aangeboden kreeg, in de overtuiging dat hij handelde volgens zijn burgerlijke en politieke plicht, zijn maatschappelijke verantwoordelijkheid. Maar hij zou die brief nooit verstuurd hebben, evenmin als alle andere (tientallen, honderden kladversies) die hij bij wijze van tijdverdrijf opstelde. En na die dertig jaar zou de komst van Gabriel Santoro hem minder, veel minder verrast hebben dan hij had verwacht. Enrique zou ermee ingestemd hebben hem te zien, uiteraard; hij zou, met iets van paniek, hebben ingezien dat zijn wrok in de loop der tijd verdwenen was, dat hij zijn denigrerende uitspraken niet meer paraat had, dat de wraak was verjaard als het erfrecht op een stuk grond dat je niet gebruikt; en hij zou vooral met tegenzin hebben moeten accepteren dat als hij terugdacht aan Gabriel Santoro, hij een verboden en bijna abnormaal verlangen voelde om hem weer te zien en met hem te praten.

Zo zouden de dingen gegaan zijn, dacht ik, en ondertussen was ik ongemerkt het gebouw waar Sara woonde voorbijgereden. Toen ik via de vijfde straat bij de stierenvechtarena aankwam, was ik, in plaats van links af te slaan, uit onoplettendheid en een moment van aarzeling, uiteindelijk per ongeluk het smalle, donkere steegje naar de zesentwintigste straat in gereden. Ik wilde daarop de zevende in noordelijke richting pakken en een paar straten terugrijden om weer bij Sara uit te komen. Maar dat leek weinig zin meer te hebben, voor mij althans, want als ik de zesentwintigste bleef volgen, zou ik Caracas kunnen nemen en dat was de weg die ik vanuit het centrum steeds had gereden toen ik de eerste dagen na de operatie bij mijn vader op bezoek ging, de weg die Sara waarschijnlijk had genomen met hetzelfde doel en de weg die me op dat moment van de avond het snelst naar zijn appartement zou brengen. Het was zogezegd een samenzwering van toevalligheden; na een paar minuten flink doorrijden, waarbij ik alle stoplichten negeerde – Bogotanen halen bij rood licht hun voet van het gaspedaal, schakelen terug naar de tweede versnelling en kijken of er niemand aan komt, maar ze stoppen niet, uit angst –, stond ik voor zijn huis. Sinds de dood van mijn vader had ik die weg nooit meer genomen en ik stond versteld van het gemak waarmee ik op dat uur van de avond door die straten kon rijden waar overdag niet doorheen te komen is. Ik bedacht dat ik het verkeer van overdag zou blijven associëren met het herstel van mijn vader en het gemak van de late avond met dit bezoek aan het appartement van een dode, ongeveer zoals ik het overlijden van mijn vader zou blijven associëren met mijn oude auto terwijl de nieuwe, die ik met het geld van de verzekering tweedehands bij een garage had gekocht, me er altijd aan zou herinneren dat mijn eigen leven (het praktische, materiële leven, het leven van alledag, het leven waarin je eet en slaapt en werkt) doorging, al viel het me soms zwaar. In de bakstenen gevel was slechts één venster verlicht, waar een silhouet langs gleed, of een schaduw misschien, voordat het licht uitging. De conciërge hief zijn hoofd op, herkende me, zakte weer terug in zijn stoel. Wie had dat kunnen zeggen, dat ik uiteindelijk hier terecht zou komen, 's avonds laat in mijn eentje? En toch was het gebeurd. Even niet opgelet – niet links afgeslagen, maar rechtdoor gereden –, een onbestemd ontzag voor de inertie van het toeval en daar betrad ik de laatste plek waar mijn laatste nog levende familielid had gewoond, met een heel duidelijk doel: Angelina's telefoonnummer zoeken op de enige plek waar ik het zou kunnen vinden. Dit was geen heldere inval of iets van dien aard, maar een plotselinge, dwingende behoefte als honger of seks. Praten met Sara was niet meer nodig; aan haar twijfelen terwijl ze me zo veel informatie had gegeven, was onverstandig en zelfs ondankbaar. Angelina. Haar nummer zoeken, haar bellen, de confrontatie met haar aangaan.

'Gecondoleerd, don Gabriel,' zei de conciërge. Hij wist niet meer dat hij me sinds de crematie al twee of drie keer had gecondoleerd, of hij wist het wel maar vond het niet erg. Hij gaf me ook de post, die maar bleef komen, al was er meer dan een maand verstreken sinds het overlijden van de geadresseerde en al had dat overlijden meer publiciteit gekregen dan normaal. Ik besefte dat ik niet wist wat ik met de rekeningen en abonnementen aan moest, met de circulaires van de Orde van Advocaten en de brieven van de bank. Ze een voor een beantwoorden? Een standaardbrief opstellen, die kopiëren en overal naartoe sturen ...? Het spijt me u te moeten meedelen dat Gabriel Santoro overleden is op ... Gelieve daarom zijn abonnement te beëindigen ... De heer Gabriel Santoro is onlangs overleden. Hij zal daarom niet aanwezig kunnen zijn ... Die zinnen waren zo idioot dat het pijn deed, en het was nagenoeg ondenkbaar dat ik ze zou opschrijven. Maar wat deed je dan in dit soort gevallen, hoe kwamen mensen los van het leven dat ze achter zich hebben gelaten? Sara zou het wel weten; Sara wist waarschijnlijk beter hoe je dat moest aanpakken. Op haar leeftijd zijn de praktische bijkomstigheden van de dood routineuze zaken die je helemaal niet meer afschrikken. Daaraan dacht ik toen ik de deur opende, en terwijl ik naar binnen liep, realiseerde ik me dat ik graag iets diepers of misschien iets plechtigers had gevoeld, maar dat ik allereerst, zoals te voorzien in dit soort situaties, mezelf tegenkwam. Ik heb het nooit kunnen vermijden: ik heb eenzaamheid altijd al een prettig gevoel gevonden, maar alleen zijn in het huis van iemand anders geeft me een kick, een soort pervers genoegen waar je met niemand over praat. Ik ben zo iemand die de deurtjes van andermans badkamerkastje opent om te kijken wat voor parfums, pijnstillers of voorbehoedsmiddelen hij gebruikt; ik open nachtkastjes, doorzoek ze, ik kijk, maar zoek geen geheimen; een oude portemonnee of een slaapmaskertje doet me net zoveel als een vibrator of een liefdesbrief. Ik hou van het leven van anderen; ik hou ervan om er op mijn gemak in rond te neuzen. De kans bestaat dat ik daarmee verscheidene principes van beleefdheid, vertrouwen, goede omgang schend. Die kans is groot.

Een maand en het begon er al muf te ruiken. In de gootsteen stond nog steeds het glas dat ik daar op de dag van mijn afspraak met Angelina had zien staan en het eerste wat ik bij binnenkomst deed, was een schuursponsje nat maken en er krachtig mee over de bodem van het glas wrijven om een stuk opgedroogd vruchtvlees los te krijgen. Ik moest de hoofdkraan opendraaien, hoewel ik me niet herinnerde die te hebben dichtgedraaid. Dat moest Angelina die dag gedaan hebben. De gordijnen waren ook nog dicht en ik had het idee dat er een wolk van stof vanaf zou komen als ik ze open zou doen, dus ik liet het maar zo. Alles was nog hetzelfde als op de dag van mijn laatste bezoek, en wat op de pijnlijkste manier onveranderd bleef, was de afwezigheid van de heer des huizes; de heer des huizes zelf was sinds zijn dood echter wel aan het veranderen en zou dat misschien wel blijven doen, want als geheimen eenmaal naar buiten komen – overspel van twintig jaar terug, een witte leugen, als een sneeuwbal, ja –, is er geen houden meer aan. Behalve mijn eigen boek deed alles in dat huis vermoeden dat mijn vader geen jeugd had gehad, en zelfs mijn boek suggereerde het slechts op een stilzwijgende, indirecte, zijdelingse manier. Maar was het wel hetzelfde boek? 'Het eerste wat Peter Guterman deed toen hij in Duitama aankwam, was het huis schilderen en er een tweede verdieping bovenop zetten.' Eerste zin. 'Buitenlanders mochten zonder toestemming vooraf al geen ander beroep meer uitoefenen dan het beroep dat ze bij aankomst in het land hadden opgegeven.' Nog een zin. 'In het hotel van de familie Guterman gebeurden dingen waardoor families verscheurd raakten, levens overhoop werden gehaald, de toekomst van mensen verwoest werd.' Het waren niet meer de zinnen die ik geschreven had en dat kwam niet alleen door de heftige ironie die erin was geslopen; ook de woorden waren veranderd: 'buitenlander' betekende niet meer hetzelfde als voorheen, net zomin als 'toekomst'. Het boek, mijn boek over Sara Guterman, raakte nog het dichtst aan die jonge jaren en kon als enige mijn vaders (onfortuinlijke) aanwezigheid oproepen; maar het was net zo goed het bewijs dat een misleidende openbaar aanklager zou hebben gebruikt om aan te voeren dat mijn vader, de Cheshire-kat, niet bestond.

Ik liep langs de blauwe en bruine ruggen van de oudste boeken, ik liep langs de kleurige chaos van de nieuwere, maar vond geen titel die me niet bekend voorkwam, geen omslag of schutblad dat nog de geringste verrassing kon bevatten. Mijn vaders precisie, zijn gedachte dat een rommelige omgeving een van de oorzaken van chaotisch denken is, had hem gedwongen zijn lesaantekeningen, twintig jaar spreken over welsprekendheid, op één boekenplank op te bergen; ik nam er lukraak drie mappen af en doorzocht ze, fantaserend dat ik er een onthullend document tussen zou vinden; ik vond niets. Was er in dit huis dan geen enkel stuk papier te bekennen met iets over de jonge jaren van de overledene, geen krantenknipsel over de zwarte lijsten of een boek waarin aantekeningen konden staan, was er geen verwijzing naar Enrique Deresser of diens familie of überhaupt naar zijn aanwezigheid in het Bogotá van de jaren veertig? De privégeschiedenis van een man, onherroepelijk uitgewist: hoe was dat mogelijk? Was het in een wereld die je naar je hand kon zetten, een wereld die zich door ons, demiurgen, laat herprogrammeren, niet een eerste vereiste hier iets aan te doen? Met deze gedachte pakte ik mijn boek en sloeg het open op de pagina 'Bijlagen'. Ik koos een van de rapportageformulieren uit die ik in de loop van mijn onderzoek was tegengekomen – uit de vele die gebruikt waren voor echte infiltranten of actieve propagandisten en die later gepubliceerd zijn, altijd deels gecensureerd door de autoriteiten – en nam het, aangepast aan mijn twijfels, met de hand over op de blanco pagina's tussen het colofon en de schutbladen, die daarvoor bestemd leken te zijn. Ik schreef: '*Military Intelligence Division, War Department General Staff, Military Attaché Report.*' En vervolgens:

> Tijdens een gesprek in bar El Automático heeft getuige Gabriel Santoro verklaard dat Konrad Deresser, eigenaar van Deresser Glas, een zeer nauwe vertrouwensrelatie onderhoudt met sympathisanten van de Colombiaanse nazipartij (met hoofdkantoor in Barranquilla en infiltranten in het hele land) en meer dan eens blijk heeft gegeven van anti-Amerikaanse standpunten in het bijzijn van Colombiaanse staatsburgers. Het woord van de getuige is betrouwbaar bevonden.

Ik sloeg de bladzijde om. Ik schreef: '*In navolging van Bijzonder Bevel nr. 7 van de Militair Attaché te Bogotá, Colombia, werd betreffende taak ten uitvoer gebracht als volgt.*' En daarna:

> Bij ondervraging in het kantoor van de ambassade van de Verenigde Staten in Bogotá heeft informant Santoro (n.i. Zie infra, dossier Hotel Nueva Europa) verklaard dat de heer Konrad Deresser een zeer nauwe vertrouwensrelatie onderhoudt met bekende propagandisten (met name Hans-Georg Bethke, k.n. Zie infra, Lijst van Onteigende Staatsburgers, bijgewerkte versie, november 1943) en meer dan eens blijk heeft gegeven van anti-Amerikaanse standpunten in het bijzijn van Colombiaanse staatsburgers, evenals hun bedienend personeel, dat hij in het Duits pleegt te groeten. Zijn verklaringen zijn vergeleken met andere bronnen. Het woord van de getuige is betrouwbaar bevonden.

Ik zette het boek terug op zijn plaats en ontdekte dat het universum door het knoeien met de inhoud van deze bladzijden niet was veranderd. Mijn vader bleef incognito in zijn eigen herinnering, dood en ook nog eens onontmaskerd. Maar het tegenovergestelde zou in het geval van mijn vader misschien pas echt onmogelijk zijn: een gat, een leemte in de kunst van het sporen wissen, een foutje in de nauwkeurigheid van de nauwkeurigste man op aarde, een zwakte in zijn enorme wilskracht om bepaalde gebeurtenissen te vergeten, om Deresser uit te wissen zoals Trotsky (het is maar een voorbeeld) van foto's en uit encyclopedieën van het stalinistische tijdperk was gewist. Als het erom ging zijn geschiedenis te herzien, dan was mijn vader – mijn revisionistische vader – daar uitstekend in geslaagd. Maar toen had hij de fout gemaakt die we misschien allemaal wel maken: ontboezemingen doen na een vrijpartij. Ik stelde me de geliefden voor. Ik stelde me voor hoe ze naakt door dit appartement liepen, naar de keuken gingen om iets te drinken te pakken of naar de badkamer om een net gebruikt condoom weg te gooien, of hoe ze als twee pubers in deze stoel zaten. Zij als een buikspreekpop naakt op mijn vaders knieën terwijl haar pas geschoren benen (met kippenvel op de schenen) boven de grond bungelen; hij in ochtendjas, want sommige schaamtegevoelens verlies je nooit. 'Vertel eens wat over jezelf, vertel eens wat dingen uit jouw leven,' zegt Angelina. 'Er is niks boeiends aan mijn leven,' antwoordt mijn vader. 'Voor anderen misschien niet,' zegt Angelina. 'Maar ik vind het wél boeiend.' Mijn vader: 'Ach, ik weet niet. Een andere keer misschien. Ja, op een dag zal ik je alles vertellen wat je moet weten.' Misschien als we naar Medellín gaan, denkt mijn vader, misschien als je met me meegaat om te doen wat ik alleen niet kan.

Op mijn vaders bureau, niet op zijn nachtkastje, vond ik het adresboekje, maar Angelina's achternaam schoot me zo snel niet te binnen, zoals dat gaat met mensen die je kent, dus het duurde even voordat ik haar nummer vond, het met links neergekrabbelde eskader van hanenpoten. Het was na middernacht. Ik ging op de rand van het bed tegen het kussen zitten, als een bezoeker, als de bezoeker die ik was. Op de voet van de lamp lag een laagje stof; misschien lag het wel over elk oppervlak in het appartement, maar door het directe, gele licht was het hier zichtbaarder en smeriger. Ik deed het kastje open, rommelde tussen HB-potloden en muntstukken van tweehonderd peso en vond toen een goedkoop boekje, zo'n boekje dat in de supermarkt of bij de drogist wordt verkocht (ze liggen naast de scheermesjes en de kauwgom), waar ik de laatste keer overheen had gekeken. Het was een cadeautje van Angelina. *Boeken voor geliefden*, stond er op het groenige, geplastificeerde omslag, en daaronder: *Kamasutra*. Ik sloeg het ergens open en las: 'Als zij de lingam van haar geliefde omklemt en masseert met haar yoni, is dit Vadavaka, de Merrie.' Angelina, de merrie, masseerde de lingam van mijn vader, hier, in dit bed, en ineens begon de hele diatribe die ik in mijn achterhoofd had uitgedacht te vervagen en werd Angelina, in plaats van de belichaming van de val van mijn vader, ineens een kwetsbare, maar schaamteloze vrouw, romantisch en quasiverfijnd, maar ook direct, in staat een gepensioneerde professor klassieke talen van in de zestig de goedkope uitgave van een geïllustreerd sekshandboek cadeau te doen. Ik twijfelde, ik wilde ophangen, maar het was al te laat, want de telefoon was al twee of drie keer overgegaan en ik was zelf nog het ergst verrast door de vraag die ik stelde: 'Is Angelina Franco aanwezig?'

'Spreekt u mee,' zei de slaperige, lichtelijk geïrriteerde stem aan de andere kant van de lijn. 'Met wie spreek ik?'

'Weet je wel hoe laat het is? Je bent niet goed wijs, Gabriel, bellen op dit uur, ik schrik me helemaal kapot.'

Dat klopte. Haar stem klonk nerveus, dik. Ze kuchte, haalde diep adem.

'Heb ik je wakker gebeld?'

'Natuurlijk heb je me wakker gebeld, het is over twaalven. Wat moet je? Als het is om mij te verwijten ...'

'Deels wel. Maar ik zal niet tegen je schreeuwen, rustig maar ...'

'Nou nee, bedankt. Ik ben hier degene die moet schreeuwen, wie denk je wel niet dat je bent.'

'Hoor eens, Angelina, ik weet niet hoe het allemaal is gegaan met mijn pa, maar niemand doet hem aan wat jij hebt gedaan, dat lijkt me duidelijk. Ging het om geld?'

'Wacht eventjes,' kapte ze me af. 'We gaan hier niemand beledigen.'

'Hoeveel hebben ze je betaald voor dat programma? Ik had je hetzelfde betaald om je mond te houden.'

'O ja? En was ik dan net zo tevreden geweest? Nou, lieverd, dat dacht ik niet. Moet ik je de waarheid vertellen? Ik zou het gratis hebben gedaan, echt waar. Je moet de mensen toch vertellen hoe het zit.'

'De mensen interesseert het geen zier, Angelina. Wat jij hebt gedaan ...'

'Hoor eens even, ik moet slapen, het is laat en ík sta wél vroeg op. Je hoeft me niet meer te bellen, Gabriel, ik hoef me niet te verantwoorden, tegenover jou niet en tegenover niemand niet, dag.'

'Nee, wacht nou even.'

'Wat?'

'Niet ophangen. Weet je waar ik zit?'

'Wat kan mij dat nou schelen? Nee, echt, ga me nou niet vertellen dat je me hebt opgebeld voor dit soort idiote kletspraat. Ik hang op, dag.'

'Ik zit in het appartement van mijn vader.'

'Mooi. En verder?'

'Ik zweer het.'

'Ik geloof je niet.'

'Ik zweer het,' zei ik. 'Ik kwam je telefoonnummer halen, ik wilde je opbellen om je de huid vol te schelden.'

'Mijn telefoonnummer?'

'Het adresboekje van mijn vader, ik heb je nummer niet.'

'Ah. Mooi, heel interessant, maar ik moet slapen. We praten wel een andere keer, dag.'

'Heb je de uitzending gezien vanavond? Heb je jezelf op televisie gezien?'

'Néé, ik heb het niet gezien,' zei Angelina, duidelijk geërgerd. 'Néé, ik heb mezelf niet op tv gezien. Ze hebben me niet gebeld om te zeggen dat het erop was, ze zeiden dat ze van tevoren zouden bellen maar dat hebben ze niet gedaan, zij hebben me ook leugens verkocht, nou goed? Kunnen we nu alsjeblieft ophangen?'

'Ik moet gewoon een paar dingen weten.'

'Ach, wat voor dingen dan, Gabriel, zeur nou niet zo. Ik hang op, hoor. Ik wil niet ophangen, ophangen is niet netjes, maar als je me dwingt hang ik op.'

'Wat je mijn vader hebt aangedaan is heel erg. Hij ...'

'Nee, nee, wacht eens even. Wat hij míj heeft aangedaan, dat is pas erg. Weggaan zonder iets te zeggen, me als een stuk vuil achterlaten. Dát doe je iemand niet aan.'

'Laat me uitspreken. Hij vertrouwde je, Angelina, ík wist die dingen niet eens, hij had mij niet eens verteld wat hij jou heeft verteld. En het gaat mij natuurlijk ook aan. Alles wat hij je heeft verteld. Alles wat jij op televisie hebt gezegd. Dus ik wil weten of het waar is, meer niet. Of je iets hebt verzonnen of dat het allemaal waar is. Dat is belangrijk, ik hoef je niet uit te leggen waarom.'

'Ah, dus nu beschuldig je me van het vertellen van leugens.'

'Ik vraag het je.'

'En met welk recht?'

'Geen enkel. Hang maar op als je wilt.'

'Ik ga ophangen.'

'Hang maar op, hang maar rustig op,' zei ik. 'Het is van voor tot achter gelogen, of niet? Weet je wat ik denk? Ik denk dat mijn vader jou pijn heeft gedaan, ik weet niet hoe, maar hij heeft je pijn gedaan, omdat hij je in de steek heeft gelaten, omdat hij genoeg van je had, en dit is jouw manier om wraak te nemen. Vrouwen kunnen het niet hebben als iemand genoeg van ze krijgt en dan nemen ze op zo'n manier wraak, net als jij hebt gedaan. Misbruik makend van het feit dat hij dood is en zich niet meer kan verdedigen. Je bent gewoon gefrustreerd, meer niet, dat is wat ik denk. Je hebt hem op de lafst mogelijke manier verraden en dat allemaal omdat de oude man had besloten dat het de moeite niet waard was om deze relatie voort te zetten, iets waar iedereen het recht toe heeft in deze klotewereld. Dit is laster, Angelina, dit is een delict waar gevangenisstraf op staat, maar natuurlijk zal niemand ooit weten of het al dan niet laster is. Wat voel je als je daaraan denkt, Angelina? Vertel me eens, vertel eens wat je voelt. Voel je je sterk, voel je je machtig? Ja, dit is net zoiets als een anonieme brief sturen, als schelden onder pseudoniem. Ze zijn allemaal hetzelfde, die lafaards, het is echt niet te geloven. De macht van laster, hè? De macht dat je niet gestraft zal worden. Ja, laster is een misdrijf, al zal in jouw geval niemand dat ooit gaan bewijzen. Je bent het meest platvloerse wat er bestaat, een loslopende delinquente, dat ben je, Angelina.'

Ze huilde. 'Doe niet zo onredelijk,' zei ze. 'Je weet heel goed dat ik niets heb verzonnen.'

'Nee, dat weet ik helemaal niet. Het enige wat ik weet, is dat mijn vader dood is en dat jij hem in heel Bogotá zwart loopt te maken. En ik wil weten waarom.'

'Omdat hij me op een verschrikkelijke manier heeft laten zitten. Omdat hij me heeft gebruikt.'

'Stel je toch niet aan, alsjeblieft, mijn vader is niet in staat iemand te gebruiken. Wás niet in staat.'

'Dat mag jij best denken, wie ben ik om jou wat anders te vertellen? Maar jij bent nooit in de steek gelaten, dat zie je van een kilometer afstand, ik weet wat er in Medellín is gebeurd, ik weet wat hij me heeft wijsgemaakt, hij zei dat hij terug zou komen maar hij kwam niet terug, hij zei dat ik op hem moest wachten en hij liet me wachten, dat weet ík allemaal, en dit is vanaf het begin zo geweest, hij had het allemaal zo gepland, hij had mijn steun nodig en dacht: als die griet nou gewoon meegaat, dan dump ik haar daarna toch gewoon als ik er niets meer aan heb. Hij had me wijsgemaakt ...'

'Wat heeft hij je wijsgemaakt?'

'Dat we op reis gingen. Dat we een stel waren en samen kerst zouden vieren.'

'En gingen jullie niet op reis dan?'

'Nee, we gingen een klusje afhandelen. En toen zat mijn taak erop en werd ik een blok aan zijn been.'

'Dat zijn twee verschillende dingen.'
'Welke?'
'Eén: om hulp vragen. Twee: houden van degene die helpt.'
'Ach, kom nou toch niet aanzetten met zulke flauwekul. Alle mannen ...'
'Waar zijn jouw ouders, Angelina?'
'Wat?'
'Waar is jouw familie?'
'Ho, wacht even. Laat die erbuiten, opgepast, hè.'
'Hoe lang heb je je broer al niet meer gesproken? Al jaren niet meer, hè? Zou je hem niet graag weer eens spreken, iemand hebben die zich jullie ouders herinnert? Natuurlijk wel, maar dat doe je niet omdat jullie al heel erg uit elkaar gegroeid zijn, het is moeilijk om weer toenadering te zoeken. Je zou het graag doen, maar het is moeilijk. Toenadering zoeken is altijd moeilijk. We zijn bang voor mensen die ver van ons af staan, logisch. Weet je, het zou makkelijker zijn als iemand je zou helpen, als ik met je mee zou gaan naar Cartagena.'
'Santa Marta.'
'Als ik met je mee zou gaan naar Santa Marta en even iets zou gaan drinken terwijl jij je broer ontmoet en met hem bespreekt wat jullie te bespreken hebben. Als het goed uitpakt, kun je je verhaal aan me kwijt. Als het verkeerd uitpakt, als je broer zegt dat je kunt opdonderen en dat hij niet geïnteresseerd is, dat je terug moet gaan naar waar je vandaan kwam, dan ben ik er. En dan gaan we naar het hotel of waarheen ook en gaan we televisiekijken, als dat helpt, of we bezatten ons of we neuken de hele nacht, maakt niet uit. Maar er is nog een andere mogelijkheid: dat je, nadat je hem ontmoet hebt, om andere redenen besluit niet terug te komen. Iets anders, geen reden om jou daarna zwart te gaan maken. Pik je de boodschap op of moet ik nog duidelijker zijn?'
'Ik hoef mijn broer niet te zien.'
'Jezus, wat een botte hersens. Het is maar een voorbeeld, mens, een analogie.'
'Dat zal best, maar dat maakt niet uit, ik hoef hem niet te zien.'
'Daar hebben we het niet over. Wat een botte hersens, zeg. We hebben het over mijn vader.'
'Ik hoef mijn broer niet te zien. Hij mij misschien wel, maar ik hem niet.'

Stilte.
'Oké,' zei ik. 'Hoe weet je dat je dat niet hoeft?'
'Ik weet niet, dat denk ik.'
'En waarom denk je dat?'
'Hij was niet op de begrafenis van mijn ouders, dat zegt toch wel genoeg?'
'Niet huilen, Angelina.'
'Ik huil al niet meer, loop me niet zo te stangen, oké? En wat kan het jou schelen of ik wil huilen? Laat me met rust of ik hang nu op, laat me ...'
'Zal ik je eens iets heel geks vertellen?'
'... of ik gooi de telefoon erop.'
'Ik heb bloed gedoneerd. Voor die bomaanslag, voor die bomaanslag in Los Tres Elefantes.'
Stilte.
'Wat heb je voor bloedgroep?' vroeg ze vervolgens.
'O positief.'
Weer een stilte. En meteen: 'Net als mijn vader. Heb je echt bloed gegeven?'
'Ja, ik ben samen met een vriend geweest, een arts,' zei ik. 'De man die mijn vader geopereerd zou hebben als het ziekenfonds er niet was geweest. Hij dwong me te gaan, ik wilde niet.'
'Waar ben je geweest?'
'De meeste gewonden lagen in Santa Fe en Shaio, de ziekenhuizen die het dichtst in de buurt van de aanslag lagen, en de best uitgeruste, denk ik. Ik ben in Santa Fe geweest.'
'Waar doneer je bloed in Santa Fe?'
'Op de tweede verdieping. Of de derde. Een paar trappen op in elk geval.'
'En hoe ziet het er daar uit?'
'Ben je me aan het testen?'
'Vertel me eens hoe het laboratorium eruitziet.'
'Het is een grote ruimte met koffiebruine banken, geloof ik, en loketten rondom,' zei ik. 'Je praat even met een verpleegster en gaat zitten, en vervolgens mag je doorlopen.'
'Achterin links?'
'Nee, Angelina, achterin rechts. Daar heb je kleine kamertjes met een heleboel mensen die tegelijkertijd bloed laten afnemen. Je wordt in een hoge stoel gezet.'

'De hoge stoel,' herhaalde Angelina. 'Je hebt bloed gedoneerd. Dat heeft Gabriel me nooit verteld.'

'Hij wist het waarschijnlijk niet. Hij volgde mijn leven ook weer niet van zo dichtbij.'

'Niet te geloven,' zei ze. 'Ik weet nog dat Gabriel naar mijn ouders vroeg en dat ik hem erover vertelde, ik werd heel verdrietig, hij zei zulke lieve dingen tegen me. Die middag heeft hij heel veel gepraat, zelfs over de ziekte van zijn vrouw, maar dit heeft hij me nooit verteld, niet te geloven, ik ben echt onder de indruk.'

'Dat hoeft nou ook weer niet. Iedereen in deze stad heeft bloed gedoneerd.'

'Maar we hebben een band, snap je wel? Niet te geloven, echt waar. Ik weet niet waar mijn vader aan overleden is, ik wilde niet weten of het door een klap van iets kwam, of ... Maar als jij ...'

'Rustig maar. Je hoeft er niet over te praten als je niet wilt.'

'Mijn moeder was A positief, dat is lastiger.'

'Konden jullie goed met elkaar opschieten?'

'Gewoon. Wel aardig, volgens mij. Maar niet té; zij daar, ik hier.'

'Je groeit toch uit elkaar, lijkt me.'

'Inderdaad, ja. En net die ene keer dat ze bij me op bezoek komen, komen ze terecht in een bomaanslag van de drugskartels. Dat is echt verdomd veel pech hebben, hè, dan moet het je toch wel godsgruwelijk tegenzitten.'

'Dat nou ook weer niet. Vroeg of laat zijn we allemaal aan de beurt, en sorry dat ik me zo dom uitdruk. Ben je tevreden hier?'

'Ach, wat maakt het uit, in Medellín heb je ook bommen, de bommen reizen met je mee hier, Gabriel.' En vervolgens, lachend: 'Net als de maan.'

'Maar als ze nog zouden leven, zou je dan niet naar Medellín terug willen gaan?'

'Ik loop al wat jaartjes rond hier, ik ben hier gewend. Verhuizen is niet fijn, het is naar. Ik weet niet hoe dat bij jou zit, maar ik heb het niet zo op mensen die de hele tijd verhuizen, dat maakt me een beetje achterdochtig ... Ja, achterdochtig, er is geen ander woord voor, ik kan het niet beter zeggen. Het is toch niet normaal om weg te gaan waar je geboren bent? En twee keer weggaan van waar je woont of uit je land weggaan, hè, naar een land waar ze anders praten, ik weet het niet, dat is iets voor rare luitjes, mensen zonder basis kunnen slechte dingen aanrichten.'

'Ja, dat vond mijn vader ook. Mag ik je een vraag stellen?'

'Nog een?'

'Hoe heb je iets met mijn vader gekregen?'

Stilte.

'Hoezo? Vind je mij soms weinig voorstellen?'

'Natuurlijk niet, Angelina. Het is alleen ...'

'Hij is zo intelligent en zo geleerd, hè? En ik masseuse.'

'Masseuse?'

'Als mijn vriend me pijn wilde doen, zei hij altijd: "Hoe heeft het in godsnaam zover kunnen komen dat ik hier verdomme met een masseuse zit?" Dat is natuurlijk mijn eigen schuld, want een echte professional raakt haar patiënten niet aan.'

'Ik vroeg je wat.'

'Ik weet niet, jouw vader was gewoon een patiënt. Niet dat ik zomaar wat krijg met elke patiënt, zulke dingen gebeuren zonder dat je het in de gaten hebt, Gabriel was ineens over de grens gegaan, weet je wel, en ik zei nee, dat ik niemand in mijn leven wou, maar hij luisterde niet. Maar hij was de patiënt dus ik moest die dingen aanhoren die hij tegen mij zei.'

'Waarom? Waarom liep je niet weg als je het zo vervelend vond, waarom heb je geen vervanger gezocht?'

'Omdat de therapie nog niet was afgelopen. Ik mag het eigenlijk zelf niet zeggen, maar ik ben gewoon best wel goed, ja? Ik neem mijn werk heel serieus, ook omdat ik het leuk vind. Ik wil gewoon mensen helpen om zich weer te kunnen bewegen, simpeler kan niet. Nou, dat was hij dus, gewoon een patiënt, een van de vele, een blokje in mijn rooster, ik heb een rooster waar al mijn bezoeken op staan, en hij was er een van. Ik was helemaal niet van plan om hem in mijn leven toe te laten, echt niet, mannen hadden me al te veel pijn gedaan, niet dat ik zo veel ervaring heb, begrijp me niet verkeerd. Jij wilt weten waarom ik de deur voor hem heb opengezet en niet voor een ander.'

'Je hoeft het niet over deuren te hebben.'

'Dat maak ik zelf wel uit. Als je het vervelend vindt dan hou ik mijn mond wel, ik praat niet zo netjes als jullie.'

'Sorry. Ga door.'

'Ik had er al meer dan tien gehad in die maanden. Allemaal mannen van vijftig, zestig, twee of drie van in de zeventig. Na een hartoperatie moeten ze weer leren bewegen, als een baby. Ik ga naast ze staan en doe oefeningen met ze, mensen vinden dat zielig, maar ik maak er een beetje een spelletje van en ik vertel ze ook dat ze niet dood zijn al lijkt dat soms wel zo, want ze zijn altijd zo depressief, die arme kerels, dat is zo sneu ... Het is in elk geval een geschenk van God om te kunnen werken met deze mensen die terug zijn gekomen naar het leven. Hun lichaam is de kluts kwijt, hun lichaam dacht dat het dood was en je moet het duidelijk maken van niet, want ...'

'Ja, ja, dat hebben ze me al uitgelegd.'

'Goed. Daar ben ik ook voor, om ze te laten zien dat ze niet dood zijn, dat ze er nog zijn. Je zou me eens bezig moeten zien, het is me toch een werk met sommigen, vooral met de jongsten. Soms krijg ik weleens van die heren van in de veertig met hun bypass en die willen het dan niet weten, hoezo ik, zo jong. En ik maar uitleggen.'

'Wat?'

'Dat je op die leeftijd het meeste risico loopt, wist je dat? Want op zijn veertig- of vijfenveertigste voelt iemand zich nog jong en dat drinkt en dat rookt en dat snackt maar raak. En sporten, ho maar, ik ben verdomme toch jong. Nou, het hart vindt van niet. Het hart heeft het onderhand wel gehad met al die drank en sigaretten, het wil niet meer. En dan gebeuren er ongelukken. Voor mij is dat wel prettig want dan heb ik wat afwisseling, ik vind het leuk als het niet altijd oude mannen zijn, dat er ook eens een lichaam van mijn leeftijd tussen zit, ik ben nog jong. Oeps, sorry, dat was een beetje intiem. Dit moet ik eigenlijk niet vertellen, je moet soms even zeggen dat je niet je vader bent.'

'Waarom? Kon je dat tegen hem wel zeggen?'

'Tuurlijk. Hij vond het heel boeiend als ik over mijn werk vertelde.'

'Nou dan, je houdt van je werk en je vindt het fijn om te zeggen dat je van je werk houdt. Ik zie niet in wat daar nou zo bijzonder aan is.'

'Er zijn nou eenmaal banen waar je niet te veel van mag houden, Gabrielito, doe nou maar niet alsof je dat niet snapt. Vooral als je ze niet op een normale manier doet. Als je gynaecoloog bent, ga je ook niet lopen rondbazuinen van o, ik vind mijn werk zo leuk, ik vind mijn werk zo leuk. Mensen vatten dat verkeerd op, en nu ga jij me vertellen dat je daar nooit bij stil hebt gestaan.'

'Maar jij doet niet wat een gynaecoloog doet of iets wat daarop lijkt.'

'Ik hou van aanraken. Ik hou van mensen voelen, dat mag je niet hardop zeggen. Andere fysiotherapeuten zetten hun patiënt op twintig meter afstand en zeggen wat hij moet doen. Ik ga naar ze toe, ik raak ze aan, ik geef ze massages. En als ik zeg dat ik ze aanraak en dat ik dat fijn vind, is dat niet netjes. De cliënten zouden zich ongemakkelijk voelen en de artsen zouden me eruit schoppen, je vertelt het toch tegen niemand, hè?'

'Ben je gek.'

'Ik hou van contact, ik kan er niks aan doen. Na een weekend alleen thuis heb ik dat nodig. Thuis ben je heel eenzaam, jij woont ook alleen, of niet? Nou, ik moet de deur uit en mensen zien. Oeps, als de cardioloog van San Pedro me hoort, zet hij me op straat, dat kan ik je wel vertellen.'

'Maar ik ben de cardioloog niet.'

'Nee, maar ik zou je dit ook niet in je gezicht zeggen, gelukkig praten we over de telefoon.'

'Gelukkig maar.'

'Ik vind het lekker om in een volle lift te stappen. Dan voel ik dat ik onder de mensen ben, ik voel me rustig. Op zulke plekken schuren mannen tegen je aan, vriendinnen van me vinden dat vreselijk, maar ik vind het lekker. Ik heb dit nog nooit aan iemand verteld. Mijn vriend was claustrofobisch, hij hield er niet van. En bij een massage raken ze mij niet aan, maar ik hen, ik streel, ik weet dat mensen dat lekker vinden, misschien vinden ze het vervelend dat ze het lekker vinden, maar ze vinden het lekker, vooral mannen, ik weet dat ik nog best aantrekkelijk ben.'

'Wanneer kwam je daar achter?'

'Dat ik nog aantrekkelijk ben?'

'Dat dit je werk was.'

'Poeh, dat weet ik niet. Jij haalt je al allerlei gekke dingen in je hoofd, hè? Nou, ik speelde geen masseurtje met mijn poppen en al helemaal niet met mijn vriendinnen, dan weet je dat. Lach maar niet, het is zo.'

'Ik geloof je.'

'Als ik broers of zussen van mijn leeftijd had gehad, had ik me misschien niet eenzaam gevoeld, ik was een eenzaam kind. Maar mijn broer was zes jaar ouder, of dat is hij nog steeds. Hij was nooit bij mij. Hij begon in de gaten te krijgen dat ik bestond toen ik elf was, zoiets. Op een keer had ik pijn aan mijn borsten, je weet wel, als je borstjes krijgt, en mijn ouders waren allebei aan het werk, dus vertelde ik dat aan mijn broer. Hij nam me mee naar de badkamer en zette me op de wasbak, hij was heel sterk en tilde me zo in één keer van de grond. En hij begon aan me te zitten. "Doet het hier pijn? En daar? Doet het hier pijn?" Hij drukte op mijn ribben, vind je het vervelend dat ik dit vertel? Hij zat aan mijn tepels, dat deed hartstikke pijn, maar ik antwoordde ja, nee, een beetje. Daarna ging hij in dienst en toen gebeurden die dingen niet meer, ik was elf. Toen hij voor het eerst met verlof kwam, voelde ik iets heel raars, een beetje een soort afkeer, een heel klein beetje afkeer. Misschien kwam het door dat kaalgeschoren hoofd, ik weet het niet. Het beviel me ook niet hoe hij liep te brallen toen hij thuiskwam, zoals militairen dat doen, weet je wel? En al dat geouwehoer, sorry, al die onzin die hij uitkraamde over zijn nieuwe soldatenvriendjes, mensen die drie of vier of vijf jaar geleden uit Korea waren gekomen en waanzinnig interessante dingen te vertellen hadden, voor mijn broer in elk geval, die het hier rond kwam papegaaien; ik vond het stomvervelende verhalen en hem vond ik een sukkel. Als ik me ging douchen deed ik de deur op slot en schoof ik ook nog de wasmand tegen de deur, er zat een schuif op en als je hard genoeg duwde ging de deur open, niet dat mijn broer de deur zou openbreken om me in mijn nakie te zien, maar goed. En daarna kwam mijn broer met het nieuws dat hij het huis uit ging, hij had zijn vriendin zwanger gemaakt en ging het huis uit. Er wist niet eens iemand dat hij een vriendin had. Ze woonde in Santa Marta, werkte bij een reisbureau, of een bureau voor toerisme, en zij zou werk voor hem zoeken, en zodra hij lekker bezig was met zijn baan en wat gespaard had, zou hij ons allemaal uitnodigen aan de kust. Dat beloofde hij allemaal, maar er kwam niks. Ik weet nog dat mijn moeder zei: “We zijn hem kwijt.” Ze had het uitgerekend en volgens haar moest haar kleinkind al geboren zijn, maar mijn broer heeft niks van zich laten horen. “Hij is weg, we zijn hem kwijt,” dat zei mijn moeder. Maar voor mij was het juist een opluchting, het is triest maar waar.’

‘Zo triest is dat niet. Die vent was een hufter, Angelina.’

‘Ja, maar hij was wel mijn broer. Kun je nagaan toen ik vertelde dat ik ook wegging. Dat was een stuk later, natuurlijk, ik zat al in mijn stage, maar het kwam toch keihard aan, ik was het kleine meisje thuis. Ze hebben kromgelegen om mij naar de universiteit te kunnen sturen, Gabriel, en wat krijgen ze ervoor terug, ik haal mijn papiertje en vertrek naar Bogotá, ondankbare snotaap, of niet? Maar ik was gewoon heel goed, wat kan ik eraan doen, ik had magische handjes.’

‘Het lievelingetje van de leraar.’

‘Nee, ik hield me altijd op de achtergrond, ik probeerde om niet uit te blinken. Dat was pas later, tijdens mijn stage in het Leo XIII. Ik was daar mijn hele leven gebleven als ik niet naar Bogotá was gegaan. De revalidatiearts in het Leo XIII was degene die doorhad dat ik wonderen verrichtte met mijn handen; hij gaf me een patiënt van tachtig met drie bypasses en in tien dagen tijd had ik hem aan het aerobiccen. Toen die arts werd overgeplaatst naar Bogotá, sleurde hij me bijna aan mijn haren mee. En daar kregen we iets.’

‘Zijn naam?’

‘Lombana. Hij was meer een reistype dat vaak op verschillende plekken was, hij had in Amerika gestudeerd en redde zich makkelijker, iedereen was dol op hem, hij maakte vrienden bij de vleet. Maar ik niet. Ik kende alleen hem in deze klotestad, dus ik deed wat iedereen in mijn situatie zou doen: ik werd verliefd. Pas na drie jaar kwam ik erachter dat die vent getrouwd was. Dat was hij al in Medellín. Die overplaatsing naar Bogotá was geen promotie, die had hij aangevraagd omdat hij in Medellín met een meisje van hier getrouwd was. En denk je dat ik hem de zak heb gegeven? Nee hoor, ik bleef gewoon als een domme trien voor hem klaarstaan, ik bleef hem zien, bijna altijd in mijn appartement en als we op stap gingen in een van de motelletjes van La Calera. Daar nam hij me mee naartoe om me rustig te krijgen; ik had soms hysterische buien of ik dreigde hem om op te houden met dat gerotzooi, en daar kon hij me zoet mee houden. Ik heb het allemaal verdiend, domme griet die ik was. Ik hield van die motelletjes van La Calera. Als het onbewolkt is, als de lucht schoon is en niet te erg vervuild, zie je de vulkaan Nevado del Ruiz liggen. Wat vond ik het heerlijk om de Nevado del Ruiz te zien, hij zei dat hij me er ooit mee naartoe zou nemen, ook al was dat gevaarlijk. Dat geloofde ik natuurlijk niet, zo naïef ben ik nou ook weer niet.'

'Zo erg ook weer niet.'

'En zo ging dat tien jaar door. Tien jaar, Gabriel, het lijkt lang maar voor mij zijn ze voorbijgevlogen, echt. Want wij hadden niet die slijtage van echte stellen. Ik ben nooit getrouwd geweest en misschien is het verkeerd om over iets te praten wat ik niet ken, maar ik zweer je dat Lombana meer ruzie had met zijn vrouw dan met mij, dat weet ik echt zeker. Want met een echtgenote heb je een geschiedenis. Dat zou je moeten voorkomen, dat je een geschiedenis hebt met mensen, vrienden, geliefden. Je komt dichter bij elkaar en daar begint het al met de irritaties, dingen die je per ongeluk zegt of doet, en zo bouw je een geschiedenis op. Je gaat naar de cardioloog, hij haalt je medische geschiedenis tevoorschijn en hij ziet alles, zelfs al wil hij het niet: dat je bent gestopt met roken, maar wel pas op je veertigste. Dat je vader een hartruis had. Dat je oudtante sclerose had. Dat vertelde Lombana mij, dat het zo was met zijn echtgenote, ze gingen naar bed en alle opgekropte haat van sinds ze getrouwd waren, ging mee. Uiteindelijk deden ze het alleen nog maar van achteren, omdat hij haar gezicht liever niet zag. Hij vertelde me alles. Tot in de kleinste details. Ik wilde niet dat mij zoiets zou overkomen, ik denk dat ik het daarom tien jaar heb volgehouden zonder iets te doen, zonder serieus iets te doen, bedoel ik. Ik wilde geen dingen doen waardoor we later met haatgevoelens zouden zitten, je weet wel hoe dat gaat. Ik hou van seks van voren, gewoon. Ik ben een keurig meisje.'

'Hoe is hij vermoord?'

Stilte.

'Is er eigenlijk nog iets in mijn leven dat Gabriel je niet heeft verteld? Die vader van jou was een wandelende krant. Maar helaas, ik praat hier niet graag over.'

'Alsjeblieft, Angelina. Je hebt me al verteld dat je broer aan je zat. Je hebt me al verteld hoe je graag seks hebt.'

'Dat is anders.'

'Het was in het centrum,' zei ik. 'Het was in een discotheek.'

'En wat gaat jou dat aan?'

'Niks. Pure nieuwsgierigheid.'

'Sensatiezoeker.'

'Precies. Het is geen nieuwsgierigheid, maar sensatiezucht. Had hij rare handeltjes, zat hij in de drugs?'

'Natuurlijk niet. Er was ruzie en er werden pistolen getrokken en hij werd door een kogel geraakt, meer niet. Gebeurt wel vaker.'

'Was je erbij?'

'Nee, Gabriel, ik was er niet bij. Ik zat lekker veilig in mijn appartement, ik was er niet bij, ik was er ook niet bij toen met mijn ouders, nou goed? Ja, hadden ze mij ook maar vermoord met die klotebom, hadden ze mij ook maar doodgeschoten bij die schietpartij, ik was er niet bij en niemand kwam het me vertellen omdat maar heel weinig mensen wisten dat ik bestond, en wie het wel wist, wilde uit respect voor de echtgenote niet tegen haar zeggen "je man is vermoord en hij had ook nog een andere vrouw sinds tien jaar", nee, meer dan dertien, kun je nagaan. Nee, ik kwam er zelf achter, ik mocht hem niet thuis bellen en moest als een straathoertje bij hem op de stoep gaan staan om te vragen of hij er soms mee wilde stoppen of waarom hij zomaar ineens verdwenen was, en toen hij de hele dag niet kwam opdagen ging ik maar eens rondvragen en zo kwam ik erachter, maar niemand had mij ingelicht, want jullie houden elkaar allemaal de hand boven het hoofd, vuile hypocrieten. Dus ik was er niet bij, wat dan nog, kunnen we het ergens anders over hebben?'

'Word nou niet boos. Het is goed om over deze dingen te praten. Dat is therapeutisch.'

'Daar gaan we weer, dat zei jouw vader ook al. Waarom zijn jullie toch zo arrogant, zit dat in de familie of zo? Kijk, als jullie toevallig altijd alles bespraken en daar wat aan hadden, dan vind ik dat fijn voor jullie, maar vertel me eens even: waarom moet ik godverdomme ook zo zijn?'

'Dat hoeft niet. Rustig maar.'

'Waarom is wat voor jullie goed is, automatisch goed voor mij?'

'Rustig nou maar, niemand zegt dat.'

Stilte.

'Je moet wat meer respect hebben voor anderen, Gabriel.'

'Respect hebben voor anderen.'

'We zijn niet allemaal hetzelfde.'

'We zijn heel verschillend.'

Stilte.

'Bovendien ben ik hier de therapeute.'

'Jawel.'

'Dus kom niet aan met lulverhalen.'

'Nee.'

Stilte.

'Nou, gelukkig zijn we het eens. Wacht heel even. Wacht, wacht, wacht, wacht ... Zo. Ja, ga door.'

'Wat was dat?'

'Ik was een jointje aan het draaien.'

'Op dit uur?'

'Op dit uur, wat vind je daarvan? Toen dat met mijn ouders was gebeurd, was dit het enige wat hielp om in slaap te komen.'

'En dat heb je daar, in bed, met de telefoon tegen je oor gedraaid? Wat een handjes, echt waar.'

'Ik hou de telefoon met mijn schouder vastgeklemd en klaar. Dat is niet zo moeilijk, hoor. Slaap jij goed?'

'Ik geloof het wel. Ik word wel vroeg wakker. Om vijf uur 's ochtends is het al zover: mijn hersenen hoeven maar heel even te ontwaken en daar begint mijn dag al. Of ik ga mijn bed uit om te plassen. Iedereen zou daarna weer kunnen slapen, maar ik niet. Terwijl ik sta te plassen denk ik aan mijn vader en dan is het gedaan. Dat zal nog wel een tijdje zo blijven, denk ik, daarna wordt het wel weer normaal. Want het wordt weer normaal, of niet?'

'Ja, daar hoef je je geen zorgen om te maken, Gabriel, het wordt weer normaal. Hier, ik stuur je een wolkje marihuana door de telefoon.'

'Ik ruik het hier, ik ben echt jaloers.'

Stilte.

'Dus in je vaders appartement, hè? Op het bed van je vader. Wel een beetje raar, hoor, jij hebt een beetje een rare kant.'
'Wat heb je aan, Angelina?'
'Eh, zo raar bedoelde ik nou ook weer niet.'
'Lig je onder de dekens?'
'Nee, ik lig in m'n nakie op de sprei met een rode lamp aan, nou goed. Natuurlijk lig ik onder de dekens, het is teringkoud hier in deze klotestad. Oftewel, niks nieuws. En jij?'
'Ik ben mijn broek aan het uittrekken en ga zo ook onder de dekens liggen. Het is inderdaad koud. Ik denk dat ik hier blijf, ik heb nog nooit in dit bed geslapen.'
'Ben je niet bang?'
'Waarvoor?'
'Wat denk je? Dat ze aan je voeten gaan trekken.'
'Angelina, wat zeg je nou toch. Een vrouw van de wetenschap.'
'Wetenschap m'n reet, mij hebben ze aan m'n voeten getrokken. Een studievriendin van mij is ongeveer drie jaar geleden overleden, nierinsufficiëntie, je weet wel, de ene dag ontdekken ze het en drie dagen later is er al niets meer aan te doen. Het was alsof het arme kind geen tijd had gehad om afscheid te nemen van haar vriendinnen. Ik lag hier heerlijk rustig in mijn bedje te slapen en ik zweer je dat ze aan m'n voeten trok. De doden nemen graag afscheid van mij.'
'Nou, van mij heeft nooit iemand afscheid genomen. En er is ook nooit iemand aan mijn voeten komen trekken.'
'Maar in het bed van een dode ... Dat moet je toch wel een heel klein beetje eng vinden, ik zou het niet kunnen, jij bent een echte kerel. Wat zijn het voor lakens?'
'Witte en geruite.'
'Die lakens heb ik jouw vader cadeau gedaan. Hij had al tien jaar geen nieuwe lakens gekocht.'
'Dat verbaast me niets.'
'Het zijn de laatste lakens die Gabriel heeft gebruikt.'
'Nou niet mystiek gaan lopen doen, hè. Ik blijf hier en mijn vader komt me niet bang maken, ik zweer je dat hij echt wel betere dingen te doen heeft.'
'Mag ik je wat zeggen?'
'Toe maar.'

'Het gaat heel goed met je, Gabriel, veel beter dan hoe het met mij ging. Je zult er heel snel overheen zijn.'

'Dat denk je maar. Ik doe maar alsof het goed gaat, maar dat is een verdedigingsmechanisme. Daar ben ik een expert in, iedereen weet dat. Mijn stalen gezicht is een verdedigingsmechanisme. Mijn cynisme is een verdedigingsmechanisme.'

'En is het niet moeilijk om een stalen gezicht op te zetten?'

'Ik speel poker in mijn vrije tijd.'

'Ja, je maakt er een grapje van, maar ik benijd je, ik zou er wat voor over hebben om ook maar een klein beetje een stalen gezicht te kunnen trekken. Dat kun je leren, waar leer je zoiets? Nee, echt, het was voor mij heel zwaar om alleen te zijn, om alleen te slapen na die bom. En toen was daar ineens jouw vader als een soort reddende engel, ik klampte me heel erg aan hem vast, misschien was dat de fout. En dan laat hij me dus óók in de steek. Hij kon me óók nare dingen aandoen. Dat kwam behoorlijk hard aan, eerlijk gezegd. Hoe kon ik toch zo met mijn hoofd in de wolken lopen? Hoe kon ik zo naïef zijn? Het was echt vreselijk.'

'Dat weet ik. Zo vreselijk dat je hem een mes in zijn rug moest steken. Op televisie nog wel.'

'Je denkt maar wat je wilt, ik heb een rustig geweten. Ik weet maar één ding, en dat is dat Gabriel iemand anders was. Hij was uiteindelijk niet de persoon die we dachten dat hij was.'

'Hij niet en niemand niet, Angelina.'

'Op televisie had ik het niet over hem, ik had het over die ander.'

'Sofiste.'

'Wat is dat?'

'Dat ben je. Een schaamteloze drogredenaar.'

'Is dat een scheldwoord? Scheld je me nou alweer uit?'

'Min of meer. Maar ik heb geen zin in ruzie.'

Stilte.

'Ik ook niet. Ik heb het licht al uitgedaan, ik heb een jointje achter de kiezen, ik lig hier gewoon lekker, alsof de wereld een stuk rustiger is, alsof ik geen problemen heb, en ik weet dat ik het koud heb, maar ik voel het niet, of ik voel het wel, maar het doet me niks ... Nee, ik wil ook geen ruzie, het is de eerste keer vandaag dat ik me lekker voel. Een beetje koud, dat wel.'

'Dan moet je wat extra's aantrekken. Wat voor pyjama heb je aan?'

'Het is een nachthemd, superlang, tot op mijn knieën. Lichtblauw katoen met donkerblauwe borduursels op de mouwen, hartstikke mooi.'

'Vandaar. Heb je niet eens sokken aan?'

'Jawel, sokken wel.'

'Ben je al klaar met roken?'

'Al een hele tijd.'

'Mooi. Heb je slaap?'

'Nee, slaap niet echt, maar ik ben wel een beetje moe. En jij?'

'Ik ben klaarwakker. Ik moet op mijn pa blijven wachten.'

'Maak er nou geen grapjes over, Gabriel, niet van die dingen zeggen. Kijk nou toch, ik heb helemaal kippenvel gekregen.' Stilte. 'Op mijn armen en in mijn nek.' Stilte. 'Ik hield heel veel van hem.'

'Ik ook, Angelina.'

'Iedereen hield van hem. Mensen hielden van hem.'

'Ja.'

'Die Duitse vriend hield vast ook van hem.'

'Vast.'

'En waarom heeft hij hem dat dan aangedaan? Waarom heeft hij het nooit iemand verteld, zelfs jou niet? Waarom zei hij tegen mij dat hij terug zou komen als hij me zat was en me niet meer wou zien? Waarom heeft hij ons zo veel leugens verteld?'

'Iedereen vertelt leugens, Angelina,' zei ik. 'Het erge is dat we erachter komen. Dat zou nooit mogen gebeuren, leugenaars zouden onfeilbaar moeten zijn.'

'Onfeilbaar weet ik niet, maar ik had het liever niet geweten. Gewoon doorgaan zoals vroeger. Jij niet?'

'Dat weet ik niet zo goed,' hoorde ik mezelf zeggen. 'Ik heb het me wel afgevraagd.'

Een paar dagen later ging ik onverwacht bij Sara langs. Ik nam haar mee voor een wandeling vanaf haar huis door de vijfde straat naar de veertiende, en we liepen tot de plek waar Gaitán was vermoord. Dat was om één uur 's middags gebeurd – 9 april 1948, één uur 's middags, die coördinaten horen bij mijn leven, en dat terwijl mijn leven pas meer dan tien jaar later begon – en twee uur daarvoor had mijn vader naar de laatste toespraak van de dode geluisterd, diens pleidooi ter verdediging van luitenant Cortés, een man die een passionele moord had gepleegd, een creoolse Othello in uniform. Gaitán was op de schouders het gerechtsgebouw uit gedragen; mijn vader, die op dat moment had gewacht om op hem af te stappen en te proberen hem te feliciteren zonder dat zijn stem trilde, werd teruggedreven door de mensenmassa om hem heen. Er moest een heel jaar voorbijgaan voordat mijn vader weer een voet durfde te zetten op de plek waar wij ons nu bevonden; daarna zou hij er met enige regelmaat terugkomen en steeds zou hij een paar seconden zwijgend blijven staan en dan zijn weg vervolgen. In het wegdek van de zevende straat komen de tramrails (die nergens naartoe gaan; ze verdwijnen onder de trottoirs, want de trams, die trams met blauwe ramen waar mijn vader het altijd over had, bestaan al lang niet meer) nog onder het asfalt uit en terwijl ik voor het Agustín Nieto-gebouw de zwarte marmeren plaat stond te lezen die in meer bewoordingen dan nodig over de moord vertelt, hurkte Sara, die dacht dat ik haar niet zag, naast de stoeprand – ik dacht dat ze een muntstuk van de grond wilde rapen – en raakte met twee vingers de tramrail aan, alsof ze de pols van een stervende hond opnam. Ik bleef doen alsof ik haar niet had gezien om haar persoonlijke ritueel niet te verstoren, en nadat ze een paar minuten lang de mensenstroom had opgehouden en zich had laten uitschelden en wegduwen, vroeg ik of ze me wilde laten zien waar apotheek Granada precies had gezeten in die jaren dat een suïcidale persoon meer dan negentig slaappillen kon kopen. Anderhalf jaar na de zelfmoord van Konrad Deresser was de moordenaar van Gaitán die apotheek binnengeduwd om te voorkomen dat hij door een woedende menigte gelyncht zou worden, maar diezelfde woedende menigte had hem de apotheek weer uit gesleurd en hem doodgeslagen en naakt naar het presidentieel paleis gesleept (er is een foto waarop de rafels kleding achter het lichaam aan slepen als de afgelegde huid van een slang; het is niet zo'n beste foto en Juan Roa Sierra is nauwelijks meer dan een bleek lijf, een ectoplasma bijna, met daarop de zwarte vlek van zijn geslacht). En daar stonden we dan, waar Josefina moest hebben gestaan, aan de straat waar op 9 april 1948 het ectoplasma van de moordenaar en de mensen die hem gelyncht hadden, doorheen moesten zijn gegaan. 'Nee, ik wist niet dat Enrique nog leefde,' zei Sara. 'Ik zal het je nog sterker vertellen: als je vader niet dood was, had ik het niet kunnen geloven. Ik zou denken dat het een leugen was van dat vrouwtje, een niet al te slim opzetje om zichzelf te rechtvaardigen voor die bespottelijke actie om zich voor dat interview te lenen. Eigenlijk zou ik het liefst kunnen wat zo veel mensen doen: mezelf overtuigen. Mezelf ervan overtuigen dat het niet waar is. Mezelf ervan overtuigen dat Angelina het allemaal verzonnen heeft. Maar dat kan ik niet, en wel om één reden: jouw vader is dood en in zekere zin is hij omgekomen omdat hij naar hem toe is gegaan, omdat hij Enrique heeft opgezocht. Je hebt het vast zelf ook al bedacht: als Enrique niet meer zou leven, had Gabriels dood geen betekenis gehad.' Natuurlijk had ik dat al bedacht; ik hoefde het niet te zeggen, want Sara wist het al. (Sinds onze gesprekken voor het boek had ik me aangewend om niets meer te zeggen wat voor Sara overbodig was. Sara *wíst* dingen: daarin onderscheidde ze zich.) Ze ging verder: 'Je zou er natuurlijk een hoop filosofieën op kunnen loslaten, je bijvoorbeeld kunnen afvragen waarom zijn dood iets moet betekenen, als een dood überhaupt ooit iets betekent. We zouden er heel nihilistisch en heel verheven over kunnen doen. Maar dat doet er allemaal niet toe, want Enrique leeft voor ons niet. Als dat wel zo was, had hij me wel gebeld of was hij zelfs naar de begrafenis gekomen, toch? Maar niets van dit alles. Dood of levend, in Medellín of in de zevende hemel, het maakt niet uit, want Enrique wil dood zijn voor mij, daar houdt hij al vijftig jaar onverzettelijk aan vast. En ik zal niet degene zijn die daar nu aan gaat tornen. Ik ga me niet ongevraagd met zijn leven bemoeien, al helemaal niet nu je vader dood is.'

Vanaf de apotheek, of de plek waar die vroeger had gestaan, liepen we naar het Plaza de Bolívar, in een poging dezelfde route te volgen als de oude Deresser. Niet uit een soort bijgelovige dweperij of zelfs uit nostalgie, maar omdat we het er stilzwijgend over eens waren dat niets, zelfs het best vertelde verhaal niet, de kracht van de echte wereld kon vervangen, de wereld van tastbare dingen en mensen die langs elkaar schuren en tegen elkaar op botsen en de stank van urine op de muren en bezwete kleding van mensen en de stank van urine en bezwete kleding van bedelaars. We liepen langs het gebouw van de civiele rechtbank, waar de advocatenkantoren hadden gezeten waar mijn vader had gewerkt totdat hij zich door een mengeling van toeval en talent kon gaan wijden aan het beroep dat het best bij hem paste. In de galerij die door het gebouw heen loopt en waar het meestal wemelt van de straatverkopers met snoepjes en plastic poppen en zelfs tweedehands hoeden, wilde Sara een cadeautje zoeken voor haar jongste kleinzoon. Uiteindelijk kocht ze bij een tandeloze oude man een speelgoedvrachtauto ter grootte van een aansteker, een groene vrachtauto met deurtjes die open konden en een goede achtervering (de man deed zijn best ons te laten zien hoe goed die werkte op de tegelvloer van de galerij). Toen we daarna op de trap bij de kathedraal zaten, haalde Sara de vrachtauto weer uit haar tas om de vering nog eens uit te proberen, terwijl ze me vertelde hoe ze in haar jonge jaren in Bogotá eens had gedacht dat het einde van de wereld nabij was omdat de duiven op het Plaza de Bolívar allemaal tegelijk het loodje legden. Er kon overdag midden op het plein gewoon een duif op je hoofd terechtkomen die in volle vlucht een hartaanval had gekregen. Later kwam men erachter dat er een hele ton mais was vergiftigd – de mais die de vrouwen op het plein in puntzakjes van krantenpapier aan kinderen en ouden van dagen verkochten om de duiven te voeren –, zonder dat iemand wist waarom en zonder dat de schuldigen werden gevonden of überhaupt gezocht. Bogotá, zei Sara, was altijd een krankzinnige stad geweest, maar die jaren hoorden ongetwijfeld bij de ergste. Dit was de stad waar vergiftigde duiven het einde van de wereld aankondigden, waar liefhebbers van het stierenvechten genoeg kregen van een makke stier en misschien ook wel van de stierenvechter en de arena in stormden om het beest eigenhandig te vierendelen, waar mensen elkaar afmaakten om hun onvrede te uiten over de dood van een ander. Drie dagen na die negende april had Peter Guterman zijn gezin meegenomen naar Bogotá, omdat hij het noodzakelijk vond dat zijn dochter de ravage zou aanschouwen, met haar eigen handen de gebroken etalageruiten zou aanraken, uitgebrande huizen in zou gaan en, als ze daar toestemming voor kreeg, op de dakterrassen zou komen waar de scherpschutters hadden gezeten om op de menigte te schieten; dat ze op diezelfde dakterrassen het bloedspoor van een gewonde scherpschutter zou zien en zo op z'n minst een idee zou krijgen van alles waarvoor zij op het laatste moment (zo wist men nu) hadden kunnen vluchten. Hij had wel meer van die opvoedkundige gewoontes en het zou nog vele jaren duren voordat Sara zou begrijpen dat achter dit alles slechts een behoefte schuilging om zichzelf te rechtvaardigen: haar vader wilde bevestigd zien dat hij er goed aan had gedaan om Duitsland te verlaten; hij hoopte dat de barbaarsheid van dit land, dat inmiddels het zijne was, hem vergiffenis en legitimiteit zou geven voor het ontvluchten van zijn oude land, de barbaarsheid van destijds. Daarom verzweeg Sara voor Peter Guterman dat mijn vader na de plunderingen twintig meter zwarte alpaca voor een kwart van de prijs had gekocht, waarvan hij voor haar verjaardag een pakje met een plooirok en een kort vestje met knoopsluiting aan de voorzijde had laten maken. Peter zou het natuurlijk maar niets hebben gevonden dat zijn dochter stoffen droeg die tijdens rellen uit een etalage waren geroofd: dat klonk te zeer als iets wat eerder was gebeurd, dat riep te veel associaties op. Maar was het niet dom of overdreven – had Sara destijds gedacht – om in de gebroken winkelruiten van Bogotá een verwijzing te zien, op kleinere schaal maar tastbaar, naar die in Berlijn? Later had ze foto's gezien van de geplunderde winkels in Bogotá en was ze van mening veranderd. Juwelier Kling. Juwelier Wassermann. Glauser & Co, Zwitserse horlogemakerij. De namen op de gebroken ruiten waren niet altijd leesbaar; herkenbaar waren ze echter wel altijd. Sara heeft het pakje nooit gedragen waar haar vader bij was.

Later zochten we het pension waar Konrad Deresser zijn laatste dagen had doorgebracht. We waren verrast dat we het moeiteloos konden vinden: in deze stad, die als je zes maanden weg bent onherkenbaar kan veranderen, was de kans dat een gebouw een halve eeuw lang intact bleef minimaal, om niet te zeggen denkbeeldig. En toch stond het daar, zo weinig veranderd dat Sara het herkende terwijl er niet eens meer een pension in zat, maar vier etages kantoorruimte voor mislukte of clandestiene handelaars. Op de witte gevel zaten vergeelde affiches waarop in rood en blauw het stierenvechtseizoen, cursussen scenarioschrijven, vergaderingen van marxistische cellen, Dominicaanse merenguefestivals, poëzievoordrachten, cursussen Russisch voor beginners en voetbalwedstrijden in het Olaya Herrera-stadion stonden aangekondigd. Toen we naar boven liepen, zagen we dat de kamer van Konrad en Josefina nu de werkkamer van een kalligrafiste was, een vrouw met een knotje en een bifocale bril die ons vanuit een draaistoel achter een architectentafel, in het licht van een eenzaam halogeenspotje, welkom heette. Het was haar werk om in gotische letters de namen van afgestudeerden aan de vier of vijf universiteiten in het centrum van Bogotá te schrijven. Zo verdiende ze haar brood, met het schrijven van onbekende namen op vellen doorschijnend papier. Ze werkte *frielans*, zo vertelde ze ons. Nee, ze wist niet dat dit gebouw vroeger een pension was geweest. Nee, voor zover zij wist was de indeling van de kantoren (de vroegere kamers) nooit veranderd. Ja, ze was tevreden met haar werk, ze had nooit een echte studie gevolgd en dit vak via een thuiscursus geleerd. Elk semester schreef, of tekende ze, liever gezegd, zo'n duizend namen en daarmee onderhield ze twee kleine kinderen, ze mocht niet klagen, ze verdiende zelfs meer dan haar man, die een taxi reed, een Chevette, nieuw model, wat dachten we daarvan? Ze nam afscheid met een handdruk. Ze had een dikke eeltknobbel op haar rechtermiddelvinger; op die knobbel zat een inktvlek, donker en symmetrisch als een pigmentvlek. Terwijl we naar het Parque de los Periodistas liepen, speculeerden Sara en ik samen over die kamer: waar zou het bed van Konrad en Josefina hebben gestaan, waar hadden ze de platenspeler staan, was de badkamerdeur dezelfde geweest (dat was niet erg waarschijnlijk)? De idiote, zelfingenomen gedachte dat dit ook maar enig belang had, bood ons een aardig poosje afleiding. Toen we het park uit liepen, zei Sara na een paar straten van stilzwijgen vanuit het niets: 'In die tijd raakten we erg van elkaar verwijderd. Ik kon hem niet in de ogen kijken. Ik verachtte hem, ik kon niet bevatten dat hij tot zoiets in staat was. En tegelijkertijd begreep ik het goed, dat weet je, zoals iedereen het begrepen zou hebben. Die gemengde gevoelens maakten me bang, ik weet niet waarom. Ik kan niet uitleggen wat voor soort angst het was. Angst om te weten dat ik hetzelfde zou hebben gedaan. Of juist angst om het niet te hebben gedaan. Informanten zijn er veel, je hoeft niet in een oorlog te zitten om, afhankelijk van de omstandigheden, iets over iemand los te laten. Ik nam afstand van hem, ik duwde hem weg, net zoals deze stad hem nu wegduwt zonder dat hij er iets tegen kan doen. Ik begon hem als een ongewenst element te zien. En ineens voelde ik me dichter bij hem dan bij wie ook, zo simpel was het. Ik voelde vanaf dat moment dat hij me had kunnen begrijpen als ik hem mijn leven had willen uitleggen. Dat is de ellende van buitenlander zijn.' En toen zweeg ze weer.

Ik had in die dagen gehoord, zonder dat iemand de moed had gehad om me even te bellen en op de hoogte te brengen, dat de Universidad del Rosario mijn vader van de lijst met beroemde alumni ging schrappen, dat ze zijn eredoctoraat – waar mijn vader eind jaren tachtig, toen de universiteit koningin Sofía van Spanje dezelfde onderscheiding toekende, zelf al afstand van had gedaan – zouden intrekken en dat de toekenning van de Medaille van Verdienste werd geannuleerd, ingetrokken, herroepen (ik ken het bijbehorende werkwoord niet). Het zat namelijk als volgt: zoals tijdens de uitvaart bekend was gemaakt, had men besloten de medaille per decreet toe te kennen, maar de officiële uitreiking had nog niet plaatsgevonden en de uitreikers wilden, toen ze inzagen of ontdekten dat ze nog op tijd waren om zich te bedenken, liever niet tot uitreiking overgaan. Ik belde het gerechtshof niet; ik informeerde niet bij wie ik terecht kon, naar wie ik in de legislatieve of politieke bureaucratische doolhof kon zoeken, bij wie ik in beroep kon gaan voor het geval dat juridisch gezien mogelijk was of welke advocaat bereid zou zijn om de zaak op zich te nemen; wie ik, met meer diplomatieke bedoelingen, kon bellen om om opheldering te vragen over de affaire; ik eiste geen officiële kennisgeving of resolutie, geen kopie van het decreet waarmee het andere decreet werd ingetrokken; wat het ook was, ik zocht liever niet naar het document waarin mijn vader officieel tot paria werd verklaard en kreeg wat ons allemaal ooit ten deel zal vallen: zijn vijftien minuten van onaanraakbaarheid. Wat ik nog wel heb, is een krantenknipsel, want de gebeurtenis was uiteraard nieuws: MEDAILLE VAN VERDIENSTE INGETROKKEN WEGENS ONGEPAST GEDRAG, luidde de kop. 'Er wordt van binnenuit druk uitgeoefend,' verklaarde een bron die anoniem wilde blijven. 'Het imago van de onderscheiding zou ter discussie komen te staan en de uitreiking van de medaille zou op dit moment een smet werpen op de eer van degenen die haar onder betere omstandigheden hebben ontvangen.' Ik moet zeggen dat het me niet zo veel deed, misschien door de verdovende uitwerking van de brieven die de week na het interview met Angelina bij de redactie van het programma waren binnengekomen en die de redactie keurig had doorgestuurd naar het appartement van de geadresseerde, enigszins voorbijgaand aan het feit dat geadresseerde niet meer bestond (en in een aantal gevallen voorbijgaand aan het feit dat mijn vader niet de geadresseerde, maar alleen het onderwerp was). Het waren er niet veel, maar ze waren van zeer uiteenlopende aard; in elk geval waren het er genoeg om me te verbazen over de belangstelling van het publiek wanneer het op schelden aankomt, het gemak waarmee men zich in de plaats van het slachtoffer stelt en reageert zoals men dat in een zichzelf respecterende maatschappij verwacht. De keurige Colombianen, de solidaire Colombianen, de rechtschapen, verontwaardigde Colombianen, de katholieke Colombianen voor wie één verraad alle verraad is: allemaal veroordeelden ze wat er maar veroordeeld kon worden, als keurige hoeders van de collectieve moraal. 'Geachte heer/mevrouw, ik wil graag zeggen dat ik VOL BEWONDERING ben voor de moed van de geïnterviewde dame en dankbaar ben dat de waarheid is verteld. Er lopen in de wereld werkelijk een hoop BEDRIEGERS rond die ontmaskerd moeten worden.' 'Doctor Santoro, ik ken je niet maar ik ken wel lui zoals jij, je bent een hypocriet een beroerde vriend een vuile onderkruiper, ik hoop dat je rot in de hel, teringlijer.' Je had de meer objectieve brieven, die bemoedigend en tegelijkertijd pijnlijk neerbuigend waren: 'Laten we niet vergeten, dames en heren van de televisie, dat deze hele kwestie slechts een detail is uit de oorlogstijd. In vergelijking met die zes miljoen is dit slechts een randverschijnsel.' Er was er zelfs een aan mij gericht: 'Santoro, ga maar lekker door met het schrijven en publiceren van die rommel van u, blijf maar fijn de grote schrijver uithangen, we weten allemaal heus wel wie u bent en uit wat voor hout u bent gesneden. Uw pa was maar een middenmotertje en een oplichter en u bent net zo, de appel valt uiteindelijk niet ver van de boom. Wanneer komt het volgende boek? Getekend, uw fanclub.'

Ik wilde Sara er niet mee lastigvallen; zij had op eigen gelegenheid kennisgenomen van de affaire met de medaille en eveneens besloten het er niet met mij over te hebben, ofschoon onze ronde door de straten van het centrum – deze deels toeristische, deels bijgelovige terugkeer naar de gebeurtenissen uit de jaren veertig – best ruimte leek te bieden voor dit soort onderwerpen en er zelfs bijna om leek te vragen. Nee, er werd niet over gesproken: noch over het eerverlies, noch over de onaanraakbare, noch over de mogelijke consequenties van het eerverlies voor de zoon van de onaanraakbare. We spraken niet over het verleden dat mijn vader tegenover zijn studenten retorica eens had geprobeerd bij te stellen, louter met het doel om zich tegen mijn boek te verweren. We spraken niet over de dood van mijn vader of over andere doden die we op dat moment graag bij ons hadden gehad; we spraken niet meer over Enrique, de levende die dood wilde zijn voor Sara. Toen we terugkwamen in haar appartement en ze me uitnodigde om te blijven eten en de keuken in liep om schijfjes banaan te frituren en een soort goulash op te warmen die ze 's ochtends had bereid, dacht ik, puur door het feit dat ik daar weer zat, dat Sara en ik weliswaar alleen waren, maar dat we elkaar hadden. Ik werd bevangen door een bijna koortsachtige dankbaarheid, zo diep en intens dat ik op de bank in de woonkamer moest gaan zitten om te wachten tot het zware gevoel, de draaierigheid, voorbij waren. En terwijl we zaten te eten, zo laat dat Sara inmiddels hoofdpijn begon te krijgen, leek die aangename vrouw dat te hebben gezien, want ze keek me aan met een halve glimlach op haar gezicht (de samenzweerderige blik van minnaars die elkaar toevallig tegenkomen in een eetgelegenheid). Dat gevoel van verstandhouding was nieuw, voor mij althans; door gedeelde belangen en gedeelde zorgen, door het feit dat we zo veel van dezelfde persoon hadden gehouden, waren we op deze manier aan elkaar gekoppeld, met elkaar verbonden geraakt, en dit benadrukte ironischerwijs het feit dat Sara de verschrikkelijke dingen uit het verleden had voorspeld, als een soort Cassandra, maar dan andersom. Ik wist niet dat zich zoiets kon voordoen tussen twee mensen en die middag was een onthutsende ervaring, omdat ik ontdekte hoe hard ik een moederfiguur nodig had gehad toen ik opgroeide en hoe erg ik die ongemerkt had gemist. Sara vertelde me over de dag waarop ik mijn vader een exemplaar van mijn boek had gegeven. 'Hij belde me meteen op,' zei ze. 'Ik moest naar hem toe, ik dacht dat hij niet goed zou worden, dat hij een toeval zou krijgen of zo, ik had hem sinds de dood van je moeder niet meer zo gezien.'

Toen hoorde ik dat mijn vader het boek meteen na ontvangst had gelezen. Hij had het gelezen met een vergrootglas en in een recordtempo, hij speurde naar uitlatingen die hem zouden kunnen ontmaskeren en wel zo snel mogelijk, alsof het nog niet te laat was om eventuele schade te voorkomen, alsof wat hij in zijn hand had geen gepubliceerd boek was, maar een ongecorrigeerd manuscript. 'Hij vond niets, maar hij vond alles,' zei Sara. 'Het hele boek leek hem één groot spoor dat naar hem liep, dat naar hem wees. Telkens als Hotel Sabaneta werd genoemd, voelde hij zich beschuldigd, ontmaskerd. Telkens als er in het boek over de zwarte lijsten werd gesproken, over levens die verwoest of gewoon benadeeld waren door die lijsten, voelde hij hetzelfde. "Ik heb zoiets gedaan," zei hij. "Het zal bekend worden. Dankzij dat boek van jullie wordt het bekend. Tot hier is mijn leven gekomen, Sara, jullie hebben mijn leven naar de verdommenis geholpen." Ik probeerde zijn zorgen weg te nemen, maar je kreeg de angst met geen mogelijkheid uit zijn hoofd gepraat. Hij zei: "De mensen die zich de familie Deresser herinneren, zullen verbanden gaan leggen. Sommige mensen leven nog, mensen zoals wij, die dit allemaal hebben meegemaakt. Ze zullen verbanden leggen. Ze zullen het doorhebben, Sara, ze zullen weten wie ik was, dat ik dat heb gedaan. Hoe hebben jullie me zo kunnen verraden?" En vervolgens begon hij me te beledigen, hij, die me een leven lang als zijn beschermde zusje had behandeld. "Van jou had ik het verwacht," zei hij. "Jou maakt het niet uit wat er met mij gebeurt. Jij hebt altijd gevonden dat ik gestraft moet worden voor wat ik ouwe Konrad heb aangedaan." Ik zei dat dat niet zo was, dat mensen nou eenmaal fouten maakten, zouden we dit dan nooit achter ons laten? Maar hij ging door: "Ja, je hebt er vast voor gebeden dat ik mijn verdiende loon zou krijgen, doe nou maar niet zo onschuldig. Maar mijn bloedeigen zoon? Hoe kan hij me dit aandoen?" Hij werd zo paranoïde dat het beangstigend werd. Ik probeerde het uit te leggen, maar het had geen zin. "Hij doet je niks aan, Gabriel, want hij weet niks. Jouw zoon weet niks en niemand zal het hem vertellen. Ik niet, tenminste. Ik zal het hem niet vertellen, dit is iets uit jouw verleden, niet eens het mijne, en jouw verleden behoort mij niet toe. Nee, ik zal het niet vertellen en ik heb het niet verteld. En daarbij staat het niet in het boek. Er staat geen enkele zin in het boek die naar jou verwijst." "Het hele boek wijst naar mij. Het is een boek over het leven van de Duitsers en hoe de Duitsers onder de oorlog hebben geleden. Ik maak daar deel van uit. Maar ik laat het er niet bij zitten, Sara, dit boek is niet meer en niet minder dan een aanslag op mijn persoon, een poging tot moord." "En wat ga je dan doen?" vroeg ik. Dat was een domme vraag, want er was maar één antwoord op. Hij zou doen wat hij altijd had gedaan: spreken. Maar deze keer sprak hij op schrift. Deze keer moest hij toegeven dat hij een verder reikend medium nodig had dan woorden in een collegezaal om zijn doel te bereiken. Jij kende hem goed, Gabriel, jij wist wat je vader van dagbladen vond, van het journaal, hoe erg hij daarop neerkeek, of niet? De arme ziel had graag geleefd in een wereld waarin alle nieuwsberichten van mond tot mond worden doorgegeven en je de straat op gaat om met mensen te praten en dingen te zeggen als: "Wist je dat Jaime Pardo vermoord is? Wist je dat Gabriel Santoro een fantastische toespraak heeft gehouden?" En toch nam hij zijn toevlucht tot die media, hij nam zijn toevlucht tot de kranten die hij zo verachtte, hij gebruikte ze. Ons boek was een aanslag op hem en hij vond dat hij zijn recht op zelfverdediging mocht uitoefenen. De enige manier die hij kon bedenken, was door je zwart te maken, door je voor schut te zetten, maar dat heeft pas effect als het zich als een lopend vuurtje verspreidt, daar weet jij alles van. De aardigheid van iemand voor schut zetten is dat iedereen het erover heeft, dat het slachtoffer zich op straat nagekeken voelt ook al is dat in werkelijkheid niet zo. Ik vertelde hem wat voor de hand lag, namelijk dat hij hiermee het tegenovergestelde zou bereiken van wat hij hoopte. Hij zou met een dergelijke actie niet alleen het boek niet klein kunnen krijgen, maar de aandacht op zichzelf vestigen. Maar bij een psychoot hoef je niet met argumenten aan te komen. Gabriel de psychoot, de geniale gek. Heeft hij je niet verteld hoe hij die recensie heeft geschreven?'

'Nee, daar hebben we het niet over gehad. We waren op de verzoeningstoer. Details waren niet belangrijk.'

'Nou, ik was erbij. Het was de dag nadat hij je boek had gelezen en wij dat gesprek hadden. We gingen naar het hooggerechtshof, waar hij een van de secretaresses van de magistraten strikte en meenam naar de zaal waar hij zijn colleges gaf. Hij vroeg haar als een studente in de collegebanken te gaan zitten en dicteerde haar de recensie alsof het een college was. Voor mij was het een fascinerende ervaring. Sorry dat ik het zeg, ik weet goed hoeveel pijn het je deed toen het in de krant stond. Maar voor mij was het een belevenis, alsof je Baryshnikov zag dansen. Je vader dicteerde zonder ook maar een woord te corrigeren. Alsof hij de uitgeschreven versie bij zich had en die in het net liet zetten. Met komma's, punten, gedachtestreepjes, haakjes, hij dicteerde het allemaal precies zoals het gedrukt is verschenen, in één keer, zonder ook maar bij één woord te aarzelen, zich te bedenken of een gedachte aan te scherpen. En zijn ideeën in die recensie, de humor, de ironie. De precisie. De meedogenloze precisie, ja, maar ook meedogenloosheid kent haar vakmanschap. Het was meesterlijk.'

'Dat weet ik,' zei ik. 'Ik hem een keer of twee zoiets zien doen. Mijn vader had een computer in zijn hoofd.'

'Het ergste is dat niets zijn ongelijk heeft bewezen. Natuurlijk had er niemand tussen de regels door gelezen, zoals hij beweerde, en beschuldigde niemand hem ergens van. De mensen merkten slechts het boek op, bespraken de kwestie tussen vader en zoon, gniffelden wat ... en later kwam al dat andere. Maar op dat moment gebeurde er niets. "Zie je wel?" zei hij later tegen me. "Ik zat goed met mijn strategie. Het was verschrikkelijk om te doen, maar ik had gelijk. Ik ben goed weggekomen deze keer. Het was op het randje." Als een gek, een zieke. Als in die Duitse mop over een man die de hele dag met zijn vingers zit te knippen. Zijn familie neemt hem mee naar de psychiater en die vraagt: "Waarom zit u toch altijd met uw vingers te knippen?" Zegt de man: "Om de olifanten te verjagen." En de psychiater: "Maar in Duitsland zitten geen olifanten, mijnheer." En de gek: "Ziet u wel, dokter, ziet u hoe goed het werkt?" Zo was jouw vader bezig. Jouw vader was de gek in het verhaal.'

Terwijl Sara haar Duitse mop zat te vertellen, zag ik in haar gezicht het gezicht van een meisje, van het meisje dat eind jaren dertig naar Colombia was gekomen. Het was als een foto met flits, een nanoseconde van licht waarin de rimpels rond haar lachende ogen verdwenen. Ja, ik was meer voor deze vrouw gaan voelen dan ik ooit had gedacht en voor een deel was die genegenheid voortgevloeid uit de liefde die zij voor haar jeugdvriend had gevoeld, voor haar broer in de schaduw, die jaren later op mij was afgestraald, waarmee me in zekere zin de pathetische behoefte om mijn vader brieven te schrijven, om in een kever te veranderen, om toestemming te vragen om in het slot te mogen slapen, bespaard was gebleven. 'Ziet u wel, dokter, ziet u hoe goed het werkt?' herhaalde Sara. 'Ik zie het gewoon helemaal voor me. Als ik aan je vader en de gek uit die mop denk, is het een en dezelfde persoon. Dat gestoorde gezicht dat Gabriel soms kon trekken.' In deze sfeer van herinneringen, waarin we op besloten wijze zijn sterfdag herdachten, kon ik niets beters bedenken dan de plaat met Duitse liederen op te zetten en mijn gastvrouw te vragen me te vertellen waar het lied dat mijn vader zo mooi vond over ging, het voor me te vertalen en te verklaren zodat ik het kon begrijpen, en ze vertelde me over de lente die aanbreekt, over zingende meisjes, over de dichter Otto Licht, wiens naam rijmde op het Duitse woord *Gedicht*. 'Licht, Gedicht,' zei Sara, en ze lag dubbel van het lachen, een trieste lach. 'Dat vond Gabriel natuurlijk wel mooi!' Toen vroeg ik haar de volledige tekst van het lied voor me uit te schrijven; en hoewel ik het nu niet met zekerheid kan zeggen, dacht ik er mogelijk al aan om het in mijn boek op te nemen, wat uiteindelijk ook gebeurd is.

Want na die dag – nadat we door de zevende straat hadden gewandeld en een bezoek hadden gebracht aan het vroegere pension van Konrad Deresser, nadat we langs de apotheek waren gelopen waar de ouwe zijn pillen had gekocht, die niet meer bestond maar daarmee nog niet onzichtbaar was, nadat ik op de trap bij de kathedraal had gezeten waar het *Te Deum* was gezongen op de dag dat op duizenden kilometers van het Plaza de Bolívar de Tweede Wereldoorlog was geëindigd, nadat ik op plekken was geweest waar ik al talloze malen was geweest en het gevoel had gehad dat ik ze desondanks niet kende, dat ik ze nooit had gezien, dat ze even ondoorzichtig en onbekend voor me waren als het leven van de eerste Gabriel Santoro –, na dit alles, wil ik zeggen, vatte ik voor het eerst het plan op om dit verslag te schrijven. Die avond maakte ik wat aantekeningen en zette een paar inhoudelijke schema's op papier; ik volgde, kortom, de weinige regels die ik mezelf, eerder als amulet dan als hulpmiddel, in mijn journalistieke carrière heb aangeleerd. Een paar maanden later had ik al een schrift vol aantekeningen en lagen er stapels documenten op mijn bureau. Een van die aantekeningen luidde: 'Niets zou zijn zoals het is als hij niet geopereerd was.' Ik las de zin twee of drie keer over en inmiddels stond de computer aan. Terugblikkend vond ik dat er wel iets van waarheid in zat, want misschien zou mijn vader nog wel leven als hij niet een tweede leven had gekregen, dat natuurlijk de plicht het te benutten, de behoefte aan verlossing met zich had meegebracht. Dat proces wilde ik graag op papier krijgen: de redenen waarom een man die in zijn jonge jaren een fout heeft gemaakt, deze op zijn oude dag probeert te herstellen, en de gevolgen die deze poging voor hem en de mensen om hem heen kunnen hebben, eerst en vooral de gevolgen die dat heeft gehad voor mij, zijn zoon, de enige persoon op de wereld die zijn fouten kon erven, maar ook zijn verlossing. En tijdens dit proces, door erover te schrijven, zo dacht ik, zou mijn vader langzaam ophouden het valse personage te zijn dat hij zelf had gecreëerd en zijn positie ten opzichte van mij opeisen zoals al onze doden dat doen: door me de plicht na te laten hem te ontmaskeren, te duiden, uit te zoeken wie hij echt was geweest. En na deze gedachte kwam de rest in een enorme flits van helderheid. Ik sloot het schrift, alsof ik dit boek uit mijn hoofd kende, en begon te schrijven over het zieke hart van mijn vader.

Bogotá, februari 1994

NASCHRIFT UIT 1995

Een jaar nadat het af was, publiceerde ik het boek dat u, lezer, zojuist hebt gelezen. In dat jaar zijn er verschillende dingen gebeurd; het belangrijkst is ongetwijfeld het overlijden van Sara Guterman, die zichzelf niet voor de tweede keer als boekpersonage zou terugzien en aan wie ik ook niet meer kon uitleggen dat de titel van het boek, *De informanten*, zowel naar haar als naar mijn vader verwees, al was de informatie die ieder van hen had verschaft nog zo verschillend van aard. Het was een rustige, pijnloze dood geweest, zoals verwacht: de ader sprong, het bloed liep de hersenen in en binnen een paar minuten was Sara, die op bed lag voor een middagdutje, overleden. Het schijnt dat ze nog de hele ochtend door Bogotá heen en weer had gedraafd in een (vergeefse) poging te bemiddelen tussen het Goethe Instituut en de cultureel attaché van de Duitse ambassade, voor de organisatie, ruim op tijd, van het herdenkingsfeest in mei 1995, vijftig jaar na het einde van de oorlog. De Duitse gemeenschap in Bogotá was verdeeld: sommigen wilden dat de ambassade de plechtigheid zou leiden, als reinigingsritueel en ook als boetedoening, of in elk geval voor de beeldvorming; wat anderen betreft, moest de beslissing over de hoedanigheid en omvang van de herdenkingsplechtigheid aan de Colombiaanse regering worden overgelaten, men hoefde tenslotte geen mensen tegen het zere been te schoppen of dingen op te rakelen die iedereen, zowel Duitsers als Colombianen, in de loop der jaren liever (bewust, vrijwillig) had willen vergeten. Er waren überhaupt steeds minder mensen die de oorlog nog hadden meegemaakt en de mensen die nog leefden, waren de kinderen of kleinkinderen van die Duitsers, mensen die ondanks hun achternaam geen enkele band hadden met dat land, er nooit geweest waren en evenmin van plan waren erheen te gaan en die soms, afgezien van de tussenwerpsels of scheldwoorden van een nijdige grootvader, nooit de taal hadden gehoord. Sara had onder andere voorgesteld om samen met mij lezingen te geven door het hele land – bij instellingen, culturele genootschappen, op universiteiten, Duitse en Hebreeuwse scholen – over de gebeurtenissen waarover in *Een leven in ballingschap* werd verteld en, nog belangrijker, over wat er niet in werd verteld, want op het moment dat ik het boek aan het schrijven was, hadden Sara en ik in onderling overleg besloten er een reeks onderwerpen uit weg te laten om haar levensverhaal niet een reclamerende ondertoon te geven die er niet bij paste. In tijden van herdenkingen en vieringen was het echter, meer dan geoorloofd, opportuun en noodzakelijk dat deze zaken besproken werden. Aangezien we dachten de tijd te hebben, aangezien Sara was overleden zonder enige voortekenen of overgangsfases, hadden we alleen nog maar wat materiaal voor de lezing kunnen selecteren. Sara had in haar dozen van Pandora gezocht en me een map gegeven met zorgvuldig geselecteerde alinea's en daarbinnen zorgvuldig onderstreepte regels. Ze wilde in het openbaar vele teksten bespreken die volgens haar ten onrechte genegeerd waren tot nu toe, waaronder hele zinnen van minister López de Mesa (joden hadden 'een parasitaire levensinstelling' en in Latijns-Amerika bevonden zich 'vele ongewenste elementen, voornamelijk joodse'), maar dankzij het antagonistische aneurysma kwam het er allemaal niet meer van. Sara kwam moe thuis op een normale dag, legde een bevroren kipfilet onder een hete waterstraal en ging even liggen. Ze werd niet meer wakker. De onderbuurvrouw had het vreemd gevonden dat de waterleiding twaalf uur later nog steeds geluid maakte; ze was naar boven gelopen om te kijken of Sara misschien een probleem had of dat het appartement onder water liep en had uiteindelijk haar kinderen opgespoord om te vragen of ze met hun sleutel de deur kwamen openen; de volgende dag, dat wil zeggen, zo snel mogelijk, werd Sara op het joodse gedeelte van de centrale begraafplaats ter aarde besteld. Na de kaddisj sprak iemand, een kale man met een heel uitgesproken accent – ik was een expert geworden op dat vlak en wist wat dat betekende: hij was getrouwd met een Duitse, geen Colombiaanse, en sprak Duits met zijn kinderen, geen Spaans –, een aantal woorden die me wel aanstonden: hij vergeleek Sara's leven met een bakstenen muur en zei dat je er de waterpas van een architect op had kunnen leggen en dat het belletje dan precies in het midden was gebleven, tussen de twee lijntjes, zonder ooit uit het zicht te raken. Dat was Sara: een massief bakstenen muur die perfect waterpas was. Ik had het gevoel dat deze zin haar nagedachtenis meer recht deed dan de tweehonderd pagina's van mijn boek en voor één keer dacht ik dat het niet verkeerd zou zijn dat uit te spreken. Maar zo ver kwam het niet, want terwijl ik, zoekend naar woorden waarmee ik kon uitleggen wie ik was en waarom ik zijn korte treurdicht zo mooi had gevonden, probeerde bij de kale man te komen, stond ik ineens oog in oog met Sara's oudste zoon, die de situatie een onverwachte wending gaf toen hij wegliep bij de mensen die om hem samendromden om hem een hand te geven, me omhelsde en zei: 'Ik vind het heel erg van uw vader. Mijn moeder hield veel van hem, dat weet u.' Ik dacht even dat hij me condoleerde (al was dat rijkelijk laat); meteen begreep ik echter dat hij niet doelde op mijn vaders dood, maar op zijn verwoeste reputatie.

Onder de aanwezigen op de begrafenis waren ook de eigenaren van boekhandel Central, Hans en Lilly Ungar. We groetten elkaar en ik beloofde hen binnenkort op te zoeken, maar was zo druk geweest met het schrijven van *De informanten* dat het er nooit van was gekomen. En toen er in mei, nadat het boek was uitgekomen, een bericht van Lilly op mijn antwoordapparaat stond waarin ze me op formele en bijna dwingende toon in de boekhandel uitnodigde, dacht ik dat het op de een of andere manier verband hield met Sara Guterman of in elk geval met die nooit gehouden lezing over het verborgen antisemitisme van de Colombiaanse autoriteiten, want Hans Ungar (dat wist iedereen) was een van de directe slachtoffers geweest van de verbodsbepalingen waarmee López de Mesa wilde voorkomen dat er te veel joden naar Colombia kwamen. Hij vertelde vaak in interviews, en ook wel tijdens een gewoon gesprek, dat zijn ouders in Duitse concentratiekampen waren omgekomen, voornamelijk door het feit dat hij voor hen niet het visum had kunnen bemachtigen waarmee hij zelf in 1938 Colombia was binnengekomen. Maar goed, toen ik op de afspraak verscheen, zaten ze daar allebei, Hans en Lilly, aan een degelijke grijze tafel die als ontmoetingsplaats diende voor de Duitsers in Bogotá en van waaruit, met behulp van een telefoon met draaischijf en een oude typemachine – een Remmington Rand, hoog en zwaar als een Colosseum op schaal – de boekhandel werd gerund. In de grootste etalage lagen drie exemplaren van mijn boek. Lilly droeg een wijnrode coltrui; Hans droeg een pak met daaronder een trui met ruiten en een stropdas. Op tafel lag, naast een hoog glas water zonder ijs en een koffiekop met lipstickvlekken, het tijdschrift *Semana*, waarin, naar een idee van Sara, een herdenkingsartikel was verschenen, een zes pagina's lange tekst (inclusief een reclame voor Suramericana Verzekeringen), dat daar tussen de andere berichten van een land dat aan nieuws geen gebrek had, best eens over het hoofd zou kunnen worden gezien.

Het tijdschrift lag opengeslagen bij een pagina met twee afbeeldingen. Links die van een brief aan ene Fritz Moschell, gedateerd 16 juli 1934, waaronder te lezen stond: '*Document uit die tijd: alles wat Duits was, werd als verdacht beschouwd.*' De overige ruimte werd vrijwel geheel in beslag genomen door een foto van de Brandenburger Tor na de bombardementen. Hier luidde het bijschrift: '*Een verwoest Berlijn. In Colombia zijn de gevolgen van het conflict nauwelijks voelbaar geweest.*' Toen bedacht ik ineens dat dit de ware reden voor de afspraak (de oproep) was. Lilly liet koffie voor me halen; Hans, die er ook bij zat, leek niet naar ons gesprek te luisteren en hield zijn ogen strak gericht op de deur van de winkel en de mensen die in en uit liepen en informeerden of afrekenden. Toen ze haar koffie ophad, haalde Lilly ergens een stuk papier uit tevoorschijn en uiteindelijk zat ik haar te helpen met de correctie van een brief die zij het tijdschrift wilde sturen. 'In het artikel "Creoolse Oorlog" in het nummer van 9 mei lees ik dat tijdens de Tweede Wereldoorlog "*het vermeende antisemitisme van López de Mesa de zaken alleen maar ingewikkelder maakte*". Voor wie de circulaire kent die in 1939 door het ministerie van Buitenlandse Zaken naar de Colombiaanse consulaten is gestuurd en daarin het bevel heeft gelezen om "*alle menselijkerwijs mogelijke hindernissen op te werpen voor de uitgifte van nieuwe paspoorten aan joodse elementen*", is het antisemitisme van de minister meer dan alleen een vermoeden. Ik begrijp dat dit voor Colombiaanse burgers een moeilijk bespreekbaar onderwerp is, maar dat zou het in de media niet mogen zijn. Daarom ben ik zo vrij hier kort het een en ander toe te lichten ...' Dit was nog maar één van de terzijdes die ik haar hielp te formuleren; toen we samen de brief hadden geschreven en hem nakeken om te zien of er geen tikfouten meer in zaten, vouwde Lilly het vel papier dubbel en stopte het zo achteloos, zo onverschillig in een van de bureaulades dat ik me alleen maar kon afvragen of de gunst die ze me had gevraagd niet eerder een excuus was geweest en of het plan om met mijn hulp een soort minimaal en inmiddels overbodig protest op te stellen, niet gewoon de manier was geweest die Lilly en Hans hadden verzonnen om mij te kunnen zien en dichter bij Sara Guterman, hun pas overleden vriendin, te kunnen zijn. Central was tenslotte de enige boekhandel die nog altijd exemplaren van *Een leven in ballingschap* had, terwijl het boek inmiddels zeven jaar geleden was verschenen. De Ungars hadden het boek gelezen; ze hadden het oprecht gevonden; Hans had het genoemd in een programma van radiozender HJCK waar hij weleens aan meewerkte. Maar misschien vergiste ik me; misschien had mijn bezoek niets met Sara te maken; misschien waren het absurde, achterdochtige gedachten, want dat van die brief was uiteindelijk toch heel aannemelijk. Daar lag het tijdschrift, daar zaten de Ungars, daar lag de kladversie van de brief; niets gaf aanleiding te denken dat ze me hadden laten komen voor iets anders dan het corrigeren van die brief, zoals ik gedaan had.

Over een paar minuten zou de middagpauze beginnen, dus ik stond op en begon afscheid te nemen. Maar toen kwam Estela, de vrouw met het ernstige gezicht en de bevelende stem die aan de kassa zat, binnen en legde een stapel van tien of vijftien exemplaren van *De informanten* op tafel. En terwijl Lilly me vroeg ze te signeren en zei dat ze het boek nog niet had gelezen, maar dat ze dat zou doen zodra ze eens een weekend had zonder de gebruikelijke rompslomp, deed Estela de helft van de lichten uit en trok de deur achter zich dicht. Zonder de herrie van de straat, zonder het getoeter en het lawaai van auto's was het zo stil in de boekhandel dat het bijna intimiderend was. Hans was voor de tafel met Duitse boeken gaan staan en bekeek ze als een willekeurige klant door het groene glas van zijn bril (die hij droeg sinds ik me kon heugen). 'Hij heeft het wel gelezen,' zei Lilly zachtjes. 'Hij weet nog niet wat hij ervan moet denken, daarom heeft hij het je niet verteld. Een vriend van hem kwam op de lijst terecht, aan het einde van de oorlog, door zoiets onnozels als het opvragen van een boek bij boekhandel Cervantes of zoiets. Hoe voel je je? Wat hebben de mensen je gezegd?' Ik haalde mijn schouders op, als om te zeggen dat ik dit gesprek liever niet voerde, en toen zei ze: 'Hans kende ze.'

'Wie?'

'De familie Deresser.'

Dat was niet zo verrassend, behalve vanwege het feit dat Duitse en Oostenrijkse immigranten bijna nooit in dezelfde kringen verkeerden: er bestond een rivaliteit tussen hen die gebruikelijk is bij ontheemden wanneer ze merken (of denken te merken) dat ze het recht op hun nieuwe land moeten bevechten. Wat me wél verrast had, was dat Lilly en Hans mijn vader hadden gekend zonder dat ik daar weet van had. 'Nee, hem hebben we nooit leren kennen,' zei Lilly toen ik haar ernaar vroeg, en ze liet haar blik op de toetsen van de Remmington rusten. 'Ik niet en Hans ook niet, dat weet ik zeker, dat heeft hij me meer dan eens gezegd.' Voor de tweede keer werd ik overvallen door een paranoïde gevoel. Ik dacht dat Lilly tegen me loog, dat ze mijn vader wel had gekend en ook zijn geheim, het geheim van zijn fout, maar dat ze hem in de loop der jaren uit haar leven had kunnen wissen, hem zo perfect had kunnen vergeten dat ze me al die tijd als klant in de boekhandel had kunnen helpen zonder een spier te vertrekken, met mij over mijn eerste boek had kunnen praten zonder dat haar stem haar verried en, toen ze de recensie van mijn vader over het leven van hun vriendin Sara las, had kunnen doen alsof ze de onderliggende redenen voor zijn wrok niet kende. Loog ze tegen me? Was dat mogelijk? Ik vroeg me af of ik voorgoed het vertrouwen in andere mensen had verloren, of de ontdekking van het verraad van mijn vader en, tot overmaat van ramp, het uiteindelijk opschrijven en publiceren van die driehonderd pagina's lange bekentenis, dat van me hadden gemaakt: een paranoïde, achterdochtige, argwanende persoon; een trieste, zielige figuur, die samenzweringen ziet in de hartelijkheid van een zuivere vrouw als Lilly Ungar. Was ik verdoemd? Had ik zo'n tik meegekregen van de twee gezichten van mijn vader dat ik de rest van de mensheid voorgoed van dubbelhartigheid zou verdenken? Of kwam de tik van het feit dat ik erover had geschreven? Was het een vergissing geweest om *De informanten* te schrijven?

In een van de eerste recensies werd het boek, of ik, ervan beticht een deerniswekkende mengeling van narcisme en exhibitionisme te zijn, en ook al had ik de criticus niet erg hoog zitten, al schreef hij tweedeluitenantsproza, al was hij duidelijk niet bijster belezen en redeneerde hij als een skinhead, al gaf hij in elke zin blijk van een gebrek aan gehoor, grammaticale ontwikkeling en strategisch inzicht, al had hij de ruimte voor zijn bespreking gebruikt om zijn minderwaardigheidscomplex (complex was nog een compliment) en zijn literaire mislukkingen (literair was een groot woord) op te voeren, al kwamen zijn verwijten niet verder dan kroegpraat en ontstegen zijn loftuitingen het borreltafelniveau niet, toch bleven zijn aantijgingen de daaropvolgende dagen door mijn hoofd spoken. Misschien was het wel een vorm van perversie om het persoonlijke publiek te maken – een geaccepteerde vorm, weliswaar, in onze tijd van voyeurisme en bemoeizucht, van laster en loslippigheid –, en was het publiceren van welke bekentenis ook in wezen net zo ziek als het gedrag van een man die een vrouw op straat een grote pik laat zien, gewoon voor de lol, om te choqueren. Nadat hij het boek had gelezen en had gezien dat hij erin voorkwam, had mijn vriend Jorge Mor me opgebeld en gezegd: 'Je hebt het volste recht, Gabriel. Je hebt het volste recht om te vertellen wat je wilt. Maar ik had er een raar gevoel bij, alsof ik je slaapkamer was binnengelopen terwijl je met iemand lag te wippen. Zonder opzet, per ongeluk. Ik voelde me beschaamd tijdens het lezen van het boek, terwijl ik niets had gedaan waarvoor ik me had moeten schamen. Jij dwingt iemand om dingen te vernemen die hij misschien helemaal niet wil weten. Waarom?' Ik zei dat niemand verplicht was het boek te lezen; dat het schrijven van memoires of een autobiografie altijd betekende dat je je op privéterrein begeeft, en dat de lezer dat wist. 'Precies, ja,' zei Jorge. 'Vanwaar die behoefte om in het openbaar over privézaken te praten? Is het niet in je opgekomen dat je met dit boek hetzelfde hebt gedaan als die vriendin van je vader, maar dan op een stijlvollere manier?' De aanval overrompelde me, daarom stamelde ik een paar grove opmerkingen terug en hing op, zonder de moeite te nemen mijn kwaadheid te verhullen. Hoe durfde hij die vergelijking te maken? Ik had mezelf blootgegeven in mijn boek, ik had mezelf bewust kwetsbaar opgesteld, ik had geweigerd mijn vaders fouten in de vergetelheid te laten geraken: in vele opzichten had ik de verantwoordelijkheid voor die fouten op me genomen. Want fouten zijn erfelijk, schuld is erfelijk, je moet boeten voor wat je voorouders gedaan hebben, dat weet iedereen. Was het niet dapper om de confrontatie ermee aan te gaan? Was het niet op zijn minst prijzenswaardig? En toen stroomde mijn hoofd vol met dingen die mijn vader eens had gezegd: hij had ook tegen me gesproken over het publieke en het private, over de verhevenheid van wie zijn mond houdt en het parasitisme van wie onthult. En daar had hij het niet bij gelaten. 'Daarom heb je het geschreven, om iedereen te laten weten hoe goed je bent.' Mijn vader kwam terug uit het dodenrijk om me te beschuldigen. 'Zie mij, bewonder mij, ik sta aan de goede kant, ik veroordeel, ik klaag aan.' Ik had hem gebruikt, ik had voor mijn eigen exhibitionistische of egocentrische doeleinden misbruik gemaakt van het verschrikkelijkste wat er in zijn leven gebeurd was. 'Lees mij, hou van mij, beloon me voor mijn medeleven, mijn goedheid.' Ik was niet meer geweest dan een zelfingenomen mannetje, gesublimeerd weliswaar door het valse prestige van de gedrukte letter, maar evenzo een zelfingenomen mannetje. Mijn vaders val in de openbaarheid brengen was niet meer dan een subtiel, nieuw verraad geweest. Jorge had gelijk. Ik vroeg me af: zou ik in staat zijn geweest het boek te publiceren als mijn vader het ongeluk in Las Palmas overleefd had? Het antwoord was duidelijk, en beschamend.

Ik voelde me ineens ongemakkelijk, misplaatst; ik voelde me maar een omhooggevallen schrijvertje nu ik daar in die gesloten boekhandel met Lilly Ungar zat te praten. 'Misschien heb ik er niet goed aan gedaan,' zei ik tegen haar, terwijl ik net het laatste exemplaar signeerde. 'Misschien had ik dit boek niet moeten publiceren.' En ik vertelde haar dat me die week iets merkwaardigs was overkomen. Aan het einde van een van de boekpresentaties waartoe ik me met de publicatie van het boek had verplicht, kwam een van de aanwezigen, de enige man in de zaal met een vlinderdas, naar me toe en vroeg hoe het nu met Sara ging en of ik het niet noodzakelijk vond haar te dwingen zich te laten opereren of haar in elk geval over te halen om naar laaggelegen gebied te verhuizen, omdat haar kinderen totaal niet geïnteresseerd leken om het nodige te ondernemen om haar leven te beschermen. Ik wilde hem eerst de huid vol schelden, maar een paar seconden later stond ik hem te vertellen dat Sara overleden was en had ik het over de begrafenis en over hoe erg we het hadden gevonden. Ik dacht namelijk dat de man geen gewone lezer was, maar dat hij haar kende, dat hij een familielid of vriend was. Toen ik erachter kwam dat dat niet zo was, was het al te laat om te reageren, want die opdringerigheid kwam door mijn eigen boek en het was mijn schuld dat een vreemde een bekende leek of de illusie creëerde dat hij Sara had gekend. Daarover stond ik te praten – dat toe-eigenen waartoe mijn boek leek uit te nodigen, de verloren privacy, de narcistische bevrediging, de manier waarop het boek mijn herinneringen heeft verdrongen, de vermoedelijke malversatie van het leven van anderen waaronder dat van mijn vader, over al die ongewenste gevolgen van zoiets onschuldigs als een bekentenis en over de afwezige of niet-bestaande gewenste gevolgen die ik had verwacht –, toen Lilly me onderbrak. 'Ik heb je niet gevraagd te komen om onbenullige brieven te schrijven, jongen, en al helemaal niet om boeken te signeren,' zei ze, 'maar ik wilde eerst de zaken aftasten, je een beetje horen praten. Om te kijken waar je stond, jongen. Om niet de mist in te gaan.' Ze draaide met haar grijphanden een envelop om die de hele tijd op tafel had gelegen, half verstopt onder het tijdschrift *Semana* en dat bakbeest van een typemachine, en herhaalde met haar uitgesproken accent en haar diep in de keel klinkende r'en het opschrift aan de rechterzijde, onder de postzegel: 'Hans en Lilly Ungar, ter attentie van de heer Gabriel Santoro.' Het was een brief van Enrique Deresser. Hij had het boek gelezen en vroeg me bij hem langs te komen.

De volgende dag om acht uur 's ochtends ging ik, bij die plaats die raadselachtig genoeg Siberia heette, de snelweg naar Medellín op. Het was zo'n vier uur rijden van Bogotá naar La Dorada, het punt halverwege. Het was destijds al een van de onveiligste wegen van het land, daarom wilde ik in één ruk doorrijden, in La Dorada lunchen en daarna de tweede helft afleggen. Ik geloof dat ik het traject en zijn hindernissen redelijk goed ben doorgekomen. Bogotá verlaten betekent, naast andere wapenfeiten, een bergketen oversteken. 'Eens zien of we de reis kunnen maken zonder *Bolívar cruza el Ande* te zingen,' zei mijn vader altijd als hij mij en mijn moeder mee uit rijden nam; het was een van de weinige verzen uit het Colombiaanse volkslied die hij kon aanhoren zonder zich kwaad te maken. (Voor mij is Bogotá verlaten ook altijd eerder een droevige, smartelijke aangelegenheid geweest dan iets hinderlijks, maar ik heb nooit goed kunnen verklaren waarom ik me alleen maar op mijn gemak voel in deze rotstad, waarom ik niet in staat zou zijn langer dan twee weken in elke andere stad ter wereld door te brengen. Alles wat ik nodig heb, is hier; wat hier niet is, kan ik missen. Misschien is dit ook weer iets wat ik van mijn vader heb geërfd: de wil om niet te worden weggejaagd door deze stad, die zo goed is in het wegjagen van mensen.) Ik trotseerde stinkende veekuddes, de gure mist van de hoogvlakte, de woeste afdaling die daarop volgde, de heftige geuren die me tegemoet sloegen, het verpletterende zilver van de yarumo-bomen en het gekwetter van kanaries en kardinalen en ik trotseerde, bij het oversteken van de Magdalena – die rivier zonder vissers of netten, omdat er geen *bocachico* meer zit –, de bedwelmende hitte en de windstilte. De tweede brug was, of is, een soort enorme gebitsbeugel, metaalachtig wanneer de zon op de metalen rails schittert, breekbaar als oud hout wanneer hij onbetamelijk kraakt onder het gewicht van de auto's. Voordat ik de Magdalena overstak, werd ik aangehouden door een soldaat die waarschijnlijk gelegerd was op de luchtmachtbasis, zijn helm stond zo los op zijn hoofd dat zijn stem erin echode. Hij vroeg me naar mijn papieren, bekeek ze alsof ze in een vreemde taal gedrukt waren en gaf ze aan me terug met afdrukken van het krijgshaftige zweet van zijn handen en een of twee druppels van zijn gehelmde voorhoofd. Ik vroeg hem niet waarom hij zo ver van de basis mensen aanhield. Hij zag er jong uit; ik had de indruk dat hij bang was hier, zo dicht bij Honda en Cocorná en andere onfortuinlijke plaatsnamen, zo dicht bij het oorlogsgeweld, of de onheilspellende echo's van het oorlogsgeweld, van de guerrilla.

Wie deze weg ooit heeft gereden, weet dat je hier het gaspedaal intrapt. Na het oversteken van de rivier gaan de auto's er als gekken vandoor. Je weet niet of dat ook met de angst te maken heeft (je moet voorkomen dat je wordt aangehouden, dat ze je de weg blokkeren, dat ze je dwingen uit te stappen) of dat het rechte stuk weg van twintig minuten, waarvan het asfalt niet egaal is, maar toch redelijk begaanbaar en behulpzaam, erom vraagt. De wijzers van de snelheidsmeters lopen hysterisch op; de sterkste geur is niet die van de stront van de koeien die onder de bomen liggen te slapen, maar die van verbrand rubber; het rubber van banden, geknecht (gefolterd) door snelheid. Ik kan wel zeggen dat ik mijn neus niet ophaalde voor deze gewoonte. Het was nog geen twaalf uur toen ik voor een eettentje onder een mangoboom parkeerde. Binnen zwiepten twee ventilatoren door de lucht, twee witte, bijna doorzichtige cirkels die vlak onder het smalle plafond zweefden. De stoelen en tafels waren gemaakt van planken van geschilderd hout, gespijkerd op vier smalle pootjes: alles was zo ontworpen dat de wind er ongehinderd doorheen kon waaien; alles wilde er dat de lucht niet stilstond, dat hij circuleerde, want de hete lucht was de vijand. (Overal condenseerde het vocht en dat leek voor de eigenaren van het pand een obsessie te zijn: het water mocht niet verdampen.) Binnen drie kwartier had ik geluncht en was ik weer onderweg, alsof ik op tijd op een afspraak moest zijn, alsof er iemand op me zat te wachten voor een sollicitatiegesprek. Het was onmogelijk er niet aan te denken dat mijn lichaam, in een auto die tachtig of honderd kilometer per uur reed, dezelfde weg volgde als die Angelina en mijn vader drie jaar geleden hadden afgelegd, zoals de mimespelers die in het Parque Santander achter nietsvermoedende mensen aan lopen. De tijd was een brug met twee rijlagen: zij op de onderste, ik op de bovenste. En ergens op dit parallelle traject, toen de weg me ineens bekend begon voor te komen – van sommige passages wist ik zeker dat ik ze eerder had gezien, hoewel het de eerste keer was dat ik deze weg reed –, bedacht ik dat er door al dat denken aan mijn vaders reis tijdens het schrijven van mijn boek een fictieve herinnering mijn hoofd in was geslopen. Ik was een hele tijd bezig de redenen voor dit kunstje van mijn geheugen te achterhalen, tot ik ze eindelijk had gevonden: het kwam me allemaal zo bekend voor omdat ik het een jaar geleden op televisie had gezien. Een hele zondag lang hadden Sara Guterman en ik bij elk journaal aan de televisie gekluisterd gezeten – om twaalf uur en om zeven uur en om halftien –, terwijl we luisterden zonder te begrijpen wat er gezegd werd, terwijl we bevend en zwijgend keken hoe een hele reeks tv-deskundigen met snor, sikje of matte lipstick, met meningen of overtuigingen, geruchten of getuigenissen, beschreef of probeerde te verklaren hoe en waarom hij vermoord was, of het was gekomen door het eigen doelpunt of juist door de ruzie op de parkeerplaats en hoe lang het had geduurd totdat voetballer Andrés Escobar, na zes schoten uit een kaliber .38-pistool, was doodgebloed.

Lang daarna zou iemand me de volgende vraag stellen: waar was u toen Escobar werd doodgeschoten? Vroeger hadden ze me altijd gevraagd: waar was u toen Gaitán en Pizarro werden vermoord? Ik bedacht dat een leven dat geregeerd werd door de plek waar je je bevindt als er iemand vermoord wordt, inderdaad mogelijk was; ja, dat was mijn leven, en dat van meerdere mensen. Ik herinnerde me dus die datum (4 juli) waarop Sara en ik op de televisiejournaals de stoet van vijftien à twintig bussen zonder ramen en vrachtwagens met neergelaten zeildoek volgden die naar de begrafenis van de voetballer reden. In de uitzending was het geraas hoorbaar van oorlogsvliegtuigen die opstegen van de basis in Palanquero en het contrast van dat lawaai met de stilte van de mensen, en je zag, als je tenminste zo'n bezeten kijker was als ik, het bijna poëtische detail van de door de straalmotoren voortgestuwde lucht die schuimkopjes tekende op het oppervlak van de Magdalena. Men ging misschien uit medeleven of sensatiezucht, uit pure woede of frivole nieuwsgierigheid naar de begrafenis van Escobar, maar het had realiteitswaarde en ik had er begrip voor en ik weet zeker dat mijn vader er niet alleen begrip, maar zelfs bewondering voor had gehad, al was hij zelf nooit geïnteresseerd geweest in voetbal, niet zoals ik althans. (Ik moet erbij zeggen dat mijn vader in staat was de opstelling van de ploeg van Santa Fe uit zijn tijd op te dreunen omdat hij 'Perazzo, Panzuto, Resnik en Campana' prettig in het gehoor vond liggen, een soort primitief vers, als de klanken van een trom.) En terwijl ik op tv de tocht van die nagebootste rouwstoet had gevolgd, had ik ineens behoefte gekregen aan een vaster aanknopingspunt. Het overkomt me wel vaker: als iets me boeit, wil ik meteen tastbare gegevens achterhalen om me een beter beeld te kunnen vormen, en als ik die niet vind, verlies ik mijn interesse. Als een auteur me boeit, moet ik uitzoeken waar hij geboren is en in welk jaar; als ik met een nieuwe vrouw naar bed ga, meet ik graag de diameter van haar tepelhoven, de afstand tussen haar navel en de eerste haartjes (en die vrouwen denken dat het een spelletje is, ze vinden het romantisch, ze laten het zonder enig protest over zich heen komen). Dus belde ik op dat moment, vanuit Sara's appartement, met Sara's telefoon, naar Angelina Franco en vroeg haar om de informatie die me ontbrak. Ze snapte het aanvankelijk niet, ze verweet me dat ik lacherig deed over zoiets verschrikkelijks als de moord op Escobar, die voor haar – en daar had ze gelijk in – het zoveelste 'nu is dit land echt naar de klote' markeerde in een lange geschiedenis van steeds ergere, steeds vuilere, steeds onbegrijpelijkere en steeds wanhopiger makende wantoestanden waar Colombia de laatste jaren mee was overspoeld, de jaren van ons volwassen leven. Maar ze moet iets in mijn stem hebben gehoord, of misschien liet ik haar op onwillekeurige maar veelbetekenende wijze weten dat ons onbegrip in wezen niet zo verschillend van aard was, alleen van vorm; want ik heb het dan misschien op dat moment niet tegen haar gezegd, maar voor mij was dat van Escobar een memo (een gele kaart, dacht ik later, iets luchtiger) die me door het land werd gestuurd, niet zozeer om te benadrukken dat je Colombia onmogelijk kunt begrijpen, maar vooral hoe irreëel, hoe naïef het was om dat te proberen door boeken te schrijven die maar heel weinig mensen lezen en waarmee de schrijver zich slechts problemen op de hals haalt. In elk geval matigde Angelina haar toon. En na een poosje had ze als een ware cartografe haar rol op zich genomen. Op dat moment, zo leek ze te denken, hing de bestemming van de rouwstoet van de nauwkeurigheid van haar beschrijvingen af.

'Ze zijn nu in Puerto Triunfo,' zei ze, 'nu rijden ze langs de dierentuin van de drugsbaronnen. Nu zijn ze in La Peñuela. Daar begint de lucht naar cement te ruiken.' Ik herinner me dat Sara (die me niet aankeek alsof ik gek was; ze had een bijzondere en soms zorgelijke gave om de meest willekeurige excentriciteiten te accepteren) me op dat moment een glas *lulo*-sap had gebracht en ik herinner me vaag dat ik het met smaak leegdronk, maar toch was het cement uit de fabrieken voor mij de enige realiteit: het sap smaakte in mijn herinnering niet naar lulo, maar naar cement. 'Ze zijn nu bijna bij La Cueva del Condor,' zei Angelina. 'Er zit ijs op de stalagmieten, Gabriel. Er staan kapokbomen en ceders waar ook een laagje ijs op ligt. Ze moeten voorzichtig zijn en langzaam rijden, want de weg is glad.' Ja, de weg was glad en bleef dat nog een heel eind. Angelina leek het te hebben laten vallen alsof het geen enkel verband hield met mijn vaders dood. 'Nu rijden ze alweer door Las Palmas,' ging ze verder, 'daar is het altijd wat nevelig. Op de muren staan oude po's en lege koekblikken met geraniums. Een leven lang zaaien in sardineblikjes, Gabriel, mijn ouders deden het, mijn grootouders deden het, het lijkt wel alsof ze in deze streek niet hebben ontdekt dat er bloempotten bestaan.' Even stopte ik met kijken naar de begrafenisstoet en zag voor me hoe mijn vader de macht over het stuur verloor door de mist, de gladheid en zijn gebrekkige hand, die hand waarmee hij in geval van nood niet adequaat kon reageren (om het stuur onder controle te krijgen of naar zijn twee te schakelen en zich uit een hachelijke situatie te redden), en ik geloof dat ik uiteindelijk als een tekenfilmfiguurtje mijn hoofd schudde om die beelden te verjagen en me voor deze keer eens op andermans verdriet te richten. Later zagen we in de journaals beelden van de mensen die bij begraafplaats Campos de Paz arriveerden. We zagen vlaggen – de driekleuren van het land, de groen-witte van het voetbalteam –, we zagen met lakens en spuitbussen geïmproviseerde spandoeken en we hoorden de mensen nationalistische verzen schreeuwen; en in de stem van de nieuwslezers, in het gezicht van de buurtbewoners en de conciërge van het gebouw, zelfs in het autoverkeer op straat, voelden we de bijzondere sfeer opkomen die er in Bogotá hangt na een bomaanslag of een spraakmakende moord.

Het was de laatste keer dat ik Angelina sprak. Met kerst kreeg ik een spuuglelijke kaart van haar met een Engels opschrift en een kerstman met een goudkleurig ijslaagje. Er stond slechts één zin op: *De beste wensen voor de feestdagen*, met haar even kinderlijke als barokke handtekening. Er zat ook een opgevouwen papiertje in. Het was een keurig uitgeknipt krantenbericht: de kleurenfoto van een bloemenstoel. Op de rugleuning vormden anjers en margrieten, geraniums en incalelies een afbeelding die aanvankelijk vaag was maar even later duidelijker werd.

Het was de overleden voetballer. Boven zijn hoofd stond in drie bloemenbogen te lezen: DE HEMEL IS VOOR EENVOUDIGE, TOFFE JONGENS UIT ONZE STREEK ZOALS ANDRÉS ESCOBAR. En in de marge: *Kleine herinnering aan ons laatste telefoongesprek. 19-12-94. PS: hopelijk zien we elkaar nog eens live en in het echt.* Ik was ontroerd dat ze aan mij had gedacht toen ze die foto zag en ook dat ze de moeite had genomen een schaar te zoeken en een kaart te kopen en de foto erin te stoppen en alles in een envelop te doen en die te posten, van die alledaagse handelingen die mij altijd boven de pet zijn gegaan. Ja, ik stelde het gebaar op prijs; en toch heb ik haar nooit gebeld om dat te zeggen of ooit enige poging ondernomen om haar live en in het echt te zien, en Angelina verdween uit mijn leven zoals zo veel mensen: door mijn halfbakkenheid als het erom gaat contact op te nemen of te houden, door mijn ongewilde gebrek aan enthousiasme, door dat vreselijke onvermogen van me om de interesse vast te houden – een interesse die wat verder gaat dan het uitwisselen van informatie, dan de vragen die ik stel en de antwoorden die ik verwacht en de verslagen die ik met die antwoorden schrijf – in mensen die op me gesteld zijn en op wie ik, ondanks mezelf, ook gesteld ben. Alleen op een veilige afstand kan ik de interesse in anderen vasthouden. Als Sara niet overleden was, heb ik vaak gedacht, zouden we inmiddels ook van elkaar vervreemd zijn, heel langzaam, zoals het water wegtrekt uit de alluviale grond van het burgerlijk wetboek. Het was een van de favoriete wetsartikelen van mijn vader, die het al sinds zijn studententijd uit zijn hoofd kende en placht te herhalen – nee, voor te dragen –, alsof de hoogdravende woorden van doctor Andrés Bello, de negentiende-eeuwse redacteur, het beste voorbeeld van Spaanstalig proza waren; en nu bleek dat 'trage, onwaarneembare wegtrekken van het water' zo veel overeenkomst te vertonen met de affectieve relaties in mijn leven dat mijn leven de alluviale grond zou kunnen zijn; in het wetsartikel gewonnen land voor de eigenaar, in mijn leven stukken minder. Het trage, onwaarneembare wegtrekken van het water, dat is aanslibbing. Zo blijf ik langzaam alleen over, zo ben ik alleen overgebleven.

Rond vier uur 's middags reed ik, na Puerto Triunfo en La Peñuela en de geur van cement en La Cueva del Cóndor,

Medellín binnen. Ondanks de precieze aanduidingen op de kaart (de beschrijving van een Ecopetrol-benzinepomp, van een eettentje waar je gegrilde kip kon eten, van de winkel op de hoek) moest ik een paar keer bij mensen op straat navraag doen om het omheinde complex waar Enrique Deresser woonde te vinden. Het waren drie of vier grauwe flatgebouwen zonder enige opsmuk, alsof de architecten hadden besloten dat daar wonen iets voor asceten was of misschien voor mensen die eraan gewend waren zo min mogelijk tijd thuis door te brengen. In feite zagen ze eruit als geprefabriceerde woningen: er zaten te veel ramen in de gevels en in die ramen zaten maar heel weinig vrouwen naar de binnenplaats te kijken, want dat was het, een binnenplaats, wat er tussen de gebouwen in lag, een lap cement waar een paar meisjes op een met krijt getekende hinkelbaan speelden (de lijnen roze, de getallen wit). Terwijl ik probeerde uit te vinden in welk gebouw Deresser woonde en of hij vanuit zijn raam mijn auto in de gaten kon houden, parkeerde ik langs de straat en liep door een hek dat tot mijn middel kwam, zonder dat ergens een bewaker of portier me vroeg waar ik naartoe ging, me verzocht een identiteitsbewijs achter te laten of me aankondigde door de intercom. Het hokje van zinkplaten stond er wel, maar er zat niemand in. Een van de raampjes was stuk en men had geprobeerd het af te plakken met krantenpapier en isolatietape; de deur lag eruit. De meisjes stopten met hinkelen en keken naar me, niet zijdelings, niet heimelijk, maar recht in mijn ogen, me peilend alsof het voor zich sprak dat ik kwade bedoelingen had. Hoewel ik niet omhoogkeek om het te bevestigen, voelde ik dat alle vrouwen achter de ramen ook naar me keken. Ik vond het gebouw (of het 'binnengedeelte', zoals in de brief stond aangegeven: binnengedeelte B, appartement 501) en besefte dat het lang geleden was dat ik zo veel trappen had gelopen toen ik in het trapportaal op de vierde verdieping met mijn rug tegen de muur en mijn handen op mijn knieën moest gaan staan om op adem te komen en niet hijgend op mijn afspraak met Deresser te hoeven verschijnen, om hem niet met een kleffe zweethand te hoeven begroeten.

Toen kreeg ik, ik weet niet waarom, ineens het gevoel alsof ik een examen kwam afleggen en me niet voldoende had voorbereid. Aangezien me van alles te wachten kon staan in Deressers appartement, was het redelijk om te denken dat er ook van alles van me kon worden verwacht; ik wenste ineens dat ik de mappen met documenten die ik bij het schrijven van *De informanten* had gebruikt, op de achterbank had liggen. Ik voelde me kwetsbaar; als Deresser me een moeilijke vraag stelde, zou Sara me het antwoord niet kunnen influisteren. Waarom hebt u dit geschreven, waar baseert u zich op, wie zijn uw getuigen, veronderstelt u geen zaken? En ik zou niet kunnen antwoorden, want ik had alleen maar een verslag geschreven, terwijl hij het had *meegemaakt*: weer die superioriteit van de levende mensen boven ons, de simpele praters, de verhalenvertellers, de verslaggevers, degenen, kortom, die zich aan het laffe, parasitaire vak wijden om over andermans leven te vertellen, al is die ander iemand uit je naaste omgeving als een vader of een goede vriendin. Toen ik klein was (ik zal een jaar of tien geweest zijn), heb ik eens een verhaal ingestuurd voor een wedstrijd op school. Ik weet niet meer waar het over ging, maar wel dat we in die dagen *Afval en dorre bladeren* hadden moeten lezen voor Spaans en dat ik het een leuk, of misschien wel gewoon decoratief, idee vond om, net als in mijn editie van die roman, na elke alinea een stippellijntje te zetten, hetgeen voor de juffrouw voldoende was om mij voor sjoemelaar en bedrieger uit te maken omdat ik een verhaal zou hebben ingestuurd dat door een volwassene was geschreven. Pas vele jaren later begreep ik dat de stippellijntjes mijn verhaal een professioneel uiterlijk hadden gegeven dat er niet bij paste; dat het imiteren van de uiterlijke kenmerken van een literaire kunstgreep het overtuigender, geraffineerder had gemaakt en dat dit alles de scepsis van een zure vrouw had gewekt. Het belangrijkste was echter de beklemmende onmacht – dat uitgeholde woord – toen ik me realiseerde dat het onmogelijk was om het auteurschap van het verhaal te bewijzen *omdat alle bewijzen denkbeeldig waren*. Ik was bang dat me met Deresser hetzelfde zou overkomen. Heel even was ik de herinneringen aan mijn onderzoek kwijt en wist ik niet meer zeker wat ik had geschreven. Zou ik het allemaal verzonnen hebben, dacht ik. Zou ik het overdreven hebben, zou ik gemanipuleerd hebben, zou ik de werkelijkheid en het leven van anderen hebben verdraaid? En als dat zo was, waarom had ik dat dan gedaan? Uiteraard niet voor mijn eigen gewin, want het eerverlies van mijn vader en dat van mijn eigen naam was door mijn boek bevestigd, al had de bekentenis voor mij heel andersoortige gevolgen gehad. Je bent een sjoemelaar, Gabriel, je bent een bedrieger. Maar wat was mijn fout geweest? Hoe zouden ze me straffen? Zou het een betere strategie zijn om te blijven liegen? Maar wat als Deresser mijn gedachten las? Als hij meteen als hij opendeed het bedrog doorzag?

Degene die opendeed was echter niet Deresser, maar een jonge man, jonger dan ik in elk geval – dat suggereerde zijn jeugdige kleding althans: hij droeg een T-shirt, een joggingbroek en sportschoenen, maar het was duidelijk dat hij niet ging hardlopen en er ook niet net van terugkwam –, die me de hand schudde en me hem liet volgen alsof we elkaar al kenden. Het was zo iemand die omgangsvormen kon overslaan en in een paar seconden tijd vertrouwelijk kon worden, zonder zich daarbij attent of hoffelijk voor te doen. Sterker nog, deze man was kortaangebonden, te nors voor zijn leeftijd, vijandig bijna. Hij zei me in deze volgorde hem te volgen en plaats te nemen, dat ze op me gewacht hadden, dat hij zo een cola ging halen, dat hij geen ijs had, sorry, en dat hij Sergio heette, eigenlijk Sergio Andrés Felipe Lázaro, maar iedereen noemde hem Sergio, niet eens Sergio Andrés, wat heel normaal was geweest in Medellín, waar iedereen twee namen had, nietwaar; hij heette dus Sergio en zo mocht ik hem ook noemen. Hierna was hij even stil om vervolgens te vertellen wat er nog aan zijn betoog ontbrak: hij was de zoon van Enrique Deresser, aangenaam, het was hem een genoegen mij te leren kennen. Mijn bezoek was hem echter duidelijk allerminst een genoegen; hij vond het helemaal niet aangenaam om mij te leren kennen.

De zoon van Enrique Deresser. De kleinzoon van ouwe Konrad. Sergio liep de keuken in om een cola voor me in te schenken, terwijl alle wetten van de genetica zich in mijn hoofd verdrongen. Hij had donkere ogen, zwart haar, dikke, zwarte wenkbrauwen; maar hij had ook de zwemmersschouders, de kleine, smalle mond en de perfect rechte neus die ik Enrique Deresser in mijn verbeelding altijd had toegedicht, de verleider uit Hotel Nueva Europa, de donjuan van Duitama. Wat Sergio zo te zien niet had geërfd, was de stijl van zijn vader, van zijn grootvader: hij sprak en bewoog zich als een straatvechter, grof en een beetje onbehouwen, even recht voor z'n raap als ordinair. Hij was niet onintelligent, dat zag je van verre, maar alles in hem (je zag het direct aan hoe hij zich bewoog, een glas ging halen, het op de tafel zette en ging zitten), zelfs de meest banale handeling, leek te zeggen: ik denk niet na, ik doe. 'Dus u bent de zoon van Santoro, de boekenschrijver,' zei hij. We zaten bij het raam dat uitkeek op de binnenplaats. Het stond open, maar er hing dunne vitrage voor die in betere tijden ooit wit was geweest, waardoor het licht als via transparant plastic naar binnen scheen, behalve wanneer de vitrage door een zuchtje wind werd opgetild; dan zag je de grijze gebouwen aan de overkant en in de ramen de reflectie van een spat blauwe lucht. De fauteuil waarin Sergio was gaan zitten, was bedekt met een wit laken. De bank waarop ik zat had geen laken, of het was eraf gehaald voordat ik kwam.

'Ja, dat ben ik,' zei ik. 'Ik heb er enorm naar uitgekeken om je vader te leren kennen.'

'Hij ook.'

'Ik ben heel blij dat hij me heeft geschreven.'

'Ik niet zo,' zei hij. En aangezien ik daar zo gauw geen antwoord op had, voegde hij eraan toe: 'Zal ik u de waarheid zeggen? Als het aan mij lag, had hij die brief verscheurd. Maar hij heeft hem stiekem gestuurd.'

Ik vroeg me af of zijn stem nou vijandig klonk of gewoon onbeleefd. Onder aan zijn joggingbroek zaten ritsjes; tussen die half openstaande ritsjes waren de dunne, grijze sokken van een kantooremployé zichtbaar.

'Is Enrique thuis?' vroeg ik. 'Is je vader thuis?'

Hij schudde sneller zijn hoofd dan dat hij nee zei.

'Hij is vroeg weggegaan, hij wist niet zeker wanneer je zou komen. Nou ja, eigenlijk heb ik gezegd dat je niet zou komen.'

'Waarom?'

'Nou, omdat ik niet dacht dat je zou komen. Waarom anders?'

Daar was geen speld tussen te krijgen. 'En komt hij nog terug?' vroeg ik.

'Nee, hij slaapt onder een brug. Natuurlijk komt hij terug.' Stilte. 'Weet je, ik heb allebei je boeken gelezen.'

'Dat is mooi,' zei ik met mijn vriendelijkste stem. 'En wat vond je ervan?'

'Het eerste heb ik gelezen voor mijn vader. Hij gaf het aan me en zei: "Lees maar eens door, dan weet je hoe het allemaal was in die tijd." Maar hij zei er niet bij dat die mevrouw een vriendin van hem was geweest, niks, de rest heeft hij me later verteld, om me niet te beïnvloeden. In het begin was het alsof hij er niets mee te maken had, je snapt me wel.'

'Nee. Leg eens uit.'

'Mijn ouweheer is een eerlijke kerel, hij denkt goed na bij alles wat hij doet, snap je wel? Dus hij wilde dat ik het boek las. En daarna heeft hij me de rest pas verteld.'

'Dat van die lijsten ...'

'Alles. Alle shit, zonder iets achter te houden. En is het waar wat je in dat boek van nu schrijft?'

'Waar?'

'Dat je niets wist toen je het eerste boek schreef. Is dat waar of gewoon gelul?'

'Dat is waar, Sergio,' zei ik. 'Alles is waar. Er staat niets in het boek wat niet waar is.'

'Heus wel, overdrijf maar niet.'

'Ik overdrijf niet. Niets.'

'O nee? En die onzin dat mijn pa in Cuba en in Panamá en weet ik waar overal zou wonen dan? Daar klopt toch helemaal niks van? Of denk jij dat we hier in Panamá zitten?'

'Dat is een vermoeden, geen leugen. Dat is wat anders.'

'Nee, nou hoef je niet bijdehand te gaan doen, vriend. Wat je daar allemaal over mijn pa hebt geschreven, alles over die vrouw en dochter van hem en over hoe hij ruzie maakt met die dochter, dat is allemaal je reinste lulkoek. Tot en met het laatste woord, of niet soms? Ik snap niet waarom iemand zoiets doet. Als je iets niet weet zoek je het uit, dan ga je het toch niet verzinnen.' Hij bleef me met halfopen mond aanstaren, alsof hij me peilde, zoals boksers of bendeleden dat met elkaar doen. 'Je kent me niet meer, merk ik.'

'Kennen wij elkaar?'

'Ja, zo zie je maar weer. Ik herinner me jou heel goed, blijkbaar zitten we anders in elkaar.'

'Dat zeker,' zei ik.

'Ik heb meer aandacht voor mensen,' zei hij. 'Jij staart alleen maar naar je eigen navel.'

Hij was het. Het was Sergio Deresser, de zoon van Enrique en de kleinzoon van Konrad (die stamboom was heel herkenbaar in zijn stem en zijn voorkomen, zijn sportschoenen, zijn joggingbroek). Hij was het. Zeven jaar daarvoor, nadat zijn vader hem op een kwade dag een boek getiteld *Een leven in ballingschap* te lezen had gegeven en had gezegd 'dit boek gaat over mij' zonder dat het boek hem ook maar één keer noemde, nadat hij hem had verteld over een geschiedenis van wreedheden die hem persoonlijk hadden geraakt – want het is wreed om zo'n extreem laffe daad te begaan, om op zo'n radicale manier als Gabriel Santoro dat had gedaan je beste vriend af te vallen, om precies te zijn een hele familie die van hem hield, in wier huis hij meer dan eens had overnacht, wier eten hij had gegeten –, nadat hij gewend was geraakt aan de verandering van zijn eigen achternaam en met andere ogen naar het leven van zijn vader was gaan kijken, na dit alles had hij op een dag de eerste bus naar Bogotá genomen en bij aankomst de enige openbare telefoon gepakt die het busstation rijk was. Binnen drie telefoontjes was hij erachter waar het nieuwe hooggerechtshof lag en hoe laat het college van de heer Santoro plaatshad. En hij ging luisteren; hij moest weten wat voor man dat was, of het verraad in zijn gezicht te lezen stond, of het waar was dat hij, zoals zijn vader zei, een hand miste; hij moest weten of zijn stem trilde als hij sprak, of hij er, na de hoogdravende toespraak die hij ten overstaan van de meest gerespecteerde mensen van het land had uitgebraakt, van overtuigd was dat hij die grote burger was over wie iedereen het had. En toen hij aankwam, nou, toen hij aankwam zag hij een zielige, afgetakelde oude man die een autoriteit uitoefende die hij niet meer had, dingen zei die te groot voor hem waren, zich bewoog met de ongegeneerdheid van een bedrieger, alsof het niet dezelfde persoon was die een heel gezin in de afgrond had gestort. En vervolgens was het afgetakelde oude mannetje zijn eigen leven gaan verzinnen. Was er iets bespottelijker, bestond er een volmaaktere, overtuigendere manier van zelfvernedering? 'De rest weet je,' zei Sergio. 'Of vergeet jij ook dingen?' Ik vergat ze niet: ik ging al negen dagen, of misschien wel langer, naar de collegezaal waar mijn vader lesgaf, waar ik hem zag zonder zelf gezien te worden, en op een dag was er zoiets simpels gebeurd als dit: Sergio was uit Medellín gekomen en op een paar stoelen afstand van mij gaan zitten, terwijl hij me misschien in stilte verachtte en bad dat hij me op een dag kon laten weten, merken en voelen hoezeer hij me verachtte. Nee, Sergio Andrés Felipe Lázaro, ik vergat de dingen niet, ze veranderden gewoon in de loop der tijd; en wie dingen onthoudt, wie daar een levenswijze van maakt, is gedwongen het tempo van het geheugen bij te houden, dat nooit stilstaat, zoals wanneer je naast iemand loopt die langer is dan jij.

'Hoe heb je me herkend?'

'Ik heb je niet herkend, er staat geen foto in je boek. Ik heb geïnformeerd, vriend, ik heb geïnformeerd. Ik had niet eens gedacht dat je er zou zijn, dat kwam pas toen je vader was weggerend, weggerend alsof hij het in zijn broek deed, alsof hij wist dat er iemand kon opstaan die zou zeggen: dit is gewoon gelul allemaal en dat weet u. Dat was ik van plan. Ik was van plan om op te staan en te roepen: ouwe klootzak, ouwe verrader! Alsof hij mijn gedachten had gelezen. Had jouw vader van die gaven?'

'Wat voor gaven?'

'Telepathie, dat soort dingen. Nee toch, hè? Nee, die had hij niet, telepathie bestaat niet, daarom moet jij uit je nek lullen om je boeken te schrijven in plaats van dat je de waarheid uitzoekt, en daarom wist jouw vader niet dat ik hem zag en zin had om ouwe verrader naar hem te schreeuwen. Je kunt andermans gedachten niet lezen, maat. Als jouw vader dat kon, was hij die les nooit gaan geven. Maar daar stond hij. En ja, hij rende weg alsof hij de mijne had gelezen en toen zei er iemand: "Daar heb je zijn zoon, o, wat gênant, arme jongen." Ik liep achter je aan, ik wilde je gezicht niet missen.'

'En je zag het.'

'Nou en of. Jij deed het ook in je broek. Net als nu, als ik zo vrij mag zijn.'

'Heb je dit aan Enrique verteld?'

'Nee. Waarom? Dat had hij niet leuk gevonden. Hij zou me dezelfde preek geven als altijd, over dingen die een echte man nooit doet,' zei Sergio, maar hij zei niet welke dingen hij daarmee bedoelde. 'We zouden ruzie hebben gekregen en dat is niks voor mij, of wel soms? Ik maak niet graag ruzie met mijn vader, ik heb respect voor mijn ouweheer, laat dat duidelijk zijn. Dat kan je van jou niet zeggen, vriend.'

'Mag ik nog een cola?'

'Maar natuurlijk, je vraagt maar, hoor. Ik ben hier toch om jou te bedienen, nietwaar?'

Hij liep de keuken weer in. Door het raampje van de klapdeur zag ik hem het glas op het formica aanrechtblad neerzetten, een oude oranje koelkast openen en uit het witte licht (het was een bijna magisch beeld: Sergio die heel even in een tovenaar uit een sprookje veranderde) een plastic fles pakken. Hij deed het allemaal zo lichtvoetig dat ik dacht: hij geniet ervan. Hij speelt met mij en heeft er lol in, want hij heeft lang op dit moment gewacht. Als ik dichter bij zijn gezicht kon komen, dacht ik, zou ik hem zien glimlachen; als ik zijn gedachten zou kunnen horen, zou ik horen: nog ietsje langer. Tien minuten, een halfuur, ietsje langer nog. Ik was een makkelijke prooi, ik had niet geprobeerd me te verdedigen; misschien wist ik niet hoe en – dat was het ergste in Sergio's kleine jungle – was me dat duidelijk aan te zien. Ik wilde tegen hem zeggen: ik weet wel wat er speelt hier, jij wil graag je woede vasthouden, je wil dat niemand daaraan komt, en als ik met je vader praat, is die woede misschien niet meer zo gegrond. Wat nou als je vader en ik vrienden zouden worden? Wat als hij me zou mogen? Dat zou een probleem zijn voor jou, nietwaar, dit soort boze buien zijn belangrijk in je leven, die laat je je niet zomaar afpakken en daarom krijg ik zo'n ontvangst, je bent gewoon erfelijk belast, een geval van recessieve kwaadheid. Sergio kwam terug met mijn glas tot aan de rand gevuld (het vloeistofoppervlak bruiste, borrelde, gorgelde), ging tegenover me zitten, legde één been over zijn knie, nodigde me uit te drinken. 'Wat, te overrompeld? Nou, je weet nu in elk geval met wie je te maken hebt. Ik ben geen slapjanus, ik ga recht op mijn doel af, ik geef antwoord. Zo zit het, snap je? Dit heeft ook met mij te maken, niet alleen met mijn vader. Hij heeft je gevraagd om te komen, maar niet om opnieuw leugens te gaan neerpennen. Ik wil gewoon even een paar dingen ophelderen. Zodat je niet praat over wat je niet weet.'

'Ik heb geen leugens geschreven.'

'Nee, sorry,' zei hij. '"Speculaties", zo noemen ze dat tegenwoordig.'

'Waarom ben je toch zo beledigd, Sergio? Ik stelde me voor dat je vader in Cuba of Venezuela of een van de vijf of zes andere landen was gaan wonen, het doet er niet toe welk, want het was niet mijn bedoeling iets hard te maken, maar om een idee te geven van zijn situatie. Het was een manier om interesse in hem te tonen, in hoe de dingen in zijn leven waren gelopen. Wat is daar zo erg aan?'

'Dat het niet waar is, vriend. Zoals het ook niet waar is dat jouw vader een slachtoffer is. En een held evenmin, laat staan een martelaar.'

'Zo komt hij ook niet voor in het boek.'

'In het boek is hij slachtoffer.'

'Daar ben ik het niet mee eens,' zei ik. 'Als jij dat zo geïnterpreteerd hebt, is dat jouw probleem. Maar ik heb heel wat anders geschreven.'

'Het was een klootzak,' ging Sergio verder, alsof hij me niet gehoord had. 'Toen hij jong was en op zijn oude dag ook. Een klootzak, zijn hele leven lang.'

'Moet ik je soms op je gezicht slaan?'

'Nou niet nijdig worden, Santoro. Jouw vader was wat hij was, daar brengen zelfs een paar klappen geen verandering in.'

Nu begon hij me rechtstreeks te beledigen. Voor het eerst bedacht ik dat dit allemaal een grote vergissing was geweest. Wat kon dit bezoek mij eigenlijk opleveren? De voordelen leken me te ongrijpbaar en hoe dan ook hypothetisch. Wie dwong me te blijven? Daar buiten stond mijn auto (je zag hem staan vanuit het raam; als ik mijn nek had uitgestoken, had ik hem gezien), waarom stond ik niet op en zei gedag, of liep ik weg zonder gedag te zeggen, waarom dwong ik hem niet om tegenover Enrique Deresser toe te geven dat hij me met zijn agressieve opmerkingen en aanvallen op de persoon zijn huis uit had gejaagd? Waarom beschouwde ik deze scène niet als beëindigd en schreef ik daarna een beschuldigende brief waarmee Sergio zich tegenover zijn vader maar moest zien te redden? Dit alles schoot door mijn hoofd terwijl ik tegelijkertijd moest toegeven hoe irreëel die plannen waren; ik zou het nooit doen, omdat ik er na al die jaren met mijn werk aan gewend was geraakt om van alles over me heen te laten komen als ik daarmee maar weer een feitje, een verwijzing, een bekentenis, twee woorden of een regel kon loskrijgen waar iets menselijks of al was het maar wat kleur in zat, kortom, iets wat in uitgeschreven vorm bruikbaar zou zijn in het verslag waaraan ik op dat moment werkte. In deze ontmoeting – deze confrontatie – met de zoon van Enrique Deresser zat helemaal geen verhaal; en toch was ik daar nog steeds en liet zijn overdreven minachting, zijn uitgekiende stoerdoenerij, alsof zijn grootvader vorige week verraden was, over me heen komen. ('Vorige', dacht ik, 'week'. Bestonden die categorieën dan? Kon je in ons geval zeggen dat de tijd in beweging was? Wat deed het ertoe wannéér de fout was gemaakt en het verraad was gepleegd, wannéér er een hand was afgehakt? De feiten waren aanwezig; ze waren actueel, acuut, ze leefden onder ons; de feiten van onze vaders vergezelden ons. Sergio, die sprak en dacht als de praktische man die hij ongetwijfeld was, had dat eerder doorgehad dan ik; die voorsprong had hij in elk geval, en het was vast niet de enige.) Ik dacht: het is vorige week gebeurd. Heel mijn vaders leven heeft net plaatsgevonden. Ik dacht: zijn leven is mijn erfenis. Ik heb alles geërfd. Stom genoeg keek ik naar mijn rechterhand; ik stelde vast dat hij zat waar hij altijd had gezeten; ik balde mijn vuist, opende mijn hand, strekte mijn vingers, alsof ik in een kamer in het ziekenhuis zat om bloed te geven en een zuster me bloed afnam; en op dat moment meende ik dat ik mijn tijd aan het verdoen was en moest gaan, dat niets de spanning, de vijandigheid, de krachttermen rechtvaardigde.

Toen kwam, samen met zijn echtgenote, Enrique Deresser binnen.

'Ik denk het wel, dat het mijn redding is geweest dat ik haar leerde kennen. Maar zo is ze, Gabriel. Ze redt levens waar ze maar gaat of staat, zonder dat ze het zelf doorheeft. Ik heb nooit eerder zo iemand gekend, iemand die geen greintje slechtheid in zich heeft. Als ze niet net zo goed in bed zou zijn als in het dagelijks leven, had ik allang genoeg van haar gehad.'

We zaten buiten op de grote binnenplaats van het wooncomplex, heel dicht in de buurt van het met krijt getekende hinkelspel dat de meisjes hadden achtergelaten. We waren op een groene bank gaan zitten – smeedijzeren frame, houten planken – waarvan de poten diep in het asfalt verzonken waren en die met de achterkant naar het raam stond, vanwaar (zo beeldde ik me in) Sergio ons met een verrekijker en een cuba libre in de hand stond te begluren in een poging onze lippen te lezen en onze gebaren te interpreteren. Het was nog niet helemaal donker. Zowel de lichten van het wooncomplex als de straatverlichting waren aangesprongen en de hemel was niet meer blauw, maar ook nog niet zwart. Je kon niet zeggen dat de verlichting effect had, maar als ze uit zou gaan zou je helemaal in het donker zitten. De wereld was iets onbestemds op dat moment; maar Enrique Deresser had voorgesteld naar buiten te gaan, hij had gezegd dat praten over het verleden in de openlucht geluk brengt en een quasi terloopse opmerking gemaakt over het heerlijke weer, de zachte avondlucht, de rust op de binnenplaats nu de kinderen naar huis waren gegaan en de volwassenen nog niet op stap gingen. Rebeca, zijn echtgenote, had me een zoen gegeven toen ze zich aan me voorstelde; anders dan normaal had ik die onmiddellijke vertrouwelijkheid op dat moment leuk gevonden, maar nog leuker vond ik de verontschuldiging die de vrouw me met haar zorgeloze *paisa*-accent aanbood: 'Sorry dat ik zo intiem ben, jongen, maar ik heb mijn handen vol.' Ze droeg twee plastic tassen in haar linkerhand en een net sinaasappels in de rechter en liep vrijwel zonder te stoppen door naar de keuken. Voordat ik het goed en wel besefte had Enrique me al bij de arm gepakt en steunde hij lichtjes op me om de trap af te lopen, hoewel hij dat lichamelijk gezien helemaal niet nodig leek te hebben. Ondertussen maakte ik razendsnel aftreksommen in mijn hoofd en kwam tot de conclusie dat deze man inmiddels vijfenzeventig of bijna vijfenzeventig was. Hij liep krom en leek kleiner dan hij was; hij droeg een dunne wollen broek, een overhemd met korte mouwen en twee borstzakjes (uit het linkerzakje stak een goedkope balpen en in het rechter zat een bult die ik niet kon thuisbrengen) en halfhoge, suède schoenen met rubberen zolen (de uiteinden van de veters begonnen te rafelen). Ik wist niet of het van zijn schoenen of zijn kleding kwam, maar Enrique scheidde een dierlijke geur af die sterk noch hinderlijk was, maar wel zeer aanwezig. Ik vroeg er uit beleefdheid niet naar en kwam er later achter dat die geur een mengeling was van paardenzweet, manegezaagsel en leren rijzadels. Sinds hij in Medellín was aangekomen, had Deresser met paso fino's gewerkt, aanvankelijk als manusje-van-alles (hij schreef brieven in het Duits aan fokkerijen in het Zwarte

Woud, maar borstelde ook de staart en manen van de paarden en hield bij het dekken de koker van de hengst vast) en later, toen hij het vak onder de knie had, als trainer. Hij deed het nu niet meer, vertelde hij me, omdat hij een slechte rug had gekregen en na een middagje rijden of bij een jonge merrie staan die rondjes om een paal loopt, zijn schouder- en taillespieren een week lang protesteerden. Maar hij vond het nog altijd leuk om op de manege te komen, met de nieuwe knechten te praten en de dieren suiker te geven. Het was suiker wat er in zijn borstzakje zat: suikerzakjes die zijn rijke vrienden uit dure restaurants voor hem hadden meegepikt en die hij in zijn handpalm leegstrooide, zodat de paarden het er met één haal van hun roze tong af konden likken, alsof dat hele ritueel het leukste tijdverdrijf ter wereld was. 'Rebeca heeft me meegenomen naar de paarden,' zei Enrique. 'Ja, ik overdrijf niet als ik zeg dat ik alles aan haar te danken heb. Haar vader was een goede trainer, hij werkte voor mensen met veel geld. In de loop der tijd werd dat natuurlijk drugsgeld. Hij is voor die tijd gestorven en heeft het niet meer meegekregen. Bijna alle mensen die met paarden werken, hebben drugsgeld door hun handen laten gaan. Maar je kijkt de andere kant op, je doet gewoon je werk, je verzorgt je dieren.'

Dus hij was nooit uit Colombia weggeweest. 'Mijn vader dacht van wel,' zei ik tegen hem. 'Misschien,' antwoordde hij, 'was dat het makkelijkst. Makkelijker dan mij opsporen in elk geval. Makkelijker dan met mij praten.' Hij zweeg even en zei toen: 'Maar laten we eerlijk zijn: hoezeer hij het ook geprobeerd zou hebben (en dat had hij niet), hij had me toch niet gevonden. Ik ben eind 1946 uit Bogotá weggegaan. Wat had ik nog in die stad? De glashandel was dicht, of liever gezegd, opgehouden te bestaan. Van het vermogen dat in een heel leven was opgebouwd, was, nadat het bedrijf drie jaar op de lijst had gestaan, nadat papa in Sabaneta had gezeten, nog slechts wat kleingeld over. Mijn vrienden, nou ja, mijn vrienden dat weet je. Ik was praktisch alleen op de wereld. Maar nee, de vraag was eigenlijk niet waarom ik in Bogotá zou blijven. De vraag was waar ik heen moest. Want ik had geen keus, begrijp me goed, ik had een afkeer van Bogotá die ik je nu niet kan uitleggen, Bogotá had overal schuld aan. Zal ik je eens wat vertellen? Ik heb de toespraak van jouw vader in handen gekregen, weet je wel, die van het Capitolio in 1988. Een paar dagen lang was ik ervan overtuigd dat hij die had geschreven met mij in zijn achterhoofd, want ik had dat vroeger allemaal gevoeld, al het slechte in elk geval.'

'Hebt u hem aan Sergio gegeven?'

'Waarom zeg je u tegen mij?'

Hij had gelijk. Wie wilde ik voor de gek houden met die beleefdheidsvormen? We hadden elkaar nog nooit gezien; we kenden elkaar al ons hele leven. Enrique tutoyeerde me zonder problemen, maar hij sprak op een manier waar nog altijd het taalgebruik dat hij van huis uit had meegekregen in doorklonk en die het midden hield tussen het stropdassengetutoyeer van de Bogotanen en het *voseo* van zijn echtgenote. 'Ja, ik heb hem aan Sergio gegeven. Dat was het lastigste van allemaal, dat ik mijn zoon moest laten inzien wat ik heb gevoeld. Wat ik allemaal niet heb gedaan om hem dat te laten begrijpen, te laten voelen hoe het was. Want met uitleggen alleen kom je er niet, dat snap je, je wilt een ander iets laten beleven wat vijftig jaar geleden gebeurd is. Hoe doe je dat? Waarschijnlijk is het zelfs onmogelijk. Maar je probeert wat, je bedenkt manieren. Jouw boek geven. De toespraak geven. Wat een kind direct van zijn vader hoort, daar heeft hij niets aan, want kinderen geloven hun ouders niet, geen woord geloven ze, en dat is goed. Maar dan moet je dus wel overal een andere draai aan geven, hè, via een andere deur binnenkomen, ze overrompelen. Een kind opvoeden is verdomd moeilijk, maar het uitleggen wie je bent, uit wat voor soort leven je bent voortgekomen, dat is het moeilijkste wat er is. Bovendien zijn er dingen, hoe moet ik het uitleggen, ik heb dit allemaal veel beter verwerkt dan hij. Natuurlijk, want ik ben er al een halve eeuw mee bezig en hij begint pas net. Voor hem is het alsof het gisteren is gebeurd. Hij heeft je beroerd behandeld, sorry daarvoor, maar je moet hem begrijpen.'

In oktober 1946, nadat hij had geprobeerd om bij de Vereniging van Vrije Duitsers een geldbedrag te lenen dat hij nooit zou kunnen terugbetalen en diverse keren nul op het rekest had gekregen, had Enrique in café Windsor een afspraak met een van de leden. Herr Ditterich had het niet willen zeggen waar zijn collega's bij waren om niet de indruk te wekken dat hij begrip toonde voor de zoon van zo'n dubieuze man als Konrad Deresser, maar hij wist dat Enrique zich in een moeilijke situatie bevond en ze waren tenslotte allemaal emigranten, nietwaar. Bovendien moesten jongeren elkaar helpen, zei Ditterich, vooral nu ze verantwoordelijk waren voor de wederopbouw van het vaderland. Hij overhandigde hem een aanbevelingsbrief, zei hem naar wie hij moest vragen op de Cavalerieschool en veertien dagen later vertrok Enrique naar Medellín. 'Ze wilden dat ik met een Duitser sprak, dat was alles, een zakelijke aangelegenheid. Daar leerde ik Rebeca kennen.' Rebeca's vader, die leren chaps droeg, bereed zeven paso fino's en een lusitano-dekhengst, en een kolonel van de school, die hoewel het zondag was van top tot teen in uniform was gestoken, koos de dekhengst en vijf van de zeven paso fino's en iedereen was tevreden. 'Ik heb drie zinnen uitgewisseld met de eigenaar van de paarden, ik hoefde niks te doen. Het was een jonge vent, voor het eerst in Latijns-Amerika, en niet dat hij wantrouwend was, maar hij had er behoefte aan dat er iemand in zijn eigen taal tegen hem sprak. Het belangrijkste was Rebeca, een meisje van zeventien met vuurrood haar en slank als een dennetje. Voor mij was ze op dat moment een engel, en een pesterige en brutale ook nog. Gedurende de hele lunch zat ze tegen me te vertellen over haar Vikingvoorouders alsof ik een kind van vijf was en ondertussen stootte ze onder de tafel met haar knie tegen me aan. Wat zeg ik, stoten, ze zat gewoon tegen me aan te schuren, als een krolse kat.' Enrique – de donjuan van Duitama – zat te praten alsof hij verbaasd was over zijn vroegere aantrekkingskracht, en ik vertelde hem maar niet over de referenties die hij bij Sara Guterman had. 'Ik vroeg die engel of ze een baantje voor me kon regelen en toen ik terugging naar Bogotá, was het om mijn spullen te pakken.' Het was niet gepast om met de dochter van je werkgever te trouwen, zei Enrique, maar een jaar later gebeurde het toch. 'November 1947. En hier zitten we dan, alsof we elkaar net kennen. Het is werkelijk bizar.'

'En hebben jullie in al die jaren niet meer kinderen gekregen?'

'We hebben helemaal geen kinderen gekregen. Sergio is geadopteerd.'

'Ah, ik begrijp het.'

'Het probleem ligt bij mij. Vraag me niet om het je uit te leggen.'

Een zo traditioneel mogelijk leven, die indruk wekten zijn stem en zijn rustige handen, al waren het vasthouden van de penis van een geïmporteerd paard of het leren draven in een *bambuco*-ritme niet de meest gangbare manieren om je brood te verdienen. Het traditionele leven had zich in die halve eeuw ontwikkeld met alle tradities van dien; hier, op acht uur rijden van de plek waar mijn vader zijn leven leidde, zijn eigen zoon had en de vroegtijdige dood van zijn echtgenote te verwerken kreeg, deed Enrique Deresser (net als mijn vader) alsof hij bepaalde gebeurtenissen uit de oorlogstijd was vergeten of dat ze nooit hadden plaatsgevonden. 'Natuurlijk heb ik Rebeca over mijn vader verteld,' zei hij. 'Het lag bij iedereen nog vers in het geheugen. In Medellín had je ook Duitsers, Italianen en zelfs Japanners die het gedurende kortere of langere tijd in meer of mindere mate beroerd hebben gehad omdat ze nou eenmaal uit die landen kwamen. Je had die beroemde affaire met ene Spadafora, een piloot die diende tijdens de oorlog tegen Peru. Elke keer als hij ging vliegen, had hij een Hindoestaans doosje met saffraanpoeder op zak, een erfenis van een tante die het in een bazaar had gekocht, zoiets schreven de kranten. Als een amulet, snap je wel, piloten hebben van die dingen. Goed, iemand zag dat doosje en volgens die persoon stond daar toch echt het hakenkruis van Hitler op. De informatie arriveerde op de juiste plaats. Spadafora spendeerde een fortuin aan advocaten en ja, uiteindelijk werd hij van de zwarte lijst gehaald. Maar hij had tegen Peru gevochten, hij had aan de kant van Colombia gevochten, ik weet niet of je snapt wat ik bedoel.'

'Ik dacht het wel.'

'Nou, ik vertelde alles dus aan Rebeca en ze stond er helemaal niet van te kijken. Integendeel, mijn halve leven lang heeft ze lopen vragen of ik niet kon herstellen wat er nog te herstellen viel. Of ik in elk geval mama wilde gaan zoeken. Wat ik natuurlijk nooit heb gedaan, en als Rebeca het niet heeft gedaan is dat puur uit respect voor mij geweest. Ik heb de deur dichtgedaan en de sleutel weggegooid, zogezegd. Niks aan te doen. Ik ben er nooit zo goed in geweest om anderen mijn wil op te leggen, misschien is dat een tekortkoming, ik heb geen idee.'

'Maar hebt u haar over mijn vader verteld?'

'Haar wel. Sergio heb ik het pas later verteld, toen jouw boek over Sara uitkwam. Ik weet niks van boeken, maar wat je met Sara had gedaan vond ik mooi. Ik vond het heel erg dat ze overleden was. Dat kwam hard aan, al hadden we elkaar nooit meer gesproken. Hoe was ze als oude vrouw? We hebben in het hotel van haar familie eens een keer ergens ruzie over gehad, door een opmerking van mij, en toen trok ze een gezicht dat ik nog nooit had gezien. Het was een mengeling van verontwaardiging en vermoeidheid, met iets van dat conflictvermijdende van haar. Het flitste door me heen dat ze er zo zou uitzien als ze oud was en dat zei ik ook. Zo heb ik me haar de afgelopen jaren voorgesteld, met dat gezicht. Verontwaardigd. Moe. Maar wel altijd meegaand. Zo waren de Duitsers van toen. *Bloss nicht auffallen*, zeiden ze. Versta je dat?'

'Ik spreek geen Duits.'

'Jammer voor je. Niet opvallen. Geen aandacht trekken. Met de mensen meepraten. Dat zit allemaal in dat zinnetje, het was een soort gebod voor hen, papa herhaalde het continu. Ik ben anders: ik had altijd een antwoord klaar en was soms brutaal, ik hield van strijd, dat ging veel verder dan alleen maar zeggen wat ik dacht. Als ik iets zei, was het met de vuist op tafel en in het gezicht van mijn tegenstander als het nodig was. Sara was wat dat betreft een waardige vertegenwoordigster van de immigranten. Later werd ze ook daadwerkelijk een waardige vertegenwoordigster van de Bogotaanse gemeenschap. Het zou een Bogotaanse lijfspreuk kunnen zijn, "Bloss nicht auffallen", in je gezicht dan, want achter je rug om leveren de Bogotanen je de smerigste streken. Enfin, ik zou weleens een foto van haar willen zien, een recente. Ik zou wel willen weten of ik gelijk had. Heb jij foto's gezien van toen ze jong was?'

'Ja, een enkele.'

'En? Leek ze erop of niet? Was ze veel veranderd?'

'Ze was precies dezelfde als op de foto's. Zoiets kan je niet altijd zeggen.'

'Precies. Ja, misschien had ik gelijk.'

'Hoe hoorde u dat ze dood was?'

'Als je u tegen me blijft zeggen, vertel ik je niks meer. Ik hoorde het van de Ungars. Sinds de opening van Central heb ik vier of vijf boeken per jaar bij ze besteld, Duitse boeken, allemaal over paarden, om de taal bij te houden. Dat is het enige wat ik lees. Zij hebben het me verteld. Ze belden me toen het net bekend was, diezelfde avond nog. Ik heb zelfs nog overwogen om er even naartoe te gaan, naar de begrafenis; later besefte ik hoe bizar dat zou zijn geweest.'

'En naar de begrafenis van mijn vader? Wilde je daar niet naartoe?'

'Ik hoorde het te laat. Bedenk wel dat hij twee of drie uur nadat hij met mij had gesproken is verongelukt, het was echt te bizar voor woorden. Zelfs toen ik het hoorde, twee dagen na de crematie, geloofde ik het nog niet helemaal. Het moest iemand anders met dezelfde naam zijn. Want die Gabriel Santoro was op de drieëntwintigste verongelukt, op dezelfde dag dat je vader en ik elkaar hadden gezien. Nee, het leek me onmogelijk. Eerst dacht ik dat jij dood was. Sorry dat ik zoiets akeligs zeg, het brengt vast ongeluk, maar zo was het. Daarna dacht ik dat er in Colombia meer dan twee mensen met die naam waren. Je verzint van alles om het niet te hoeven geloven, dat is normaal. Ik wilde niet dat hij dood was, in elk geval niet na wat we besproken hadden, na wat we elkaar verteld hadden, vooral wat ik hem had verteld, of liever gezegd wat ik hem niet had verteld, ja, eerder dat, wat ik weigerde hem te vertellen. En drie uur later verongelukt hij. Sergio zei tegen me: "Zo is het leven, papa. Je moet het accepteren." Ik gaf hem een klap in zijn gezicht. Ik had hem nog nooit van mijn leven geslagen, maar toen hij dat zei sloeg ik hem.'

'Ik dacht zelfs nog dat hij nooit was geweest.'

'Jawel hoor,' zei Enrique. 'En we zaten precies hier. Hier, waar jij en ik nu zitten. Het verschil is dat het zondag was, en overdag. Het was verschrikkelijk benauwd. Het had hard geregend de nacht ervoor, dat herinner ik me nog goed, en er lagen plassen hier, overal om ons heen lagen plassen en zelfs het bankje was nog een beetje nat. Maar ik wilde hem niet bij mij thuis ontvangen. Nu kan ik het je wel vertellen. Ik wilde niet dat hij hier binnenkwam en over mijn vloer zou lopen en in mijn stoelen zou gaan zitten en al helemaal niet dat hij mijn eten at. Nogal primitief, hè? Jij als beschaafde persoon zult dat wel iets voor heel basale mensen vinden. Nou ja, dat kan. Ik had in elk geval het gevoel dat als ik hem zou binnenlaten, hem de foto's op de schappen zou laten zien, hem boeken zou laten pakken en er zomaar in zou laten bladeren, de kamers zou laten zien, het bed waarin ik sliep en de liefde met mijn echtgenote bedreef ... dat het zou zijn alsof ik besmet zou raken, alsof we besmet zouden raken. Een halve eeuw lang had ik mijn leven en dat van mijn gezin zuiver gehouden en dat ging ik nu, op mijn oude dag, niet zomaar allemaal naar de verdommenis helpen alleen omdat Gabriel Santoro zo nodig moest opduiken en voordat hij zou sterven met zijn geweten in het reine moest komen. Dat dacht ik. Ja, het eerste wat in me opkwam was: hij is stervende. Hij zal wel kanker hebben of misschien zelfs aids, hij is stervende en wil alles netjes achterlaten. Ik minachtte hem diep, Gabriel, en daar heb ik spijt van. Ik haalde mijn neus op voor de moeite die hij had gedaan. Wat hij heeft gedaan, hier komen praten met mij, dat doet niet zomaar iedereen. Maar op dat moment zaten we in een heel verschillende situatie: hij had veel aan mij gedacht, of dat zei hij tenminste. Ik had hem uit mijn geheugen gewist. Zo zal het altijd wel gaan, hè? Degene die kwetst denkt er vaker aan terug dan degene die gekwetst is. Daarom was het vrijwel onvermijdelijk dat ik op hem neerkeek en kon ik vrijwel onmogelijk de omvang van waar hij mee bezig was inschatten. Bovendien was het ook wel lekker om op hem neer te kijken. Waarom zou ik dat ontkennen? Zoiets voelt goed, ik voelde me goed. Het was een onverwachte genoegdoening, een soort verrassingscadeau.

Daar kwam ook nog eens bij dat ik niet van zijn operatie wist. Hij had het me niet verteld, ik weet niet waarom niet, dus ik hield het op een ziekte. Tijdens ons gesprek zat ik de hele tijd te kijken of ik opgezette lymfklieren in zijn hals kon ontdekken, een stoma onder zijn overhemd, van die dingen waar je naar gaat zoeken op een bepaalde leeftijd, als elke keer dat je een vriend tegenkomt de laatste keer kan zijn dat je hem ziet. Ik keek in zijn ogen om te zien of ze geel waren. Hij zal wel gedacht hebben dat ik alle aandacht voor hem had. Want ik keek naar hem, ik keek heel uitgebreid en het meest keek ik natuurlijk naar zijn rechterhand. Gabriel had me begroet toen hij aankwam, maar hij had me geen hand gegeven. Ik wist natuurlijk heel goed waarom niet, maar op dat moment was ik tactvol genoeg geweest om er niet naar te kijken. Maar diep vanbinnen, heel diep vanbinnen ergerde het me dat hij me geen hand gaf, ik had het gevoel dat hij me niet had begroet zoals het hoort. Als hij me nou de linker had gegeven ... als hij me had omhelsd (nee, dat is ondenkbaar). Maar dat gebeurde allemaal niet. Dat contact was er niet toen we elkaar zagen, terwijl ik het nodig had. Het was alsof onze ontmoeting een valse start had gehad, snap je? Het is merkwaardig hoe verzoenend het geven van een hand kan zijn, tegen wil en dank zelfs. Alsof je een bom onschadelijk maakt, zo heb ik het altijd gezien: een hand geven is een hele rare formaliteit, een gewoonte die allang uit de mode had moeten zijn, net als het hoofdknikje van de man of de vrouwen die hun jurk optilden en een stukje door de knieën gingen. Maar nee, het is niet uit de mode geraakt. Waar je ook gaat of staat pak je de vingers van de ander vast, want het is alsof je daarmee wil zeggen: ik wil u geen pijn doen. U wilt mij geen pijn doen. Vervolgens doet natuurlijk iedereen iedereen pijn, verraden ze elkaar allemaal aan de lopende band, maar dat is wat anders. In het begin is er op zijn minst een intentieverklaring. Dat helpt. Enfin, met Gabriel gebeurde dat dus niet. Die verzoening aan het begin was er niet, de bom werd niet ontmanteld.

En terwijl we hier zaten, begonnen we elkaar onze levens te vertellen. Ik vertelde hem alles wat ik jou net heb verteld. Hij vertelde me over je moeder, hij had besloten om daarmee te beginnen, ik weet niet waarom. "Haar heb ik alles opgebiecht," zei hij. "Toen ik haar ten huwelijk vroeg, vroeg ik haar ook om vergeving. Een combinatieaanbieding, zoals dat heet." Hij had nooit iemand over mij verteld, hij had nooit ergens mijn naam opgeschreven, maar haar vertelde hij het zodra hij de kans kreeg. "De biecht is een geweldige uitvinding," zei je vader tegen me, half serieus, half schertsend. "Hou ze in de gaten, die priesters, Enrique, die lui weten precies hoe het zit." Je zou denken dat de dood van iemand die een slecht geheim kent een verlossing is, zoals de dood van een getuige de moordenaar verlost. Maar jouw moeders dood was voor Gabriel juist helemaal het tegenovergestelde. "Het was alsof mijn gratie werd herroepen," zo zei hij het. Wat dat betreft was Gabriel niet veranderd: hij zei alles met een zekere onverschilligheid, een zeker cynisme, net als toen we jong waren. Alsof het buiten hem om ging, alsof hij het over iemand anders had. Elk woord had bij hem zijn inhoud, maar was tevens een instrument om mee van bovenaf neer te zien of, als er niets anders op zat dan op gelijke hoogte te blijven, om afstand te bewaren. Jij weet vast beter dan ik wat ik bedoel. Toen ik hem vertelde dat ik jouw boek over Sara had gelezen, zei hij: "Ja, erg goed, erg origineel. Maar wat er origineel aan is is niet goed, en omgekeerd." Dezelfde zin als die jij in *De informanten* hebt gebruikt, of niet? Met jou weten we het dus wel: alles wat je zegt kan tegen je gebruikt worden. Als ik niet zo oud was, zou ik zeggen: ik moet oppassen. Maar nee. Waar zou ik nog voor moeten oppassen? Wat kan ik op mijn leeftijd nog voor belangrijks zeggen? Wat kunnen ze me doen als ik het zeg? Als je ouder wordt, krijg je de straffeloosheid er gratis bij, Gabriel, of je dat nou wil of niet. Dat is een van de dingen die ik tegen jouw vader zei. "Waarom nu nog? Wie heeft er wat aan dat jij in deze fase van het leven hier op de knieën gaat?" En dat was ook zo. Had mijn vader er soms iets aan, van wie al veertig jaar niet meer dan een hoopje botten over is? Had mijn moeder er wat aan, die zich gedwongen zag om na haar veertigste een nieuw leven te beginnen, om kinderen te krijgen wanneer een vrouw daaraan kan overlijden? Een nieuw leven beginnen is pijnlijk, net als een chirurgische ingreep. Op een gegeven moment is de verdoving van de opwinding, van de uitdaging die je bent aangegaan, van de trots dat je haar bent aangegaan, uitgewerkt en begint de rauwe pijn. Je beseft dat er een been geamputeerd is of je blindedarm is weggehaald of dat in elk geval je huid en je vlees zijn opengelegd, en dat doet pijn, ook al is er dan geen tumor gevonden. Ik wist dat omdat ik het al had meegemaakt. Opnieuw iets opbouwen. De angst om keuzes te maken. Het is een heel proces: je kunt kiezen hoe je zijn wil, wat je wil zijn en ook wat je geweest wil zijn. Die verleiding is het grootst: een ander worden. Ik heb ervoor gekozen dezelfde te blijven, maar op een andere plek. Van beroep te veranderen maar mijn naam te behouden. "Jij hebt er wat aan," zei Gabriel tegen me. "Je hebt er vast wat aan om te weten dat ik hier al die jaren mee heb rondgelopen, dat ik had kunnen vergeten maar dat niet gedaan heb. Ik heb onthouden, Enrique, ik ben in de hel van de herinnering gebleven." Ik zei hem dat hij niet de martelaar moest uithangen. Er was een hele familie naar de mallemoer door een enkel woordje van hem, dus hij moest er nou niet mee aankomen dat hij zo'n goed geheugen had. "Er is iets wat ik graag zou willen weten," zei hij toen. "Heb ik geluk of pech gehad? Heb je ze betaald om me te vermoorden of om me bang te maken?"

Op dat moment liepen we net naar de winkel hier op de hoek. Niet dat we iets nodig hadden, maar er zijn van die gesprekken waarbij je ongewild opstaat en begint te lopen, omdat je als je loopt elkaar niet de hele tijd in de ogen hoeft te kijken; je hoeft alleen nog maar te bedenken waar je naartoe wil. Wij gingen naar de winkel op de hoek. Die was het dichtst in de buurt. Het is niet erg waarschijnlijk dat je onderweg daarnaartoe overvallen wordt, minder nog als je met z'n tweeën bent en zeker niet op zondag midden op de dag. En de winkel was neutraal terrein, zo'n dorps plekje midden in Medellín met van die plastic tafels op het trottoir en 375-milliliterflesjes anijsbrandewijn die de dronkenlappen voor zich op tafel zetten alsof ze ze verzamelden. "Ik wilde je dood hebben," zei ik tegen Gabriel, "maar daar heb ik ze niet voor betaald. Ik wist niet eens dat er kapmessen zouden zijn." Ik zei verder niets meer en hij vroeg ook niets meer. Ik had nooit van mijn leven kunnen bedenken dat ik ooit zoiets zou zeggen, tutoyerend en wel. Ik had op dat moment het idee dat Gabriel was gekomen om me al die dingen te ontfutselen, die zelfs wel zondig zullen wezen. Hij zat daar tegenover mij met een biertje. Ik vond het akelig, hij gaf me een bedreigd gevoel, snap je? Ik was dat bezoek, of hoe je zo'n soort ontmoeting ook noemt, begonnen met de gedachte: hij komt iets halen. Geef hem dat en laat hem dan wegwezen. Maar op een gegeven moment tijdens het gesprek dacht ik: wij hebben een gemeenschappelijke geschiedenis. Weliswaar geen zuivere, maagdelijke geschiedenis; sterker nog, onze geschiedenis is zo dubbel als wat. Maar daar in die winkel, waar tien of twaalf van dezelfde dronkenlappen om ons heen zaten, allemaal met openstaand overhemd en snor, allemaal gewapend al kon je dat niet bij iedereen zien, begon ik te denken: we verdoen onze tijd. Sukkels die we zijn. Dit is één grote schijnvertoning. Dat is hier, vandaag, op 23 december, de laatste zondag voor kerst, aan de hand: één grote schijnvertoning. De schijnvertoning van iemand die wroeging heeft, al weet hij dat hij daar niets aan zal hebben. De schijn dat er iets aan te doen is terwijl dat niet zo is – ben ik nu duidelijk? –, net als wanneer je een paard met een gebroken been morfine geeft. Ja, één grote schijnvertoning, of dat niet eens: een middelmatige schijnvertoning. Ik had tegen Gabriel gezegd dat ik hem dood wilde hebben. Ik denk dat je zulke dingen niet zomaar zegt. En ik ga ervan uit dat Gabriel, die zelf zo vaak heftige, vernietigende dingen had gezegd, dat ook wist.

Ik kocht een pakje Pielroja en een doosje lucifers. Ik haalde er een sigaret uit en stak hem aan voordat we de winkel uit liepen. Toen we hier bij de deur van het complex aankwamen, had ik hem al opgerookt, een Pielroja is zo op. Ik bood Gabriel er een aan, maar hij zei op verwijtende toon dat hij was gestopt en dat ik dat ook zou moeten doen. En toen vertelde hij me over zijn hart en zijn bypass. "Het is het mooiste gevoel ter wereld," zei hij, "het is alsof je weer dertig bent." We stonden daar, zie je dat zinkplaten hokje daar, daar stonden we, ik had nog een sigaret gepakt en was bezig die aan te steken, wat niet zo eenvoudig is met die lucifers van tegenwoordig. Ze zijn niet van hout, niet eens van karton, maar van een soort plastic. Het kopje laat los, het staafje klapt dubbel. "Maar we zijn geen dertig," zei ik. Ik bleef maar proberen die sigaret daar aan te steken, hoewel twee lucifers werden uitgeblazen door de wind en twee andere dubbelklapten. "Wat een nare gewoonte," zei Gabriel. "Je rookt jezelf niet alleen dood met die dingen, je moet ook nog eens een padvinder zijn om ze aan te steken. Laten we naar binnen gaan, joh, daar is het niet zo moeilijk." En zo simpel was het dus: het idee om met Gabriel mijn huis in te lopen, Gabriel en ik samen, wij en onze dubbele geschiedenis, ging er bij mij gewoon niet in. Ik deed wat ik deed: het noodzakelijke om mezelf en mijn gezin te beschermen. Mijn reactie was niet beschaafder dan die van een kat die sproeit om zijn territorium af te bakenen. Niet dat ik me verontschuldig, hoor. Laat dat duidelijk zijn.

Ik zei dat we maar beter afscheid konden nemen. Dat het allemaal zinloos was, het was vanaf het begin zinloos geweest: in zijn auto stappen en vanuit Bogotá hiernaartoe komen was, hoe pijnlijk het ook was om dat te zeggen, een verkeerde beslissing geweest. "Dit had allemaal niet moeten gebeuren," zei ik. "Het is een vergissing dat je hier bent. Het is een vergissing zoals we hier nu zitten te praten. Het zou een vergissing, nee, iets tegennatuurlijks zijn als je mijn huis binnen zou komen." Zijn gezicht vertrok. Het werd hard, er verschenen barsten in zijn ogen. Het intimideerde me maar ik had ook met hem te doen, ik weet niet of ik me goed uitdruk, Gabriel was vijandig en kwetsbaar tegelijk geworden. Maar ik kon niet meer terug. "Het is allemaal in dit leven gebeurd, Gabriel, en jij wilt doen alsof het in een ander leven was. Nou, dat kan dus niet. Kijk, ik zal je de waarheid vertellen: ik heb liever dat we het hierbij laten." Hij vroeg me wat ik daarmee bedoelde. Ik was de deur door gegaan en stond al aan deze kant van het hek, naast het hokje, maar aan de binnenzijde. Ik was op mijn eigen terrein, zogezegd. Ik sloot de deur van binnenuit (ik keek naar het raam van mijn appartement, ik keek of niemand ons begluurde) en legde het hem zo goed mogelijk uit: "Ik bedoel dat je niet moet terugkomen en me niet moet bellen, dat je niet moet proberen de wereld naar je hand te zetten, want er zijn mensen op de wereld die dat niet interesseert. Ik bedoel dat de wereld niet om jouw schuldgevoel draait. Wat, kun je niet goed slapen? Dan koop je maar slaappillen. Lig je wakker van spoken? Dan bid je maar een onzevader. Nee, Gabriel, zo makkelijk gaat dat niet, zo goedkoop kun je je rust niet krijgen, ik ben geen koopjeswinkel. Ik zal het voor je samenvatten: kom niet terug, bel me niet en laten we alsjeblieft, alsjeblieft doen alsof je niet bent geweest. Het is te laat voor dit soort oplapwerk. Als jij dingen wil gaan oplappen, dan moet je dat zelf maar regelen." Ik dacht, nu gaat hij wat zeggen, en werd bang; ik wist heel goed waar hij met woorden toe in staat was. Maar hij deed het niet, hoe ongelooflijk dat ook mag lijken. Hij sprak niet, hij verweerde zich niet, hij probeerde me nergens van te overtuigen. Voor één keer in zijn leven zweeg hij. Hij accepteerde dat hij had gefaald. Het was als een wet die faalde. Een wet van vergeven en vergeten, de amnestie die hij als dictator in ruste had verleend. Het viel in een paar seconden tijd allemaal in duigen. Ik zal niet ontkennen dat hij het elegant opnam. Door jouw boek ben ik veel dingen gaan begrijpen, Gabriel, maar er was één ding in het bijzonder dat me aanvankelijk verraste en me daarna is blijven dwarszitten. Ik zal je vertellen hoe ik het begrepen heb: ik heb begrepen dat zijn zoektocht naar mij, zijn komst naar Medellín, zijn bezoek aan mij, zijn poging met me te praten, dat dit alles voor jouw vader het grote project van zijn persoonlijke wederopbouw was, ik weet niet hoe ik het anders moet zeggen. Ik heb het neergehaald. Als ik jouw boek eerder had gelezen, als ik had geweten wat er achter zijn bezoek zat, had ik misschien niet gezegd wat ik zei. Maar dat kan natuurlijk niet, hè, die gedachte is absurd. Het ene is een boek en het andere was het leven. Eerst komt het leven en daarna het boek. Vind je het achterlijk wat ik zeg? Ja, zo is het altijd. Dat verandert niet. Vervolgens blijkt dat we de belangrijke dingen in het boek lezen. Maar dan is het al te laat, dat is het probleem, Gabriel, sorry dat ik zo eerlijk ben, maar dat is het probleem met die rotboeken.'

Het was eigenlijk heel vanzelfsprekend om daarna te blijven eten; en ook heel onverstandig op dat uur van de avond. Rebeca was in het raam van de woonkamer verschenen (toen ze, op een autoritaire en tegelijkertijd meegaande toon, Enrique riep, had ze mij zonder me te noemen meegerekend); meteen bedacht ik, terwijl de oude man in mijn arm haakte om naar boven te lopen en er een walm van zaagsel en dierlijk zweet langs mijn gezicht streek, dat het niet verstandig zou zijn de uitnodiging aan te nemen, omdat het na het eten te laat zou zijn om nog terug te rijden naar Bogotá – dat was wel duidelijk –, en misschien ook wel om nog een hotel te zoeken. Toen besloot mijn verstand te doen wat het wel vaker deed: te doen alsof het die laatste gedachten niet gehoord had. Nieuwsgierigheid, en de bevrediging ervan, had geen enkele boodschap aan goedkoop gezond verstand (de weg die 's nachts gevaarlijk was, het risico geen hotelkamer te vinden). Ik wilde blijven zien, blijven horen, zelfs al was wat ik tijdens het eten te zien en te horen zou krijgen de geforceerde aaneenschakeling van alledaagsheden die ik voorzien had. Maar niets aan die man is alledaags eigenlijk, bedacht ik, en je moest wel heel erg traag van begrip zijn om dat niet op te merken; dit gewone leventje, het bezadigde, saaie geluk van zijn oude dag, was verdorven vanbinnen – ik zal niet zeggen 'vergiftigd', al was dat het eerste wat in me opkwam – en onder die tafel met het kanten kleedje, boven die onbreekbare borden waarop het eten eruitzag als decoratie, bewogen zich de feiten, de akelige feiten, de feiten die niet veranderen al verandert al het andere. Enrique was niet van hier, hij was hiernaartoe gevlucht; in naam en aard, hoewel niet van geboortegrond, was Enrique een buitenlander. Dit alles verhinderde niet dat elk gebaar dat hij maakte een verzoek aan mij was: of ik aardig voor hen wilde wezen, of ik hen hun bekrompen leventje, hun onbeduidendheid wilde vergeven. En juist daardoor was het zo fascinerend hem zijn vork naar zijn mond te zien brengen: Enrique schepte een bergje fijngehakt vlees op, kauwde op een stuk ui, spoelde dat weg met lulosap, glimlachte naar Rebeca en pakte haar hand vast, maakte triviale opmerkingen waarop zij nog trivialere antwoorden gaf, maar voor mij was het alsof ze me de Apocalyps voorlazen. Als ik met mijn ogen knipper, mis ik een vers; als ik opsta om naar de wc te gaan, gaat er een heel hoofdstuk verloren.

Sergio was niet blijven eten. Zijn minachting voor mij (voor de figuur van mijn vader die nauw verweven was met mijn naam, met mijn leugenachtige boek) had er zo dik bovenop gelegen dat zijn ouders niet eens aandrongen toen hij zonder de moeite te nemen om een excuus te verzinnen gedag begon te zeggen en in twee bewegingen zijn trainingsjack omsloeg en de deur uit liep. 'Zijn vriendin is kunstenares, net als jij,' zei Rebeca. 'Ze schildert. Ze schildert fruit, landschappen, jij weet beter dan wie ook hoe zulke schilderijen heten. Ze verkopen ze op zondag in Unicentro, Sergio vindt het prachtig.' Terwijl Rebeca kruidenthee zette voor na het eten, ging Enrique beneden in zijn eentje een sigaret roken, zoals hij dat, zo had ik vernomen, de afgelopen dertig jaar elke avond had gedaan. 'De routine is sterker dan hij. Als hij niet op elk uur hetzelfde doet, is zijn dag ontregeld. Net als bij jouw vader.' Ze keek me aan toen ze dat zei; ze knipoogde niet naar me, maar dat had ze best kunnen doen. 'Ja, Gabriel, het was zo ongelooflijk als hij 's avonds naast me jouw boek lag te lezen. Dan sloeg hij het ineens dicht en zei: "Hij lijkt op mij, Rebeca, Gabriel lijkt op mij, dat is nou ook grappig." Of soms zei hij juist het tegenovergestelde: "Moet je hem nou toch zien, het is en blijft een schoft, kijk toch eens hoe hij zich gedraagt."'

'Je hebt hem niet gekend, of wel?'

Ik wist het antwoord al, maar ik wilde dat zij het bevestigde.

'Nee, hij daar wou niet dat ik hem leerde kennen,' zei ze, met een zuinig mondje naar haar echtgenoot wijzend. 'Hij hield me verborgen alsof ik de waterpokken had, snap je? Het zieke vrouwtje thuis. Kijk,' ging ze na een pauze verder, 'jij hoeft de dingen die hij heeft gedaan niet op je te nemen. Vergeet het, leef je eigen leven.' Ze veegde haar vingers af aan haar schort en gaf me een liefdevol tikje in m'n gezicht. Het was voor het eerst dat haar hand me aanraakte (zo'n moment is altijd gedenkwaardig). 'Vind je het niet vervelend dat ik me ermee bemoei?'

'Nee hoor.'

'Gelukkig maar, want zo ben ik, dat zit er gewoon in.'

Tegen de tijd dat Enrique weer boven was, had ik inmiddels mijn kruidenthee op en zat Rebeca met de Gouden Gids (een dikke pil van krantenpapier met een kartonnen kaft, een afgesleten rug en ezelsoortjes door het gebruik) op haar schoot. 'Wat is er?' vroeg Enrique toen hij binnenkwam. 'Hij wil een hotel zoeken,' zei Rebeca. 'Ah,' zei hij, alsof hij er nooit bij had stilgestaan dat ik weer weg zou gaan. 'Een hotel, ja, natuurlijk.' Ik belde het Intercontinental, ook al was dat aan de dure kant, want daar had ik de grootste kans om op dat tijdstip nog een kamer te vinden. Ik reserveerde, gaf mijn creditcardnummer door en nadat ik had opgehangen vroeg ik mijn gastvrouw en -heer hoe ik er moest komen. 'Ik zal een kaartje voor je tekenen,' zei Rebeca. 'Je moet de stad door.' En met het puntje van haar tong uit haar mond ging ze aan de slag. Op een vel ruitjespapier tekende ze straten en nummers en pijltjes, terwijl ze met haar hele gewicht op het puntje van de stift leunde. Enrique zei: 'Kom, ik wil je even iets laten zien terwijl zij dit afmaakt. Ze is zo traag in dit soort dingen, het arme mens.'

Hij nam me mee naar zijn slaapkamer. Het was een smalle ruimte, zo smal dat er maar één nachtkastje in stond; het andere had er niet meer bij gepast (anders had het de deur van de wandkast geblokkeerd, een onbehandelde triplex plaat die zo simpel en kaal was dat hij deed denken aan de schipbreuken uit tekenfilms). In een hoek, op een soort serveerwagentje waarmee je hem naar het bed toe kon trekken of ervan weg kon duwen, stond de televisie, een oud apparaat met een omhulsel van houtnerfimitatie; op de televisie stond een bureaukalender met plaatjes van paso fino's. Ik wist meteen dat het nachtkastje Rebeca's domein was, ondanks het feit dat op de foto onder de lamp niet haar man prijkte, zoals de theorie over echtelijke nachtkastjes voorschrijft, maar zijzelf, iets jonger, maar al zonder enig spoor van haar rode haar. De foto was waarschijnlijk zo'n tien of vijftien jaar geleden genomen, bij een klein zwembad dat er niet al te schoon uitzag. 'Dit is in Santa Fe de Antioquia,' zei Enrique, terwijl hij uit de la iets haalde wat op een fotoalbum leek, maar een archiefmap bleek te zijn. 'We gaan elke decembermaand, we huren het huis van vrienden.' Hij klikte de ringband van de klapper open en haalde er een vel papier uit, hoewel het eigenlijk geen vellen waren, maar plastic hoesjes met daarin de papieren (of foto's, of knipsels), beschermd tegen zweterige handen en het vocht in de atmosfeer. 'Jij kent dit al, al weet je het niet,' zei Enrique. In de hoes zat een formeel ogende, getypte brief zonder enige doorhaling; om de letters te kunnen onderscheiden, moest ik met mijn vingertop op het oppervlak van het plastic drukken. Ik voelde me als een kind dat de moeilijke gewoonte moet aanleren om een regel te volgen, te interpreteren en met de volgende te verbinden.

Bogotá, 6 januari 1944

Hooggeachte senatoren Pedro J. Navarro, Leonardo Lozano Pardo en José de la Vega,

Mijn naam is Margarita Lloreda de Deresser, ik ben geboren in Cali-Valle in een liberaal gezin. Mijn vader was Julio Alberto Lloreda Duque (die in vrede ruste), ingenieur van beroep en adviseur publieke werken in de regering van doctor Olaya Herrera (moge hij in vrede rusten).

Middels deze brief wil ik u vragen om bemiddeling voor mij en mijn gezin in de situatie die ik hieronder voor u zal schetsen.

In het jaar 1919 trouwde ik met de Duitse staatsburger Konrad Deresser, een degelijk huwelijk dat sindsdien onder het toeziend oog van onze Heer heeft standgehouden en waaruit een zoon is voortgekomen, Enrique, een voorbeeldige jongeman die thans drieëntwintig jaar oud is.

Vanwege zijn nationaliteit is de naam van mijn echtgenoot opgenomen in de zogeheten zwarte lijst van de regering van de Verenigde Staten van Amerika, hetgeen, zoals u ongetwijfeld weet, voor iedere persoon en ieder bedrijf desastreuze gevolgen heeft, en wij vormen daarop geen uitzondering. In een paar weken tijd zijn wij door de onterechte vermelding op deze lijst in een crisistoestand terechtgekomen waaruit geen uitweg mogelijk lijkt en waardoor wij vrijwel zeker snel op een faillissement zullen afstevenen.

Mijn echtgenoot heeft noch in het heden, noch in het verleden affiniteit gehad met het huidige bewind in Duitsland en dat zal in de toekomst ook niet gebeuren. Het is dan ook onbillijk en onterecht en slechts te wijten aan geruchten die elke grond missen, dat zijn naam op die lijst terecht is gekomen.

Mijn echtgenoot is eigenaar van een klein familiebedrijfje, Deresser Glas, dat zich bezighoudt met

'Stopt hij hier?' zei ik. 'Heb je de rest niet?'

Enrique haalde er nog een geplastificeerde pagina uit.

'Niet zenuwachtig worden,' zei hij sarcastisch. 'De wereld draait nog wel even door.'

de vervaardiging en verkoop van allerhande glaswerk. Het bedrijfskapitaal bedraagt niet meer dan achtduizend peso's en er staan slechts drie werknemers op de loonlijst, allen Colombianen.

Mijn echtgenoot maakt tevens deel uit van de enorme Duitse gemeenschap die aan het begin van onze eeuw in Colombia arriveerde en zich sindsdien keurig aan de wetten van ons vaderland heeft gehouden. Als Bogotaan viel hij op door zijn strenge, integere zeden en gewoonten, zoals dikwijls het geval is bij mensen van dat hoogwaardige volk. Ondanks het feit dat mijn echtgenoot altijd trots is geweest op zijn afkomst, heeft hij mij er nooit van weerhouden mijn kinderen op te voeden met de religieuze en burgerlijke normen en waarden van ons vaderland Colombia, de katholieke kerk en onze dierbare democratie, die vandaag de dag bedreigd wordt door gebeurtenissen die algemeen bekend zijn, hetgeen mijn echtgenoot evenzeer betreurt als alle andere Colombiaanse burgers, waar hij zich deel van voelt.

Met alle respect wil ik u, niet alleen in mijn naam maar ook in die van andere Duitse gezinnen die zich in een soortgelijke situatie bevinden, verzoeken bij de regering te bemiddelen om onze namen van bovengenoemde lijst te laten halen en ons onze burgerrechten en het recht op uitoefening van ons beroep terug te geven. Zowel mijn man als vele andere Duitse burgers zijn de dupe geworden van het feit dat ze door de Voorzienigheid op een bepaalde plek geboren zijn, niet van hun daden of handelingen. Daden en handelingen die immer in overeenstemming zijn geweest met de wetten en gewoonten van dit Vaderland, dat hen zo genereus heeft opgenomen.

Ik wil u bij voorbaat bedanken voor uw aandacht voor deze brief. In afwachting van uw blijk van goede wil, verblijf ik,

Hoogachtend,

Margarita Lloreda de Deresser

'Hoe heb je deze brief in handen gekregen?'

'Gewoon door erom te vragen,' zei Enrique. 'Ja, dat vond ik ook raar, maar later dacht ik: wat is er eigenlijk zo raar aan? Niemand is geïnteresseerd in deze papieren. Er bestaan honderden, duizenden brieven als deze, ze zijn niet uniek. Een paar jaar geleden is er brand geweest, veel brieven zijn verbrand. Denk jij dat iemand dat wat kon schelen? Oud papier, dat waren die dossiers. De ambtenaar die me de brief heeft gegeven, heeft me de waarheid bekend. Ze werden in stroken geknipt en bij de balie neergelegd zodat de mensen na het zetten van een vingerafdruk hun handen eraan konden afvegen.'

'Dus je bent naar Bogotá gegaan, hebt die brief opgevraagd en hem meegekregen.'

'Dat verbaast je, of niet? Wat dacht jij, dat Sara Guterman de enige fanaat was? Nee, Sara is een hobbyist vergeleken met mij. Ik heb deze kwestie pas echt serieus genomen. Ik ben geen beunhaas. Als er een gilde van documentalisten zou bestaan, zou ik de voorzitter zijn, daar kun je van op aan.'

'Ach, ben je daarmee bezig,' zei Rebeca toen ze binnenkwam. In haar hand had ze de routebeschrijving, de wegen en straten die me naar het hotel zouden leiden, waar ik inmiddels natuurlijk niet meer naartoe wilde. 'Arme stakker, hij heeft niemand om zijn speeltjes aan te laten zien.'

'Dat heb ik wel,' zei Enrique, 'maar ik wil het niet. Dit is niet zomaar voor elke onbenul.'

'Ik mag ze denk ik niet meenemen, hè,' zei ik. 'Ook niet als ik ze morgenvroeg terugbreng.'

'Dat heb je goed gedacht. Deze papieren komen dit huis niet uit zo lang als ik leef.'

Ik zei dat ik het begreep (en dat was niet gelogen). Maar dit was de brief waarover Sara Guterman me had verteld. En Enrique had hem. Hij had hem aan me laten zien. *Ik had hem gezien*. De stilzwijgende afspraak die Enrique en zijn echtgenote over dat gegraaf in het familieverleden hadden, vond ik prachtig: ze spraken allebei luchtig over de brief, alsof ze daarmee de ernst van de inhoud konden wegnemen. Ik kon het spelletje vooralsnog niet meespelen. De uitstraling van het papier, van Margarita's handtekening, die datum, hielden me tegen.

'Als je een van deze papieren kwijt zou raken, als je ze zou beschadigen, zou ik je moeten doden,' zei Enrique. 'Als de spion in een film. En ik wil je helemaal niet doden, joh, ik mag je wel.'

'Dat heb ik ook liever niet,' zei ik, terwijl ik hem de tweede pagina van de brief teruggaf. Ik stond op en liep naar Rebeca om haar een afscheidszoen te geven. 'Nou, bedankt voor alles,' zei ik al.

'Maar als je wilt,' onderbrak Enrique me, 'mag je wel blijven slapen.'

'Nee, nee. Ik heb al gereserveerd.'

'Dan bel je toch af.'

'Ik wil jullie niet tot last zijn.'

'De last zou voor jou zijn,' zei Rebeca, 'die bank is keihard.'

'Het gaat ook nog om iets anders,' zei Enrique. 'Er is iets wat ik graag met jou zou willen doen. Alleen heb ik het niet gekund, en met wie kan ik beter gaan dan met jou?'

En hij vertelde me hoe vaak hij wel niet over de weg naar Las

Palmas was gereden en de hele tijd van plan was geweest om bij de plek van het ongeluk te gaan kijken, om zijn auto in de berm te zetten en als een toerist de berghelling af te wandelen, als dat mogelijk was tenminste. Nee, hij had het nooit gekund: elke keer was hij doorgereden en twee keer had hij zelfs – belachelijk, ja, dat wist hij – de autoradio harder gezet om zijn eigen gedachtes, die brandden van nieuwsgierigheid, niet te hoeven horen.

'Ik stel voor om morgen te gaan,' zei hij. 'Het ligt voor jou op de route naar Bogotá, je komt er toch langs.'

'Ik weet niet of ik dat wel wil.'

'We vertrekken vroeg en rijden stevig door, dat beloof ik je, of we doen er zo lang over als jij wilt.'

'Ik weet niet of ik dit wil meemaken, Enrique.'

'En daarna ga je naar huis. Erheen rijden en kijken, meer is het niet. Ik hoop dat ik er dan eindelijk eens van afkom.'

'Waarvan?' vroeg ik.

'Wat denk je, Gabriel. Van die twijfel, man, van die verdomde twijfel.'

Vanaf het moment dat Enrique en Rebeca me welterusten hadden gewenst, zich in hun slaapkamer, op minder dan vier meter afstand van de bank waarop ik de nacht zou doorbrengen, hadden teruggetrokken en de deur hadden dichtgedaan, wist ik dat ik niet zou kunnen slapen. In de loop der tijd ben ik erin getraind geraakt om slapeloze nachten te herkennen lang voordat ik moeite ga doen om de slaap te vatten, zodat ik me de tijd die je daaraan kwijt bent, kan besparen. Ik deed het licht van de woonkamer uit maar liet de staande lamp aan en bleef te midden van het schemerduister, op een rood kussentje dat Rebeca in een hoes had gestopt zodat ik het als hoofdkussen kon gebruiken, lange tijd aan mijn vader zitten denken, aan de vergeving die hij niet had gekregen, aan de weg waaraan hij na die weigering was begonnen en die hij nooit had voltooid; ik kon niet anders dan denken dat het feit dat ik me die nacht in het huis van Enrique Deresser bevond, een van die manieren was waarop het leven met iemand kan spotten; hetzelfde leven dat mijn vader de enige mogelijke verlossing had geweigerd en mij en passant het recht op het erven van die verlossing had ontzegd, had nu besloten dat ik, de onterfde, een nacht te gast zou zijn bij de persoon die had geweigerd ons te verlossen. Het licht van de lamp viel recht van de kap in een cirkel naar beneden terwijl de rest van de kamer in duisternis gehuld bleef (de spullen waren vaag te onderscheiden: de eethoek waar de stoelen nog uitgeschoven stonden, het dressoir bij de deur, de fotolijstjes, de schilderijen – posters, beter gezegd – aan de wanden, die in het donker niet wit waren, maar grijs); en toch moest ik opstaan en een rondje maken door de kleine ruimte, want door dat prikkelende gevoel in mijn ogen en ledematen, diezelfde statische elektriciteit die me wakker zou gaan houden, kon ik niet stil blijven liggen.

Bij het raam was ik snel uitgekeken. Buiten gebeurde er niets: in de zwarte, blinde vensters van andere gebouwen niet, op straat niet, waar mijn auto nog altijd stond, en ook op de binnenplaats niet, waar de met stoepkrijt getekende hokjes van het hinkelspel het licht van de straatlantaarns stoffig weerkaatsten. Op de portretfoto's op het dressoir stond Sergio met een vies gezicht met zijn vinger tegen de neus van een pony, Rebeca en Enrique poserend op een brug – ik wist dat er in de buurt van Santa Fe de Antioquia een beroemde brug was en nam aan dat dat die op de foto was – en een vrouw die jonger was dan zij, maar te oud om bijvoorbeeld Sergio's vriendin te zijn, op een feest met een arm om Rebeca heen geslagen en een glas anijsbrandewijn in haar vrije hand. Het was allemaal moeilijk te zien (en te interpreteren, uiteraard) in het donker, net als de Duitse titels van de tien of twaalf pocketboeken die ik in de bovenste lade van het dressoir vond, slingerend tussen schroevendraaiersets, potjes Boxer-lijm, suikerzakjes, een stuk of wat injectiespuiten met hoesje, een paar verroeste haarspeldjes. In de keuken deed ik keukenkastjes open en dicht en probeerde daarbij geen geluid te maken; ik vond een glazen pot vol koekjes en nam er een en uit de koelkast haalde ik een fles koud water en schonk mezelf een glas in (ik moest langs conservenblikjes en pakjes thee voordat ik het vond). Op de deur zaten een magneet in de vorm van een hoefijzer en een met het logo van voetbalclub Atlético Nacional. Meer niet, geen namen, geen lijstjes, geen boodschappen. Met het glas koud water in mijn hand liep ik terug naar de verlichte hoek bij de bank. Het was waarschijnlijk tegen twaalven. Ik legde Enriques map op het kussen zodat het licht er van de zijkant op zou vallen en de weerspiegeling van het plastic de letters niet onleesbaar zou maken. Weer zat ik, zoals zo vaak in mijn leven, documenten van anderen te bestuderen, niet zo neutraal als anders, maar heel opgewonden en nerveus en tegelijkertijd moe, als op de dag na een avond stevig drinken. 'Morgen moet je hem teruggeven,' had Enrique gezegd, 'maar vanavond mag je hem rustig bekijken.'

'Maar mag ik ze niet kopiëren?' had ik gezegd, want alleen de brief van Margarita had me al in een staat van opwinding gebracht alsof ik bij een veiling op de toga van Demosthenes was gestuit. 'Kan ik niet vroeg opstaan en een apotheek zoeken om kopieën te maken?'

'Deze brieven zijn van mij en mijn familie,' zei Enrique. Voor het eerst klonk er iets verwijtends in zijn stem. 'Er is geen reden waarom ze voor iemand anders interessant zouden moeten zijn.'

'Ik vind ze interessant. Ik wil ze hebben.'

'Je hebt me niet goed begrepen,' kapte hij me af. 'Ze zijn niet voor jou.' En na een ongemakkelijke stilte ging hij verder, alsof hij zich verontschuldigde voor het verdedigen van zijn territorium. 'Ik wil gewoon niet dat ze in een boek komen te staan,' zei hij. 'Het zal wel schaamte zijn, of gevoel voor privacy, geef er maar een naam aan. Ik ben erg aan die brieven gehecht en dat is deels omdat ik weet dat niemand anders ze heeft, dat ze van mij zijn, dat verder niemand ze kent. Als ze openbaar zouden worden, zou er iets verloren gaan, Gabriel, er zou iets heel groots voor mij verloren gaan, ik weet niet of ik duidelijk ben.'

Ik zei van wel. Hij was duidelijk, nou en of, hij was heel duidelijk. En zodra ik de map opende en er drie of vier bladzijden in had gebladerd, begreep ik zijn zorgen, zijn angst voor de schade die deze verzameling in onzorgvuldige handen kon oplopen. In de plastic insteekmappen zaten, achter de brief waarin Margarita de senatoren om hulp had gesmeekt, verscheidene brieven die ouwe Konrad vanuit het concentratiekamp in Hotel Sabaneta naar zijn gezin had gestuurd, eerst naar zijn echtgenote, daarna naar zijn zoon. Meer was het niet, maar tegelijkertijd was het alles. 'Ze zijn niet voor jou,' had Enrique gezegd. Het was zijn subtiele manier geweest om te zeggen: het is je verboden je deze brieven toe te eigenen; jij steelt alles, maar dit pak je me niet af. Hij was mijn gastheer, ik was zijn gast. Toen hij me die brieven had gegeven, toen hij me er toegang toe had verschaft, al was het maar voor een avond, had hij me vertrouwd. Maar het liep niet zoals we het allebei graag gezien hadden: zodra ik de eerste brief las, wist ik dat ik het vertrouwen zou beschamen, en toen ik halverwege de tweede was, begon ik er al mee.

Sergio kon elk moment thuiskomen. Ik trok mijn schoenen weer aan, pakte mijn jas van de stoel bij de deur en liep met mijn jas en mijn schoenen aan naar de kamer waar het echtpaar Deresser sliep. Ik hield mijn adem in om beter te kunnen luisteren en na een seconde of tien, twintig kon ik hun slapende ademhaling onderscheiden; ik bedacht dat het er misschien maar één was, dat een van hen (net als ik) misschien een slechte nacht had; maar dat was onmogelijk te verifiëren, en met wat je niet kunt verifiëren zou je nooit rekening moeten houden. Ik probeerde de deur zodanig dicht te duwen dat het er van buitenaf uitzag alsof hij gesloten was. Toen ik dacht dat me dat gelukt was, liep ik in het donker de trap af en stapte, onderweg van de deur van het gebouw naar mijn auto, per ongeluk op het hinkelspel. Ik wist niet of ik het had uitgewist, maar ik stopte niet om te kijken. Ik stapte in mijn auto, niet aan de bestuurderskant maar aan die van de bijrijder, haalde mijn aantekenboekje uit het dashboardkastje, de pen uit mijn jasje, knipte het plafondlampje aan en ging aan het werk. Ik zag dat de brieven van achter naar voor gerangschikt waren: eerst de meest recente, daarna de oudere. Pas toen ik bij de laatste brieven uit de map was aanbeland, besefte ik wat een merkwaardig effect het had om ze in omgekeerde chronologische volgorde te lezen.

Dit zijn de brieven die ik heb overgeschreven:

Fusa, 6 augustus 1944

Jongen,

Vandaag zijn er drie uit het hotel gedeporteerd. Heinrich Stock, Heider en Max Focke. Stock was een fanatieke propagandist, dat zei iedereen.

Afgelopen zondag kwamen zoals altijd hun families

langs en alles ging zoals altijd en op dinsdag kwam het bevel en vandaag zijn ze meegenomen. Ze gaan naar Buenaventura en van daaruit met de boot naar de VS. Ze zeggen dat sommigen vanuit de VS naar Duitsland gaan en dat anderen in andere kampen terechtkomen.

Het enige wat ik niet wil, is teruggaan naar Duitsland. De oorlog is al verloren.

Heren van de censuur, dit is geen geheime code.

Het schijnt dat er een kegelbaan komt. Maar ze zeggen elke dag wat anders.

Ze zeiden dat we meer zouden krijgen dan de 4 biertjes per dag.

De mensen hier hebben een reden om de deur uit te gaan. Ik niet, waarom zou ik?

Je vader

Fusagasugá, 25 juni 1944

Lieve jongen,

Het is nu 5 uur 's middags en we zitten met z'n allen in de eetzaal onze brieven te schrijven. De zondagen zijn voor mij het ergst. Aan de mis heb ik niets, daardoor denk ik juist dat God ver van mij is. Ik ben in de war. Wat is mijn godsdienst en wat is mijn land? Dat zijn de twee dingen waar je iets aan kunt vragen en ik heb natuurlijk niemand om iets aan te vragen. Dit is wat je noemt totale VERLATENHEID.

De hele dag spreek ik mijn taal met mensen uit mijn land, maar we zijn in een ander land. Sorry als je dat stom vindt. Op zondag schrijf ik meestal onzin. Doordeweeks zijn we op de koffieplantages en werken we in de tuinen maar op zondag niet. Het werk op het land biedt afleiding maar op zondag is er te veel vrije tijd. Vandaag ben ik op het terras gaan zitten kijken naar auto's met familie die uit Bogotá kwamen. Vrouwen en kinderen die de mannen komen opzoeken. Allemaal zaten ze met hun gezin bij het zwembad. Zou het onze voorgoed kapot zijn? Ik wil er niet aan denken. Wie ben ik hier zonder jullie? Niemand. Om mezelf bezig te houden ben ik eens gaan zitten den-

ken aan hoeveel van deze mensen ik glas heb verkocht. Drieëntwintig. Kraus is me nog geld verschuldigd, niet te geloven.

Ik slaap niet meer. Ik wil niet klagen, maar het is gewoon zo. Morgen om 6 uur wordt de reveille geblazen en ik weet nu al dat ik op dat moment al twee uur wakker lig. In het beste geval slaap ik vier uur.

Vanaf half 10 mogen we geen lawaai meer maken en die uren in stilte in het donker zijn de ergste. Vertel me eens hoe het thuis gaat. Zeg me of je iets van je moeder hebt gehoord, lieg niet tegen me. Laat me alsjeblieft niet ook nog in de steek.

Je vader,
Konrad

Fusagasugá, 26 mei 1944

Lieve jongen,

Vroeg of laat komt je moeder weer terug. Het heeft even geduurd voordat ik je terugschreef omdat ik je geen leugens wilde vertellen. Op emotionele momenten ben je vaak te optimistisch en jouw brief heeft me diep geraakt, dat zal ik niet ontkennen. Ik zou flink in de put kunnen zitten, maar dat is niet zo. En weet je waarom niet? Omdat ik daarna, toen ik rustig werd, zat te bedenken wat nou echt het meest aannemelijk was en ik tot deze conclusie kwam. Je moeder komt terug omdat we haar familie zijn. Ik weet het heel zeker en ik vergis me niet als ik over iemand moet oordelen. Wees geduldig, met Gods hulp komt alles op zijn tijd.

Je zegt dat ze verschrikkelijke dagen heeft doorgemaakt. Ik heb ook verschrikkelijke dagen doorgemaakt want het is niet makkelijk om van elkaar gescheiden te zijn. Het was natuurlijk een egoïstische daad van haar en dat is raar want ze is juist altijd zo ruimhartig geweest. Daarom weet ik zeker dat ze er nog op terugkomt. De tijd heelt alle wonden en op een dag zullen we weer met ons drieën zijn. Ik geef je mijn woord.

Je vader houdt van je,
Konrad

Hotel Sabaneta, 21 april 1944

Mijn allerliefste Margarita,

Ik zou het fijn vinden als je in Fusa zou komen wonen. Er zitten hier in het hotel mensen die hun gezin in Fusa hebben en elke dag bij ze op bezoek kunnen gaan en er zelfs blijven slapen. Op de heenweg loopt er een politieagent met ze mee en op de terugweg ook. Maar ze slapen bij hun echtgenotes en kunnen hun kinderen zien. De huizen in Fusa zijn peperduur omdat iedereen nu een huis in Fusa wil en er zitten hier mensen met veel geld. Maar als we een beetje moeite doen kunnen we wel een goedkoop plekje voor je vinden. Enrique kan in Bogotá blijven. Wat zou het fijn zijn om weer naast je te kunnen slapen. Ik weet dat we geen geld hebben maar er valt vast wel iets te regelen, je moet altijd hoop hebben, zo zegt men.

We wonen hier zonder al te ernstige problemen dus maak je over mij geen zorgen. Er is niet veel te doen want het is verboden om een radio te hebben. We mogen niet naar muziek luisteren en voor mij zou muziek luisteren het wat makkelijker maken want dan zou ik afleiding hebben. Een van de hotelbediendes mag me wel, dat is degene die me heeft geholpen om mijn brieven te schrijven. Misschien kan ik hem een radio vragen of mag ik mee naar zijn kamer om even muziek te luisteren.

Ik hou van je, voor altijd.
Liefs,
Konrad

Hotel Sabaneta, Fusagasugá, 9 april 1944

Mijn allerliefste Margarita,

Je vindt het nooit leuk als ik je in het Duits schrijf en nu heb je geluk want het is hier verboden om in het Duits te schrijven. Alle brieven moeten in het Spaans zijn en gaan door de verschrikkelijkste censuur. We geven ze geopend af en er is iemand die ze leest en om uitleg vraagt. Waarschijnlijk zoeken ze naar spionnen. Maar we zijn natuurlijk allemaal spionnen hier, gewoon omdat we een achternaam hebben die zij niet kunnen uitspreken. We hebben een medisch onderzoek gekregen alsof we een besmettelijke ziekte hadden. Praten mag nog wel, dat hebben ze ons in elk geval niet verboden.

Vorige week was er een katholieke mis maar dat hoor ik pas net. Pastoor Baumann droeg hem op. Als er hier missen zijn wordt het allemaal misschien niet zo erg en er is hoe dan ook toch maar één God. Pastoor Baumann doet me heel erg aan Gabriel denken. Ik heb tegen Gabriel gezegd dat hij wel hier mocht komen oefenen als hij wilde, in plaats van altijd naar de Gutermans te gaan. Voor mij zou het een verzetje zijn. En hij zou naar pastoor Baumann kunnen komen luisteren, want Gabriel is katholiek. Zeg hem dat alsjeblieft nog een keer. Maar dring niet aan als hij niet wil.

Nou, ik hoop dat je echt hulp gaat zoeken. Iemand moet toch inzien dat dit allemaal een vergissing is en dat ik niks fout heb gedaan. Zo beloont dit land mij voor wat ik heb liefgehad. Colombia is het ondankbaarste land dat God op deze aardbodem heeft neergelegd. En ik ben niet de enige die dat zegt. Aan tafel is dit het onderwerp van gesprek. Maar er zitten hier ook wolven in schaapskleren, dat is het probleem met de mensen die hier terecht zijn gekomen. De rest moet weten dat ik niet zo ben als zij. Lieverd, het belangrijkste is dat jij me gelooft. De rest kan me heel weinig schelen. Wat Enrique ervan denkt kan me weinig schelen als jij me maar gelooft.

Ik zal je zo vaak schrijven als ze me dat toestaan hier en ik hoop dat het je niet verveelt.

Liefs,

Konrad

Toen de laatste brief uit de map, de eerste die Konrad Deresser vanuit Hotel Sabaneta had geschreven, in mijn schrift stond, nam ik een paar minuten de tijd om bij te komen van hun verpletterende alledaagsheid: de brieven waren de beste getuigenis geweest van die gewone, die ondraaglijk gewone dagen die een gewone burger in een buitengewone tijd op een buitengewone plek had beleefd; de brieven waren daarmee de beste getuigenis van mijn vaders fout geweest. Alleen al daardoor zou ik gedwongen zijn geweest ze te stelen; en dan stond er ook nog die alinea, plompverloren tussen twee pathetische oproepen aan het adres van Margarita, die op dat moment misschien al weg was bij haar man; die alinea, neutraal als het net van een tennisbaan, waarin mijn vaders naam werd genoemd (genoeg om haar uniek en waardevol te maken) en dingen stonden waar ik me niets bij voor kon stellen. 'Oefenen' was in deze alinea een lang, kneedbaar werkwoord, een woord als verbrand rubber. Even zat ik te denken aan *Die Meistersinger von Nürnberg* en verbond de anekdote van de radio-uitzending met de losse hoes die ik in mijn vaders appartement had gevonden. Ineens stond mijn vader met een viool onder zijn kin te oefenen; of hij kreeg juist les van ouwe Konrad of tips voor een tenor om het middenrif beter te leren beheersen, want ouwe Konrad had verstand van dat soort dingen. Ik stelde me voor hoe mijn vader met zijn vioolkoffer over zijn schouder op de bus of bij anderen in de auto stapte en probeerde te bedenken op welk moment hij had besloten het instrument aan de wilgen te hangen. Dit had ik allemaal bedacht voordat het vermoeden rees dat de alinea niet verwees naar het leren bespelen van een instrument of naar ademhalingsoefeningen, maar naar de Duitse taal.

Was dat mogelijk? Dat mijn vader al zo jong Duits leerde? Ik begon in mijn geheugen te zoeken naar aanwijzingen in het leven van de Gabriel Santoro die ik had gekend, maar het was al te laat en zulk speurwerk in je hoofd is doodvermoeiend en niet altijd even betrouwbaar. Ik kon beter naar mijn informant van dat moment stappen, Enrique Deresser, al moest ik daarvoor wachten tot de volgende dag.

Ik legde mijn schrift terug in het dashboardkastje. Voordat ik uit de auto stapte, keek ik goed naar de straathoeken die me welgezind waren geweest en lette op of ik Sergio nergens zag. Ik liep terug naar het gebouw alsof er iemand achter me aan zat en rond vijven lukte het me, nog aangekleed, een paar uur te slapen, zonder me te herinneren wat ik had gedroomd, dat wel. Maar misschien had ik wel gedroomd over mijn vader die Duits sprak.

Ik werd wakker van een pruttelend koffiezetapparaat. Ik deed waarschijnlijk niet meteen mijn ogen open, want toen me dat eindelijk lukte, stond Enrique Deresser voor me als een hond met zijn riem in zijn bek om te vragen of ik hem wilde uitlaten; hij had echter geen riem in zijn bek maar een kop koffie in zijn hand en wilde niet wandelen, maar naar de plek gaan waar volgens de informatie van de Dienst voor het Wegverkeer een jeugdvriend was verongelukt. Zijn verzameling brieven lag niet meer naast de bank, waar ik haar de nacht ervoor had neergelegd. Ze was al weggelegd, veilig opgeborgen, buiten bereik van dieven. Enrique overhandigde me de warme mok.

'Oké, ik wacht beneden op je,' zei hij. 'Ik ga wat *buñuelos* halen, als je wil koop ik er voor jou ook een paar.'

'Buñuelos?'

'Om onderweg te eten. Om geen tijd te verliezen met ontbijten.'

En zo geschiedde, natuurlijk: Enrique was niet van plan de zaak ook maar een seconde langer dan nodig uit te stellen. Met mijn linkerhand aan het stuur en tussen de vingers van de rechter een bolletje warm deeg volgde ik zijn aanwijzingen op en reed, na een aantal steile, onregelmatig geplaveide straatjes in de stad (blokjes beton met voegen van teer), de stad uit de bergen in. De knieën van mijn bijrijder stootten tegen het dashboardkastje. Tot op dat moment was het me niet opgevallen dat Enrique zo lang was, of zijn benen althans, maar ik zei niets uit angst een gesprek op gang te brengen dat er onverwacht toe zou leiden dat hij het kastje zou openen en mijn schrift met aantekeningen zou vinden en er uit nieuwsgierigheid in zou bladeren en op de woorden zou stuiten die ik van hem en zijn familie had gestolen. Maar dat leek niet waarschijnlijk: Enrique concentreerde zich op andere dingen, hij staarde de vrachtwagens na die we inhaalden en keek naar de bochten in de weg, dat lint van donker cement dat zo kronkelde dat het een paar meter voor de auto uit al onvoorspelbaar werd en in de achteruitkijkspiegel uit het zicht verdween. Op een gegeven moment ging Enriques wijsvinger omhoog en tikte tegen de voorruit.

‘De blikken van de Saltina-koekjes,’ zei hij.
‘Wat is daarmee?’
‘Die noem je in het boek.’
En daarna zweeg hij weer, alsof hij niet begreep wat voor mij evident was: hij was een groot deel van de wereld gaan interpreteren via iets wat hij gelezen had. Hij gaapte een of twee keer om de druk van zijn oren te krijgen. Ik deed hetzelfde en merkte dat mijn oren een beetje dicht waren gaan zitten door de hoogte. Dat kan gebeuren zonder dat je het doorhebt, want het stijgt niet zo snel, en dit proces, zo denk je, heeft veel weg van dat van een oude man die doof wordt. Als je naar Bogotá rijdt ben je in één klap doof, als door een kinderziekte; deze klim naar Las Palmas betekende de natuurlijke, geleidelijk vorderende doofheid van de ouderdom. Daaraan zat ik te denken toen Enrique ineens weer tegen de voorruit tikte en me vroeg de auto aan de kant te zetten, want we waren er. De auto minderde vaart en de banden slipten in het mulle zand van de berm en het gevarenlicht begon irritant te tikken. Links van mij lag de weg, die er altijd gevaarlijker uitziet als je stilstaat, en rechts van mij zweefde de groene vlek van een groepje struiken, waar zo weinig blad aan zat dat je erdoorheen de lucht boven de vallei en de woeste berghelling kon zien. Dat was het moment waarop ik, misschien vanwege het gevoel van afscheid dat je krijgt als je met iemand in een stilstaande auto zit, misschien door de enigszins bizarre manier waarop het landschap om ons heen ons met elkaar verbroederde – het maakte ons tot vertrouwelingen, of handlangers –, Enrique vroeg wat ik hem sinds de avond ervoor had willen vragen. ‘Natuurlijk sprak hij Duits,’ ging hij verder, ‘hij sprak het alsof hij er geboren was. Hij had het in Hotel Nueva Europa geleerd, dat was zijn leerschool. Peter, Sara, dat waren zijn docenten. Het accent had hij meteen onder de knie, mensen met een goed gehoor hebben daar geen moeite mee en Gabriel had een beter gehoor dan Mozart. Er staan belangrijke en onbelangrijke dingen in jouw boek. Wat me van de onbelangrijke dingen het meest verraste, was dat je vader zijn Duits was vergeten. Hij heeft het willen vergeten. Tot op die dag toen hij *Veronika* begon te zingen, of niet? Sara was dol op dat lied, dat herinner ik me nog heel goed. En Gabriel maar doen alsof hij als oude man was begonnen met studeren,

alsof hij pas een paar maanden met zijn nieuwe taal bezig was, dat schrijf je allemaal in je boek, ik kon mijn ogen niet geloven toen ik het las. De man die hele toespraken uit de Reichstag uit zijn hoofd opdreunde en dan deed alsof hij geen Duits sprak, als dat niet heel ironisch is.'

'Vertel me daar eens over. Sara heeft me er maar weinig over verteld.'

'Dat zal zijn omdat er ook maar weinig over te vertellen valt,' zei Enrique. 'Ik herinner me nog heel goed een gesprek tussen hen, een van de laatste die ik heb meegemaakt ... Gabriel had mijn vader gevraagd of hij een aantal verwijzingen kon toelichten die in de toespraken voorkwamen; mijn vader deed dat met plezier, als een docent. Vertrouwelijker dan dit werden ze niet met elkaar. Het was geen vriendschap, nee. Gabriel heeft niet een vriendschap met mijn vader verraden, maar iets heeft hij verraden. Ik weet niet goed hoe je dat noemt, er moet toch een bepaalde naam voor zijn, je moet de plek waar hij het mes stak toch kunnen benoemen. Die toespraken, ik weet niet of je ze kent. Nee, ik durf niet te beweren dat Gabriel Duits heeft geleerd om ze te kunnen begrijpen, maar het zou wel heel naïef zijn om te denken dat ze er niet aan hebben bijgedragen. In elk geval is het normaal dat Sara er niets over gezegd heeft, lijkt me. Gabriel heeft nooit de fout gemaakt om met die verwerpelijke passie in Nueva Europa aan te komen. Hij was immers een verstandig man en had de zaken goed op een rijtje. Hij mocht die toespraken dan bestuderen, maar hij deed dat in het geniep en beschaamd. Misschien had hij graag gezien dat mijn vader zich wat meer had geschaamd. Ik natuurlijk ook. Wat verachtte ik hem. O, ja, ik heb mijn vader zo veracht. Wat een lafaards. We zijn allebei heel laf geweest.' Het was niet zo moeilijk om te bedenken dat hij op de ochtend dat mijn vader hem had opgezocht, de brieven van ouwe Konrad had zitten herlezen; ik stelde me voor hoe vers de wrok nog was, hoe zijn verachting elke dag weer nieuw was; ik stelde me voor hoe Enrique die teksten in zijn hoofd had herhaald terwijl mijn vader zijn boetepraatje hield. Maar ik stelde me vooral voor hoe een leven verloopt dat in dienst staat van de documentaire reconstructie van taferelen uit een ander leven. Daar had Enrique zich mee beziggehouden: de documenten die hij bij elkaar had verzameld vormden zijn plek op de wereld. Ik bedacht dat hij ze daarom bijna met stapels tegelijk in mijn handen had gedrukt, omdat hij dacht dat ik er dezelfde rust in zou vinden als hij en dat hij daarmee in een soort van kleine messias zou veranderen, een ad-hocchristus, met zijn documenten als evangelie. 'Ja, Gabriel ging naar Nueva Europa om zijn Duits te oefenen,' zei Enrique, en hij kneep zijn ogen samen ... 'Soms denk ik weleens dat het misschien daar is gebeurd. Is dat niet vreselijk? Niet alleen dat je met die mogelijkheid rekening houdt, dat bedoel ik niet alleen: is het niet vreselijk dat we nooit zullen weten waar het gebeurd is? Dat moment dragen we met ons mee, Gabriel, en we zullen nooit weten hoe het is geweest. Hoeveel brieven mijn vader ook bewaard heeft, hoeveel informatie Sara Guterman je ook heeft kunnen geven, die informatie ontbreekt. Zeg eens, heb jij je een voorstelling gemaakt van de situatie?'

'Ik heb het geprobeerd,' zei ik. 'Maar de plekken uit die tijd bestaan bijna niet meer. Ik heb Nueva Europa bijvoorbeeld nooit gekend.'

'Ik heb het tafereel gereconstrueerd alsof ik het gezien heb. Ik loop boven over de galerij en zie hem beneden met de figuur van de ambassade of de politie zitten, maar ik ga meteen door naar mijn kamer. Hoe moet ik het me voorstellen? Ik probeer niet eens te zien met wie Gabriel praat. Daar denk ik niet eens bij na. Ik zie hem zonder erbij na te denken. Ik stel mezelf geen vragen: wie zou het zijn? Zouden ze Duits aan het oefenen zijn? Gabriel ging altijd met Duitsers zitten praten, hij vond het leuk om talen uit te wisselen. De Duitsers liepen met vier nieuwe Spaanse zinnetjes de deur uit, dolblij, dat wel. Dus ik had me in dit plaatje kunnen afvragen of ze misschien talen uitwisselden. Maar ik vraag me niets af. Mijn ogen kijken over Gabriel heen. Ik ben van hen gescheiden door een glazen deur, een hele binnenplaats en een klaterende fontein. Ik zou dus kunnen zeggen: ik probeer te horen wat ze zeggen, maar dat lukt niet. Maar zo is het niet. In mijn weergave van de situatie probeer ik niets te horen. Normaal, toch? Je komt langs een plek waar je elke dag langskomt, je ziet je vriend zitten doen wat hij heeft gedaan sinds je hem kent: praten. Hoe moet je je dat voorstellen?'

'Dat kan niet,' zei ik.

'Ik weet dat jij altijd meer details hebt willen hebben,' zei hij.

'Maar dichterbij dan dit kunnen we niet komen, dat zeg ik je. De details wisselen, dat wel. Soms vallen er regendruppels in de fontein, soms niet. De ene keer zwemmen er visjes, de andere keer liggen er muntstukken die de mensen erin werpen. Soms zie ik Sara aan de receptie bezig met gasten en scheld ik haar uit omdat ze ook geen argwaan had gehad. Ik heb hier heel lang mee rondgelopen, jongen. En ik denk dat jij een sterke rug hebt, ik denk dat het je geen kwaad zal doen om mij een beetje te helpen. Jij hebt hier tenslotte over geschreven, jij hebt je ermee beziggehouden en het land is van degene die het bewerkt. Niemand heeft zo veel informatie als jij. Sara was de laatste, maar zij kan me niet meer helpen. Gebruik die informatie, Gabriel, doe me dat plezier. Kom over tien jaar maar langs, als ik nog leef, dan bespreken we onze standpunten, dan vertel jij me hoe jij het voor je ziet. Je vertelt me of je vader de plek uitkiest of zich aanpast aan wat er van hem gevraagd wordt. Of hij met plezier inlichtingen verstrekt of dat hij tegenstrijdige gevoelens heeft. Of hij in het gesprek ontkent dat hij Duits spreekt of dat ze juist daardoor, doordat hij Duits spreekt, geloof hechten aan wat hij zegt. Denkt hij aan Sara? Heeft hij het gevoel dat hij haar ergens tegen beschermt door mijn vader te beschuldigen? De vragen blijven komen. Ik heb mijn eigen theorieën. Die ga ik je niet vertellen, om je niet te beïnvloeden.' Daar was weer die neiging tot luchtigheid die ik die avond ervoor had meegemaakt, de strategie die overal een spel van maakte om zich tegen de pijnlijke feiten te beschermen. Vijftig jaar lang had hij met het verraad moeten leven. In dat opzicht, dacht ik, kwam ik net kijken. En toen bedacht ik ineens dat Enrique Deresser deze hinderlaag al heel, heel lang van tevoren had gepland, sinds de publicatie van mijn boek, bijvoorbeeld. En de uitnodiging om bij hem langs te komen, het relaas van mijn vaders bezoek, de inzage die hij mij in zijn te vele documenten had gegeven, het had allemaal de weg geplaveid naar dit moment: het moment waarop hij de helft van de last van zijn leven op een ander overdraagt; het moment waarop hij, bij toeval bijna, op zijn oude dag nog een minimale vrijheid verwerft. 'Nou, dat wilde ik je vragen,' zei hij. 'Om na te denken. Ik ben er al te veel jaren mee bezig, ik kom niet verder, nu is het jouw beurt. Ik moet je wel waarschuwen, hoe vroeg je ook opstaat, wat er niet is, zul je niet zien. Hoe vaak je de situatie ook door je hoofd laat gaan, eerder zal het niet licht worden. Nou ja, je begrijpt me wel. Het plaatje is onmogelijk compleet te krijgen.' Na een poosje voegde hij eraan toe: 'Wil je verder nog iets weten?'

Ik wilde zeggen: is er überhaupt iets wat ik echt zeker weet? Is er iets in het leven van mijn vader waar maar één kant aan zit? Ik zei echter: 'Op dit moment niet. Als er nog iets is, dan laat ik het je wel weten.'

'Mooi. Dan komen we nu maar ter zake, lijkt je niet?'

'Dat lijkt me ook.'

'De ochtend moet niet verloren gaan aan oude koeien,' zei hij. 'Laten we realistisch zijn, jij en ik staan er alleen voor. Niemand geeft nog iets om deze verhalen.'

We stapten uit de auto en stonden ineens in de luidruchtige, te stralende buitenwereld. We liepen naar voren, door de berm, langs de rand waar de berg zich in de leegte stort en geen vangrail of enige andere kunstmatige afscheiding is: de mens is overgeleverd aan de genade van de rotsen en boomstammen en de huisjes van adobe of holle baksteen om niet in de afgrond te storten. De lucht was geladen en vochtig en stroomde vol met de geur van rottende planten zoals een teil zich vult met water. Het zweet brak me uit; het stond in mijn handen en nek, mijn horlogebandje plakte om mijn pols. We hadden zo'n dertig, veertig meter gelopen toen Enrique hijgend met zijn handen in zijn zij stopte (zijn wenkbrauwen opgetrokken, zijn mondhoeken geopend als de kieuwen van een zieltogende forel), diep inademde en zei: 'Hier is het.'

Hier was het. Dit was de plek waar mijn vaders auto de afgrond in was gereden. Dit landschap was het laatste wat hij in zijn leven had gezien, met uitzondering waarschijnlijk van een paar koplampen die op hem afkomen of de carrosserie van een touringcar die hem van de weg duwt. Terwijl ik boven aan de helling ging staan en staarde naar de met wortel en tak uitgerukte struiken, de afgebroken takken en de omgewoelde aarde, de natuur die in al die jaren niet had willen aangroeien, keek Enrique naar de weg, die op dit punt minder slingerde (of minder scherpe bochten had) en dacht misschien, zoals ik dacht terwijl ik hem zag, dat dit weer zo'n illusie was die door de rust werd gecreëerd: vanaf de zijkant lijkt alles rechter en vooral langer recht en je zou nooit denken dat een voorbijrijdende auto ergens door verrast zou kunnen worden, niet door een voetganger op blote voeten, niet door een geschrokken hond. Als er door deze bocht een touringcar kwam aangereden, dacht ik dat Enrique dacht, zou de bestuurder van een auto die kunnen zien; als hij hem niet zag, vanwege het dichte duister dat 's nachts over deze weg moest hangen of door een willekeurige onachtzaamheid (onachtzaamheid die voortkomt uit vers verdriet, een teleurstelling of slecht nieuws), zou een persoon met normale reflexen hoogstwaarschijnlijk het stuur nog kunnen omgooien om hem te ontwijken. Omdat de weg daarvoor breed genoeg leek op dit punt; omdat een stijgende auto niet zo hard reed. Op dit punt, zo zou Enrique denken, was een ongeluk niet erg waarschijnlijk.

Ja, dat was wat Enrique dacht. Het leed geen twijfel. Wie zegt dat het niet mogelijk is om andermans gedachten te lezen?

De avond ervoor was zijn zoon me bijna aangevlogen omdat ik over zijn leven had gespeculeerd (en dan ook nog eens midden in de lofzang op het verraad die mijn boek was); maar deze keer was het in elk geval geen speculatie. Ik kon Enriques gedachten lezen, een voor een, alsof hij ze over het asfalt uitbraakte zodra ze in hem opkwamen. Enrique stond met zijn gezicht naar de fatale bocht toe en ik keek naar hem en kon als ik mijn ogen sloot zelfs zijn gedachten horen stromen ... Maar misschien was die touringcar, dacht Enrique, de bocht om gekomen op het moment dat Gabriel naar een radiozender wilde zoeken, misschien reed die touringcar wel zonder licht om de accu te sparen, wat ze wel vaker doen, misschien lag het aan Gabriels slechte hand dat hij niet efficiënt gereageerd had, misschien had zijn hart het begeven van de schrik en in dat geval was Gabriel al dood geweest toen zijn auto de afgrond in reed ... En hoe zat het eigenlijk met de intenties van de buschauffeur, hoe zat het met de mogelijkheid dat die zelfmoord had gepleegd? Het kon toch ook zo zijn dat de chauffeur van de touringcar de vertwijfelde, de ontgoochelde, de levende dode was geweest, de chauffeur van de touringcar had vroeger toch zeker ook fouten gemaakt, bestond de kans soms niet dat hij had geprobeerd die recht te zetten en iemand hem dat belet had? Die mogelijkheden bestaan, dacht Enrique Deresser, niemand kan ze me afpakken. De zoon van Gabriel weet het nu onderhand wel, hij weet waarom ik hem heb meegenomen, waarom we de plek zijn gaan bezichtigen waar Gabriel de diepte in is gereden, waar hij alles had willen afsluiten omdat het allemaal maar een schijnvertoning was, omdat zijn leven een schijnvertoning was geweest, dat gevoel had hij. Ik had hem heel makkelijk kunnen misleiden, hem dat allemaal niet kunnen vertellen, voel je nou maar niet zo belangrijk, hou nou maar op te denken dat je uniek bent met je schuldgevoel, dat je dat verlangen om iets recht te zetten zelf hebt uitgevonden, dat is pas arrogant, Gabriel Santoro, dat is pas een goedkope schijnvertoning; dat andere niet, dat andere is een leven met genoeg tijd, een leven dat iedereen, juist omdat er genoeg tijd is, keer op keer zal verprutsen; iedereen zal fouten maken en ze verbeteren en opnieuw fouten maken, geef iemand wat tijd en je zult zien, de ene blunder na de andere, de ene goedmaker na de andere, blunders en goedmakers, blunders en goedmakers, totdat de tijd op is ... Want we leren niet, dacht Enrique Deresser, niemand leert, dat is het allergrootste bedrog, dat zogenaamde leren, daar hebben ze ons mooi mee bij de neus genomen, Gabriel Santoro, jou meer dan wie ook. Je dacht dat je geleerd had, dat je één keer een fout had begaan en dat je daarmee een soort vaccin had gekregen, nietwaar; nou nee dus, de bewijzen tonen het tegenovergestelde aan, meneer de advocaat, alles wijst erop dat er geen vaccin bestaat, dat je nog steeds ziek bent en dat je dat je hele verdomde leven en je hele verdomde dood lang zult blijven, zelfs in de dood zul je niet van je blunders bevrijd zijn. Daarom hoef je je niet vrijwillig te pletter te rijden en een hele touringcar met ik weet niet hoeveel passagiers met je mee te sleuren, daar zul je niets mee rechtzetten, je zult hooguit evenveel fouten op je laden als er doden vallen bij het ongeluk; je telt de doden aan het eind op bij de dode uit het begin, is dat wat je wilt? Het leven van een paar mensen die in een touringcar zitten naar de verdommenis helpen, is dat jouw idee van herstellen? Want als dat zo is, kan ik niets voor je doen, Gabriel Santoro, alles wat ik zeg zal onvoldoende zijn als jouw idee zo sterk is, als je zo vastbesloten bent om af te sluiten dat je het op deze manier wilt doen, als je bereid bent om anderen naar de verdommenis te helpen om jezelf goed naar de verdommenis te helpen. Dat was wat Enrique Deresser dacht terwijl hij stond te kijken naar de bocht die niet zo scherp was in de weg die niet zo gevaarlijk was, terwijl hij zich de vele dingen inbeeldde die zich tegelijkertijd hadden moeten voordoen om het ongeluk een ongeluk te laten zijn in plaats van de vrijwillige afsluiting, zonder pracht en praal, van een leven dat een schijnvertoning was geweest, van die gigantische onontwarbare kluwen die het leven dat Gabriel Santoro niet verdiende geweest was. Dat was, kortom, wat hij dacht, terwijl achter hem Gabriel Santoro's zoon op een soort vonnis leek te wachten, want hij was zich ervan bewust dat dit een rechtszaak was; het was de beslissende hoorzitting voor het eindoordeel over de overleden vader, die plaatsvond in de berm van een bergweg, in de geur van rottend tropisch fruit en tuberculeus rochelende knalpijpen en in de luchtverplaatsing van roekeloos voorbijrazende auto's die afdaalden richting Medellín en van auto's die klommen naar een onvoorspelbaar eindpunt, want na deze weg waren er duizenden mogelijke wegen waarvan die naar Bogotá er slechts één was. Maar het was in elk geval de weg die Gabriel Santoro zou hebben genomen als zijn auto niet was verongelukt, en het zou ook de weg zijn die de zoon van Gabriel Santoro zou nemen zodra bevestigd was dat Enrique Deresser geen schuld had aan de gebeurtenissen. Want in deze rechtszaak was Enrique Deresser ook verdachte en zijn pleidooi moest bewijzen dat de weg gevaarlijk was, dat het er 's nachts donker was geweest, dat het een scherpe bocht was waarin je vrijwel geen overzicht had, dat een verminkte hand in een noodsituatie niet adequaat reageert, dat een zojuist geopereerd hart kwetsbaar is en geen heftige opwinding aankan, dat een oude, vermoeide man slechte reflexen heeft, zeker als hij op één dag een geliefde en een jeugdvriend heeft verloren, die hem samen misschien naar het leven hadden kunnen terughalen.